D1104969

LE CHAT
AUX YEUX JAUNES

DU MÊME AUTEUR

SERGE BRUSSOLO

LE CHAT
AUX YEUX JAUNES

Agence 13
Les paradis inhabitables
tome 3

Fleuve Noir

© 2011, Fleuve Noir, département d'Univers Poche.

ISBN 978-2-265-09421-5

$$\sqrt{\frac{1}{2}} \cdot \left(\mid \text{mort} \rangle + \mid \text{vivant} \rangle \right)$$

Célèbre équation de physique quantique dite du « chat de Schrödinger » très appréciée des physiciens humoristes.

Paradoxe des *états superposés* dans lesquels le chat est tout à la fois mort *et* vivant.

archives de Cornell University, département de physique

Tu ne te prosterneras pas devant les idoles, et tu ne seras point leur serviteur, car moi, ton Dieu, je suis un Dieu jaloux.

Exode, chapitre 20.

1

Durant les mois qui suivirent l'affaire de la mine engloutie j'essayai de vivre normalement; comme j'aurais dû le prévoir cet espoir me fut refusé, sans doute parce que le destin considérait qu'il était hors de question que je m'abandonne aux joies du train-train quotidien.

Me découvrant enceinte, j'avais vu là l'occasion rêvée de tourner définitivement le dos à l'existence que je menais bon gré mal gré depuis mon adolescence.

Je voulais oublier que mon père – terroriste recherché par le FBI – m'avait entraînée aux techniques de combat, de survie et de sabotage. Sa paranoïa et sa haine du « Système » lui dictaient qu'un tel bagage était indispensable à la formation d'une jeune fille moderne; j'avais donc fait les frais d'une éducation où le maniement des armes de poing alternait avec des leçons du genre « comment fabriquer une bombe à partir de produits ménagers en vente dans les grandes surfaces ». Croyez-moi, un tel programme éducatif a de quoi faire de vous un individu quelque peu décalé par rapport aux comportements sociaux généralement admis. Je m'en étais longtemps accommodée; cela d'autant mieux que cet entraînement m'avait sauvé la vie à maintes reprises, mais à présent j'en avais ras le bol. Je désirais plus que tout devenir quelqu'un de NORMAL et oublier au plus vite comment on remonte un AK-47, les yeux bandés, en moins d'une minute.

Dans cet état d'esprit j'étais en train de me planifier une vie calme et régulière quand je fis LA fausse couche qui remit tout en question.

Un psy m'aurait sans doute expliqué que, inconsciemment, je refusais de porter l'enfant de Jake, le chef des mineurs de cette bourgade maudite du Montana dont la population, déchirée par des haines ancestrales, avait entrepris de s'entre-tuer juste avant que je ne prenne la fuite. Peut-être était-ce vrai, car, pendant le premier mois de ma grossesse j'avais été assaillie chaque nuit par des cauchemars dans lesquels Jake et la terrible Edith me capturaient pour me ramener dans le labyrinthe de la mine où les descendants des premiers chercheurs d'or vivaient depuis des générations.

Lors de ma fuite, j'avais emporté dans mes bagages – outre le trésor de l'Indien Trois-Griffes – Sue et son fils, le petit Billy Bob, un marmot d'une dizaine d'années, inquiétant en diable, que je soupçonnais d'avoir assassiné plusieurs personnes.

Grâce à l'or du Montana nous nous étions installés dans une villa, à Venice, la cité des marginaux et des gentils toqués, avec l'espoir de former une sorte de famille recomposée. Je nous voyais comme trois naufragés cramponnés au même radeau, et n'en revenant pas d'être en vie.

Là encore, les choses n'évoluèrent pas selon mes vœux. Très vite, la cohabitation avec Sue et le gosse se révéla impossible. À peine revenue à L.A. Sue succomba en effet à ses vieux démons : alcoolisme et nymphomanie. Il lui arrivait de disparaître des nuits entières pour participer à des orgies branchées du côté de Burbanks. Dans les derniers temps de notre vie commune, elle fréquentait le milieu de l'industrie pornographique avec l'ambition d'y faire carrière et de décrocher la récompense suprême du Phallus d'Or décernée par les magazines spécialisés dans la Hot Video.

Quant au gamin – qui me détestait –, il ne tarda pas à s'acoquiner avec une bande de surfeurs nazis dont il devint l'odieuse petite mascotte.

Les disputes succédant aux disputes, je décidai de reprendre ma liberté, leur abandonnai, en guise de cadeau de rupture, le reste du trésor, et allai m'installer à l'autre bout de Venice, dans un quartier où les cartomanciennes, les tatoueurs et les masseurs tantriques abondent. Je n'entendis plus jamais parler de Sue ou de Billy Bob. Je suppose que j'aurai des nouvelles du gosse lorsqu'il aura entamé sa carrière de psychokiller.

Une année s'écoula pendant laquelle Devereaux, le patron de l'Agence 13, me confia diverses missions de « relooking » qui se passèrent bien. J'en retirai une grande satisfaction. Vivre seule m'apaisait.

J'avais cessé de flairer autour de moi la présence obsédante de mon père. Je n'avais plus l'impression, lorsque je regagnais mon domicile, qu'il s'y était introduit en mon absence pour inventorier le contenu de mes tiroirs. Cela constituait à mes yeux un progrès. Peut-être étais-je en train de m'affranchir du lien ambigu qui nous unissait depuis mon adolescence, en ces temps lointains où il me cassait le nez pour m'entraîner à résister aux techniques d'interrogatoire !

J'aurais pu questionner Devereaux, mon patron, à son sujet (puisque, en réalité, l'Agence 13 appartenait à mon père !). Je préférai m'en abstenir. Il était temps de tourner la page et de s'en remettre au hasard qui nous réunirait un jour, s'il le jugeait nécessaire…

J'abordais enfin aux rivages de la sérénité quand un matin, alors que je franchissais le seuil de son bureau, ledit Devereaux m'accueillit par ces mots :

— Avez-vous entendu parler de l'actrice Peggy McFloyd? Ce n'est pas de votre génération, bien sûr, mais aux USA son souvenir est resté vivace.

— Elle jouait dans une série télévisée, non? hasardai-je. Un truc assez idiot dont j'ai dû voir cinq ou six épisodes. C'est encore diffusé la nuit, sur la chaîne gratuite, dans les motels bas de gamme... ou dans les salles de transit des compagnies de bus mexicaines.

— Oui, admit Devereaux, il s'agit de *First Lady*, la série qui l'a rendue célèbre. Aujourd'hui ça paraît ringard, mais à une époque c'était très apprécié. Bref, Peggy McFloyd a entendu parler de votre travail, elle souhaiterait que vous redécoriez sa maison. Elle vit retirée dans une espèce de manoir, dans les montagnes de Santa Monica, tout au bout du Mulholland Scenic Corridor. Elle n'en sort jamais. Elle doit avoir quatre-vingts ans. Très riche. Elle a aménagé sa propriété en une sorte d'asile où elle recueille les anciens professionnels de la télé tombés dans la misère.

— Oui, j'ai vaguement entendu parler de ça. Les journalistes ont l'air de la considérer comme le bon ange des comédiens déchus.

— Exact. Bref, c'est un gros contrat, le chèque est arrivé ce matin. Il tombe à pic car nos finances ne sont pas brillantes. Cette année, nous avons eu affaire à plusieurs mauvais payeurs... sans compter ce connard de Freddy Lasalle, qui s'est tué en Deltaplane avant d'avoir réglé la facture de l'énorme boulot que vous aviez effectué dans sa propriété de Malibu. Sa mort a déséquilibré notre budget de façon dramatique. Ceci pour vous prier de ne pas faire la fine bouche et d'accepter les caprices de Peggy McFloyd. Pigé?

J'acquiesçai d'un signe de tête.

— Que dois-je savoir sur elle? demandai-je. Si vous prenez ces précautions oratoires, c'est qu'elle est tyrannique, non?

Devereaux grimaça.

— C'est quelqu'un qui a eu des malheurs. Tout le monde sait ça, ici, mais il est vrai que vous viviez en Europe quand la chose s'est produite... Au fait, non, *vous n'étiez même pas née*!

Dans sa bouche, ça sonnait comme une accusation.

— Le drame qui l'a frappée a eu un retentissement considérable en Amérique. Je n'ai pas le temps de vous raconter le truc, ce serait trop long, mais il serait préférable que vous vous documentiez avant de la rencontrer. N'ayez pas l'air cruche. Ces grands personnages détestent qu'on ne connaisse pas leur biographie dans le détail, surtout quand elle est pathétique. Prenez deux jours pour combler vos lacunes et présentez-vous chez elle. Tolérez ses manies en serrant les dents. Ce n'est qu'un boulot, après tout.

Je promis de faire de mon mieux. Il me remit alors un classeur contenant le dossier McFloyd ainsi qu'une demi-douzaine de cassettes vidéo dépourvues de boîtiers.

Je rentrai chez moi pour dépouiller ces documents.

Funeste décision!

Si j'avais eu le don de double vue, je me serais empressée d'en faire un feu de joie qui m'aurait épargné bien des angoisses, comme le prouvera ce qui va suivre...

2

La série s'intitulait *Beloved First Lady*, elle fut diffusée sur le petit écran au milieu des sixties, en pleine ère démocrate. Les mauvaises langues prétendirent qu'elle mettait en scène un « Jack » Kennedy de pacotille marié à une Marilyn Monroe caricaturée à l'excès. Les Républicains répétaient en ricanant que c'était là ce qui risquait d'arriver à court terme si personne ne se décidait à mettre un frein aux coucheries du président. Conçue à l'origine comme un feuilleton bouche-trou de l'été, sur le mode du *standalone* bourré de *slapsticks*, cette pochade apparemment sans avenir, elle devait battre des records d'audience mesurés par l'AC Nielsen Company, et durer dix saisons. Lors des rediffusions, au cours des années 80, elle parvint même à se glisser entre *Dynastie* et *Dallas*. Pulvérisée par la critique, conspuée par les ligues féministes, son succès demeura inexplicable. *A priori* le ton en était plutôt anodin, des historiettes à l'humour bon enfant, dans le style de *Ma Sorcière Bien Aimée* ou de *Happy Days*. Lorsqu'on les visionne aujourd'hui, comme j'ai dû le faire, on est surpris par l'indigence du propos, sa naïveté, et l'on a grand-peine à sourire aux gags éculés dont les scénaristes saupoudrent une intrigue anémique. Tout cela a horriblement vieilli, l'humour comme les costumes des acteurs, et l'on a parfois l'impression d'être en train de regarder un documentaire sur la vie d'une peuplade extraterrestre avec laquelle nous n'entretenons aucun point commun.

Les moquettes orange, les papiers peints à hurler, les chapeaux portés par les hommes, les bibis à voilette des dames, les deux centimètres de mouchoir rectiligne qui dépassent de la pochette des messieurs, les cigarettes qu'on allume à tout bout de champ avec de grands claquements de briquet... tout cela semble vieux d'un siècle ou deux.

Les seuls Afro-Américains qui pointent le nez ici et là sont garçons d'ascenseur, serveurs ou cireurs de chaussures. Ils roulent des yeux en riant comme de grands gosses. De bons gars, pour sûr. Pas très malins mais pas méchants. On osait encore filmer ce genre de chose dans ces années-là.

Bien sûr, tout cela a valeur aujourd'hui de document sociologique et ne se regarde pas sans un certain serrement de cœur nostalgique. Les voitures immenses avalant des centaines de litres d'essence, la richesse, l'abondance, le gâchis, les banlieues de cadres supérieurs avec leurs villas toutes pareilles. Le bonheur standardisé. Les usines automobiles tournant à plein régime. Un pays gavé, en voie d'obésité. Un pays de vainqueurs, d'apprentis maîtres du monde, d'apprentis sorciers qui fabriquera bientôt autant de missiles nucléaires que de bouteilles de Coca-Cola. Tout est bien dans le meilleur des mondes. Les crooners font vibrer les autoradios, Elvis Presley, le King créole débauche gentiment la jeunesse en dandinant du pelvis. Les fissures n'ont pas encore craquelé le béton. Si elles sont là, on feint de ne pas les voir. C'est l'époque où l'on ose encore franchement reprocher à Marlon Brando, qui milite aux côtés de Martin Luther King, « d'aimer les Nègres ».

Tout le monde est censé être heureux. Il n'est pas encore question de contestation, du *love power*, des hippies, et encore moins du Weather Underground. Personne n'a entendu parler du Vietnam. La grosse machine ronronne, le ventre plein. La mer est bleue et de gentils surfeurs chevauchent ses rouleaux en chantant *California Girls* ou *Help me Rhonda* avec les Beach Boys. Sinatra et Dean Martin sont les rois du show-biz... et Doris Day, l'éternelle petite fiancée de l'Amérique, leur reine. On nage dans le sucre et la romance tandis que la catastrophe se prépare.

Difficile à se représenter de nos jours. Une telle insouciance, est-ce vraiment possible?

Sans doute non, car derrière les apparences couvait la terreur d'une Troisième Guerre mondiale imminente avec l'URSS. Imminente et inévitable, répétait-on. On parlait beaucoup du fameux téléphone rouge qui, un jour sonnerait sur le bureau du président pour annoncer le début du conflit. On riait jaune en évoquant le bunker abritant le bouton rouge (lui aussi!) que le président presserait afin de déclencher l'holocauste nucléaire.

Beloved First Lady fut conçue dans ce contexte. La volonté des producteurs était vraisemblablement d'apporter une bouffée de détente dans les foyers. La Maison Blanche n'y était pas présentée comme le lieu de toutes les angoisses mais à la manière d'un collège empli de politiciens gaffeurs et brouillons multipliant les farces et les quiproquos.

Sur Internet je visitai plusieurs sites de fans afin de glaner des renseignements sur la série. Il ressortit de cette enquête que les deux premières saisons restaient les meilleures. Toutefois, il ne me fallut pas longtemps pour détecter dans ce concert de louanges un discours second, en pointillé, qui nimbait cette première saison mythique d'un voile de mystère. Je découvris bientôt qu'on la considérait comme une « saison maudite » durant laquelle des faits inexpliqués et inquiétants s'étaient accumulés.

L'angoisse des partenaires de Lawrence Brickstone, qui joue le personnage du président Flower-Hall, est palpable, écrivait une internaute. *Il n'y a qu'à voir les regards que lui lance Peggy McFloyd pour comprendre qu'elle a réellement peur de lui, ce qui pose problème dans une série à vocation comique! Par ailleurs, le comportement de Lawrence Brickstone est incompréhensible. À quoi riment ces grimaces, ces gestes bizarres qu'il esquisse à tout bout de champ. Il semble bourré de tics incontrôlables. Est-il sous l'influence de la drogue? Ses yeux sont effrayants, il fixe le spectateur avec une intensité démente, comme s'il voulait l'hypnotiser. On a prétendu qu'il a été viré parce qu'il buvait, mais c'est faux. Il ne se comporte pas comme un ivrogne. Il a l'air d'un gourou en transe. Il est d'ailleurs révélateur de constater que les premières cassettes de la série ont rapidement été retirées de la vente et remplacées par une nouvelle mouture, dans laquelle ces scènes ont été coupées! Bel exemple de manipulation! Que cherche-t-on à cacher?*

Surfant plus avant, je dénichai bientôt un autre site où l'on s'interrogeait sur la mystérieuse disparition de Lawrence Brickstone. Viré de la série, il s'était évaporé dans la nature du jour au lendemain et l'on n'avait jamais plus entendu parler de lui. Avait-il changé de nom? S'était-il suicidé? *Ou pire encore?*

Je me demandai ce que l'internaute entendait par ce « pire encore ». Insinuait-il que l'acteur avait été assassiné?

Je ne tardai pas à apprendre que trois autres comédiens de la série avaient péri de manière accidentelle, *à l'époque de l'assassinat de John Kennedy,* soulignait-on. Comme s'il fallait voir là une relation de cause à effet. L'obsession du complot est l'aliment vital de la Toile, tout le monde sait ça, aussi décidai-je de ne pas céder à l'emballement.

Au vidéoclub de mon quartier je demandai s'il me serait possible de visionner la première saison de *First Lady*.

— La version officielle ou la vraie? me chuchota l'employé aux cheveux bleus qui officiait ce soir-là.

La « vraie » était plus chère, m'expliqua-t-il, elle circulait sous le manteau, dupliquée avec les moyens du bord par des fans militants qui, en faisant cela, « prenaient des risques ».

Il s'adressait à moi comme si j'essayais de négocier trois kilos de Semtex ou un noyau de plutonium. Ayant aligné quelques billets sur le comptoir, j'obtins, en échange, un boîtier de vinyle noir, graisseux, dépourvu d'étiquette.

— Ne vous faites pas piquer avec ça, me souffla-t-il au visage. Et si, par malheur, ça arrivait, ne dites pas que ça vient d'ici.

Puis il m'adressa un geste de reconnaissance bizarre comme si j'étais sur le point d'embarquer à bord de l'*Enterprise* en tant qu'assistante scientifique de Monsieur Spock.

De retour chez moi, je m'installai devant le téléviseur après m'être munie d'une bouteille de vin blanc et d'un paquet de chips goût bacon.

Plus jeune, j'avais visionné cette série du coin de l'œil, sans y accorder d'intérêt car elle m'avait paru datée, notamment en ce qui concernait le jeu des acteurs. Cela m'avait semblé à peu près aussi grimaçant que *Ma Sorcière Bien-Aimée* ou *Amicalement vôtre*, dès lors qu'on ne les regarde pas à travers le prisme indulgent de la nostalgie. Je pressai la télécommande et la bande se mit à défiler, délivrant une image striée de rayures bleuâtres. C'était une copie d'amateur, avec le déficit en netteté que cela suppose. À l'heure de la HD, c'était comme de visionner un dessin animé réalisé par les hommes de Neandertal.

Les trois premiers épisodes m'arrachèrent un sourire,

puis je me sentis progressivement envahie par un malaise sournois... Je compris alors ce dont parlaient les internautes, et j'acquis la conviction que la farce dissimulait un drame secret. Certes, ce n'était pas évident; la chose ne devenait décelable qu'à condition de scruter les images. Mais il existait bel et bien d'étranges fêlures dans les réactions des acteurs, des hésitations, des regards inquiets. Souvent, on surprenait Peggy McFloyd fixant la caméra, comme si elle quêtait un quelconque secours auprès du metteur en scène, le suppliant de mettre un terme à ce qui était en train de se passer.

Je surinterprétais peut-être... Comment savoir?

Le plus gênant demeurait le jeu insolite de Lawrence Brickstone dans le rôle du président James Flower-Hall. Il avait parfois vraiment l'air d'un dingue. Pas un dingo sympathique, non, un fou dangereux.

Ces plans révélateurs ne duraient que deux ou trois secondes, et il avait été aisé de les faire sauter lors du second montage, mais ils contredisaient le récit.

Les histoires n'avaient rien de corrosif. Dans l'un des épisodes, le président – qui se promène nuit et jour avec un attaché-case blindé relié à son poignet par une menotte – explique à son épouse que cette mallette contient les deux armes secrètes de l'Amérique. On pense bien évidemment aux codes déclenchant le feu nucléaire. La *first lady*, malade de curiosité, déploie des trésors d'ingéniosité pour crocheter les serrures du bagage. Le couvercle soulevé, elle découvre deux formules. Celles du Coca-Cola et de la sauce McDonald's!

Le reste était à l'avenant. Pas de quoi fouetter un chat, et pourtant mon malaise subsistait, fortifié par la question : *Qu'était-il arrivé à Lawrence Brickstone?*

Je finis par découvrir le nom de son agent. Il s'agissait d'un certain Samuel « Dynamite » Langford, depuis longtemps à la retraite, et qui vivait retiré dans un bungalow sur les hauteurs de Beverly Hills. Sur les photos d'époque il apparaissait sous l'aspect d'un homme souriant, affable, à la calvitie précoce. L'allure d'un golfeur bronzé bien dans son corps. Du charme. Il avait joui d'une certaine notoriété dans les années soixante, et jusqu'en 70 il avait managé des comédiens spécialisés dans les seconds rôles. Le surnom « Dynamite » lui venait des navets d'espionnage truffés d'explosions dans lesquels s'étaient illustrés ses acteurs. Des sous-James Bond tournés dans des décors de carton-pâte, et où les filles avaient la manie de perdre tous leurs vêtements au moindre éternuement.

Je ne sais pourquoi, je me sentais dans l'obligation de le rencontrer, comme s'il était vital pour moi de recueillir le maximum de renseignements sur Peggy McFloyd et ses amis avant de les rencontrer.

J'appelai Paddy, l'homme à tout faire de l'Agence 13. Le vieil Irlandais connaissait par cœur le bottin mondain de l'ancien Hollywood et n'ignorait aucune des cachettes où ces dieux, aujourd'hui déchus, agonisaient dans l'indifférence générale. Il n'eut pas de mal à se remémorer l'adresse et le numéro de téléphone de « Dynamite » Langford. Je passai donc un coup de fil à l'ex-imprésario (comme on disait alors !) de Lawrence Brickstone.

Les sonneries se succédèrent une dizaine de fois avant qu'on ne daigne décrocher. Enfin, une voix éraillée grogna : « Quoi ? Qui est-ce ? »

Il y avait tant de détresse dans ces mots que j'en eus le cœur serré. Je me dépêchai de lancer le nom de Paddy. Tous les anciens des studios connaissaient Paddy.

— Oh... fit Langford. Il est mort, c'est ça ? Vous m'appelez pour m'inviter à ses funérailles ?

Je m'empressai de le détromper. Dynamite Langford parut soulagé. Ensuite, il ne fit pas trop de difficultés pour me parler. Je perçus toutefois une certaine réticence dès que je prononçai le titre de la série.

— Vous êtes l'une de ces foutues étudiantes en cinéma, c'est ça ? Vous préparez un master ou une connerie analogue ? grogna-t-il. Laissez tomber, personne ne s'intéresse plus à ces trucs-là. Votre thèse, personne ne la lira ; pour réussir à Hollywood mieux vaut un joli string qu'un bon diplôme. Et si vous n'en portez pas, vous multiplierez vos chances par deux.

Sous la jactance machiste perçait le désespoir. De toute manière il en fallait davantage pour m'amener à renoncer. Je parvins à lui arracher un rendez-vous. La perspective d'avoir de la visite avait manifestement triomphé de ses réticences. Je sautai dans ma Chevy Impala de 1958 – repeinte en jaune poussin et agrémentée de smileys bleus par son ancien propriétaire, un fanatique des V8 de 360 chevaux tournant à 5 800 tours/minute. Ainsi propulsée, je m'élançai vers le repaire de Samuel « Dynamite » Langford.

Certes, il habitait la partie la moins luxueuse des fameuses collines, mais son « bungalow » perché sur pilotis ne manquait pas d'allure. De là-haut, la vue devait être magnifique les jours où le smog daignait se lever. Faute d'être constamment arrosé, le jardin avait été carbonisé par l'ardeur du soleil californien. Je klaxonnai. Le portail s'ouvrit automatiquement. Langford se tenait accoudé à la rambarde de la terrasse, me regardant venir. C'était un vieux monsieur qui ne ressemblait plus guère aux photographies circulant sur Internet, et cela en dépit des nombreux liftings qui avaient fini par donner à son visage une curieuse apparence « plastifiée ». L'ostéoporose l'avait réduit de moitié, lui attribuant le maintien voûté d'un gorille. Il avait considérablement grossi et se déplaçait avec difficulté en s'appuyant sur une canne dont le pommeau d'argent reproduisait la fameuse statuette des Awards, qu'en France on désigne du terme « oscar ». Il me fit signe de le rejoindre sur la terrasse. Un pichet de citronnade glacée attendait sur une table basse, entourée de fauteuils en rotin blanchis par des décennies d'exposition au soleil.

— C'était le penthouse de Mickey Stromberg, annonça-t-il, je l'ai acheté en 75, quand il s'est suicidé dans le garage, à l'oxyde de carbone au volant d'une Mustang de collection. Mais peut-être êtes-vous trop jeune pour savoir qui était Mickey Stromberg? Il a eu son heure de gloire à la fin des années 60. Un beau gars, un peu voyou, un poil de vice dans le sourire, et qui plaisait aux femmes. Il jouait les espions de charme, il mourait systématiquement dans la dernière séquence. Ça marchait bien pour lui, mais il a été pris dans une sale affaire. Une partouze qui a mal tourné. Viol de starlette, un truc à la Fatty Arbuckle, vous voyez? Ça lui a bousillé sa carrière.

Je m'assis. Je me fichais totalement de Mickey Stromberg mais je ne le montrai pas. Je sentis que Langford vivait là, hors du monde, dans une maison remplie des fantômes hollywoodiens engendrés par la grande paranoïa de la guerre froide. C'était triste à pleurer. Par la baie vitrée j'entraperçus une grande pièce défraîchie, meublée dans le style des sixties, orange en diable! Une espèce de musée du mauvais goût et du fauteuil sans armature. Tout était décoloré et poussiéreux. Des affiches de films, jaunies, encadrées, achevaient de s'effacer au long des murs, bouffées par la lumière excessive. Je déchiffrai quelques titres : *Agent Spécial 333 contre Docteur Death*, *La nuit du cobra pourpre*, *Mission Ninja vs le commando infernal*, *Natacha Dark l'espionne de Berlin*...

Langford surprit mon regard car il lâcha d'un ton désabusé :

— J'ai tout laissé partir à vau-l'eau quand mes affaires ont commencé à péricliter. Je ne venais plus ici, je louais un appartement à La Brea, près des Tar Pits. Je suis revenu quand j'ai pris ma retraite.

Il ressemblait à Mickey Rooney. Pas le lutin bondissant des comédies musicales d'après guerre (*Babes in arms* ou

Babes in Broadway), l'autre, celui d'aujourd'hui, le centenaire.

Brusquement, son visage se ferma. Il cessa de sourire.

— Qu'est-ce que vous voulez? grogna-t-il. D'habitude personne ne s'intéresse au genre d'acteurs dont je m'occupais. C'était du cinéma commercial qui exploitait la mode de l'espionnage et des gadgets. Le KGB, les missiles dissimulés dans les paquets de cigarettes, les nanas en talons « aiguilles » empoisonnés, toutes ces conneries...

Je m'empressai de prononcer le nom de Peggy McFloyd, de mentionner *First Lady*... et d'amener la discussion sur le mystère Lawrence Brickstone. Je m'attendais à une dérobade mais, curieusement, il céda au premier assaut, comme s'il ne possédait plus assez d'énergie pour me chasser ou mentir. Une seconde, il eut l'air traqué et jeta un coup d'œil instinctif par-dessus la rambarde pour s'assurer que personne ne nous espionnait.

— Oh, après tout... soupira-t-il. C'est si vieux. Je suppose qu'ILS ne peuvent plus rien me faire. Et même... quelle importance! Mais c'est plus grave en ce qui vous concerne. Vous êtes jeune, vous ne devriez pas remuer cette vilaine histoire. Il subsiste des zones d'ombre. On n'a jamais su s'il s'agissait d'un canular ou si tout ça était bien réel. Les flics n'ont pas creusé... ou bien on leur a ordonné de clore le dossier. C'était une époque troublée. Les missiles de Cuba, tout ça. On croyait que le monde allait voler en éclats d'un jour à l'autre. Le feu nucléaire. On ne parlait plus que de ça. Les gens se construisaient des abris antiatomiques. On voyait des espions partout.

— Je sais, fis-je. Mais ce qui m'intéresse c'est *First Lady*.

— Ne soyez pas impatiente! Le contexte est important, croyez-moi. Tout le monde avait peur. J'étais jeune, mon écurie d'acteurs de second plan marchait bien. Je fournissais principalement les castings des séries télé. Nous n'étions guère aimés à l'époque, et pour cause : la télévision était en train de tuer le cinéma. Les grandes salles fermaient les unes après les autres. Les gens restaient chez eux à scruter le petit écran. Les *soaps* à petit budget rassemblaient plus de spectateurs que les films spectaculaires, en couleurs et ruineux. Une autre race d'acteurs était en train de naître, les comédiens de télé, méprisés par les autres, les « vrais », mais qui avaient l'avantage unique d'entrer gratuitement dans chaque foyer américain.

Je compris qu'il récitait un monologue poli à l'intention des journalistes et qu'il avait dû débiter cent fois. Je ne venais pas le voir pour subir une conférence sur l'expansion de la télédiffusion mais pour qu'il me parle des mystères entourant *First Lady*.

— Sur Internet, le coupai-je, les fans s'excitent beaucoup à propos de la disparition de l'acteur qui jouait le rôle du président, lors de la première saison de *First Lady*. Lawrence Brickstone. J'ai eu du mal à rassembler un semblant de documentation à son sujet. On dirait qu'il a été effacé de la mémoire collective, ou presque.

Dynamite Langford laissa échapper un ricanement.

— Vous voulez dire qu'on l'a effacé, siffla-t-il. Bon, vous l'aurez voulu. Je vais vous raconter ce que je sais.

« Pour dire la vérité, les producteurs ne croyaient pas du tout que la série puisse connaître le succès. C'est ce qui s'est passé avec *Zorro*, que Disney a tourné en noir et blanc parce qu'il voulait minimiser ses frais sur un *serial* qu'il jugeait sans avenir. Le budget de *First Lady* était ridicule ; les gars devaient bricoler les décors avec ce qui leur tombait sous la main, une vraie mise en scène de patronage. Du carton-pâte. Parfois, on voyait les « murs » se mettre à trembler quand les acteurs se déplaçaient. Ou encore les meubles qui bougeaient tout seuls dès qu'on les effleurait. Tout le mobilier « tape-à-l'œil » était factice, en papier mâché. Il fallait faire gaffe à ne pas s'asseoir sur la mauvaise chaise si l'on ne voulait pas se retrouver le cul par terre. Je vous rappelle qu'à cette époque, on tournait en direct! Dans ces conditions, difficile de rattraper une bourde. C'était vraiment du n'importe quoi, surtout pour un truc conçu en *bottle-show*!

« Le problème, bien sûr, c'était surtout de reconstituer le cadre de la Maison Blanche, le bureau ovale. Les services secrets s'y opposaient fermement, de peur qu'on communique trop d'informations aux Popofs, mais c'était ridicule vu que la Maison Blanche est ouverte aux visites guidées... Et puis il fallait que ça fasse riche, que ça respire le luxe, et on n'en avait pas les moyens. On a été forcé de dépenser des trésors d'inventivité pour faire illusion. Tous les spécialistes du trompe-l'œil ont été convoqués. Finalement, le décor est devenu une espèce de métaphore du monde de la politique : du faux-semblant, rien de réel; quatre-vingt-dix pour cent des objets présents sur le plateau étaient en stuc, en carton, quand ils n'étaient pas tout simplement peints sur les murs! Les bouquets de fleurs étaient en papier, les victuailles en carton. Je me rappelle que, dans un épisode, le président recevait un quelconque général de pacotille à la poitrine constellée de décorations. À la dernière minute, on s'est rendu compte qu'on avait égaré la foutue boîte à médailles, alors on les a peintes sur la vareuse de l'acteur! Carrément! Heureusement, les caméras de l'époque n'avaient pas la définition de la HD. L'image restait un peu floue, ça nous a aidés. Et puis le public était bon enfant, il jouait le jeu sans bouder son plaisir, pas comme les petits cons d'aujourd'hui qui passent leur temps à relever les faux raccords, les erreurs de scripts.

De crainte qu'il ne s'égare dans ses souvenirs, je demandai :

— Et Brickstone, là-dedans, comment se débrouillait-il? C'était plutôt stressant, non, d'incarner le président des États-Unis!

— Le choix de Lawrence Brickstone m'a toujours

laissé perplexe. C'était un bel homme, soit, mais un peu efféminé. Le *distinguished grey* façon britannique, précieux, un poil snobinard. Beau mec, soit, je ne le conteste pas, mais l'opposé de Teddy Roosevelt! En le voyant, on se disait que, s'il avait dû chasser le grizzly, il se serait à coup sûr tiré une balle dans le pied. Jusque-là, Lawrence s'était spécialisé dans les rôles d'aristocrate, de rentier installé dans les Hamptons, un fume-cigarette dans une main, un verre de sherry dans l'autre. Un oisif, décoratif, au goût très sûr; un peu las d'avoir autant de succès auprès des femmes... Bref, un personnage agaçant. Dans le milieu, on chuchotait qu'il aimait les garçons, plutôt jeunes et mexicains. Des petites brutes qui le battaient. Mais ça n'a jamais été prouvé. Il s'agit peut-être de calomnies. Chez nous on adore salir les gens dès qu'ils ont un peu de succès.

« Bref, le casting a été très difficile. Il s'agissait du président des États-Unis, pas question de le ridiculiser. On nous accordait le droit de brocarder, mais cette licence restait limitée. Les types des relations publiques de la Maison Blanche étaient constamment sur notre dos. On a auditionné des dizaines d'acteurs bien meilleurs que Lawrence, mais les attachés de presse du vrai président usaient chaque fois de leur droit de veto. Il y avait toujours quelque chose qui clochait : une verrue au mauvais endroit, une implantation de cheveux qui ne collait pas, un sourire trop cynique, trop timide, trop m'as-tu-vu... Ils nous rendaient dingues. Les mains, les pieds, les oreilles, tout y passait. Je me souviens qu'ils avaient même exigé qu'on fasse défiler les candidats en slip, afin qu'ils puissent juger de leur structure corporelle! À cette époque-là, on ne rigolait pas. On pouvait vite se retrouver accusé d'activités anti-américaines, rayés des listes syndicales, interdit de travail. Dans ce cas-là, à condition d'échapper à la prison, il n'y avait plus qu'à se réfugier en Europe pour tourner ces films ridicules et incompréhensibles qu'apprécient les Français. Beaucoup d'entre nous ont connu ce pur-gatoire... et ne s'en sont jamais remis.

Encore une fois, il s'égarait. Je murmurai :

— Lawrence a donc été sélectionné?

— Oui, on n'a jamais su pourquoi. Son côté gentleman peut-être. Ou alors il a tapé dans l'œil des attachées de presse du président, allez savoir? Beau et nonchalant, de la classe. Il était doué pour donner l'impression qu'il sortait de Harvard et d'une famille de pères fonda-teurs, le *Mayflower* et toutes ces conneries; mais c'était du pipeau. Son père, un émigrant irlandais, bossait à la chaîne dans une usine d'automobiles de Detroit, sa mère travaillait dans une fabrique de soutiens-gorge et picolait ferme. Il avait grandi dans un taudis. Pour se faire de l'argent de poche, Lawrence avait commencé à se produire dans les bastringues dès l'âge de douze ans. Il servait de comparse aux prestidigitateurs, il dansait et chantait, tout et n'importe quoi. Un jour, son paternel l'a vu sur scène, costumé, maquillé, il ne l'a pas supporté. Il a roué de coups le pauvre gosse, le laissant pour mort, puis l'a chassé de la maison familiale. D'après ce que je sais, Lawrence aurait alors été « adopté » par une troupe de comédiens itinérants avec laquelle il aurait parcouru les États-Unis jusqu'à l'âge de seize ans. Vous voyez, ça n'a pas grand-chose à voir avec l'image qu'il a donnée de lui par la suite. J'ai toujours eu l'impression qu'il ne jouait pas vraiment la comédie, mais qu'il avait fini par croire à cette fable du fils de famille diplômé de Harvard. Une sorte de dédoublement de la personnalité. C'est courant chez les acteurs. Ils finissent par perdre le sens du réel. Ils deviennent dupes de leurs fantasmagories. Il faut être psychiquement très charpenté pour établir des distinc-tions nettes, et beaucoup d'entre eux ne le sont pas.

Il ne m'apprenait rien. J'avais brièvement partagé la vie d'un acteur. Je l'avais vu se jouer la comédie à lui-même. Un vrai dingue en proie au syndrome des personnalités multiples. Il m'avait tellement foutu la trouille que je m'étais empressée de récupérer ma brosse à dents, mes petites culottes et de filer vers de nouvelles aventures.

— Les problèmes ont commencé peu de temps après le début du tournage, a-t-il continué. Jusque-là Lawrence avait donné l'image d'un type cool, d'un dilettante ne se prenant pas vraiment au sérieux. Il semblait avoir du recul par rapport au métier d'acteur. Contrairement à ce qu'on imagine, de nombreux comédiens sont arrivés là par hasard, et n'ont aucunement le feu sacré. Ça leur est tombé dessus comme ça, et ils ne crachent ni sur l'argent ni sur les avantages de la célébrité, mais ils sont conscients de leur absence de talent, et ça ne les bouleverse pas outre mesure. Après tout, l'absence de talent n'a jamais empêché personne de se métamorphoser en star! La liste des mauvais acteurs devenus des vedettes mondialement adulées est longue, et ne cesse de s'allonger. Lawrence ne nourrissait aucune illusion sur ses capacités, mais jouer la comédie l'amusait. Il trouvait commode de gagner de l'argent en faisant le pitre. En vérité, il avait beaucoup de mépris pour la profession, le cinéma, la télévision. Il considérait que c'étaient des divertissements d'abrutis, d'ilotes. Personnellement, je trouvais sa position plutôt saine et lucide. C'est un milieu où il est vital de pratiquer la distanciation brechtienne. Ne pas coller aux choses. Rester en retrait. Toujours garder présent à l'esprit que tout ça, c'est du vent, de l'esbroufe, de la poudre aux yeux, et qu'un jour il n'en restera plus rien, que des souvenirs dont on aura de la peine à se persuader qu'ils sont vrais.

Pris d'une quinte de toux, il dut s'interrompre pour avaler une gorgée de citronnade. Sa respiration stertoreuse me faisait mal. La lumière du jour, cruelle à cette heure, accentuait les cicatrices laissées par ses multiples liftings. J'avais l'impression de m'adresser à une momie récemment déballée de ses bandelettes. Les pellicules et peaux mortes saupoudrant ses épaules, ses revers, accentuaient l'illusion et le faisaient paraître enseveli sous la poussière des siècles.

— Si je m'étends sur ces détails, haleta-t-il, c'est pour mieux vous faire toucher le caractère insolite de ce qui s'est produit ensuite. Lawrence a été victime d'une brusque altération de la personnalité. De primesautier, nonchalant, léger, superficiel, il est soudain devenu sombre, inquiet, paranoïaque et vaguement menaçant.

— Il s'installait dans son rôle de président ? hasardai-je.

— C'est ce que j'ai cru au début, oui. Tous les acteurs passent par cette phase d'identification. Ils essaient des personnalités comme vous le feriez d'un vêtement dans une cabine d'essayage, mais généralement ça ne dure pas. Chez Lawrence c'était plus profond, ça lui collait à la peau, ça virait à l'obsession. Il ne m'avait pas habitué à ce genre de comportement. Les scénarii, il les feuilletait d'un air distrait, apprenait son texte à la va-vite, et se dépêchait de retourner à ce qui l'intéressait vraiment : la peinture, la bibliophilie, sa collection de voitures ou de motos anciennes. Là, c'était différent. J'ai d'abord cru que les services secrets lui cherchaient querelle, qu'ils avaient découvert un truc compromettant sur son orientation sexuelle. Il m'a affirmé qu'il n'en était rien, et qu'il était simplement « possédé » par son rôle. J'emploie le terme à dessein, car il s'agissait bien d'une possession... il était en train de devenir quelqu'un d'autre, à tel point que les expressions de son visage se modifiaient jusqu'à me donner l'impression qu'un inconnu se tenait en face de moi. C'était très déstabilisant. Et deux ou trois fois il m'a fait peur, je l'avoue. Il me faisait penser à ce film, *Body snatchers*. Un tel déploiement de conscience professionnelle me semblait disproportionné par rapport à la série que nous

nous apprêtions à tourner; ce n'était après tout qu'une *sitcom* un peu décalée, remplie de blagues idiotes et qu'il convenait de surjouer en multipliant les grimaces. On ne filmait pas *Le Jour le plus long* ou *La chute de l'empire romain*!

« J'ai tenté de le raisonner. Rien n'y a fait. Le mal a empiré, je le constatais chaque fois que je lui rendais visite. Lui, qui ne s'était jamais intéressé à la politique, lisait à présent toute la presse, ainsi qu'une masse impressionnante de biographies d'hommes d'État et d'essais traitant des problèmes mondiaux. Sa villa, jadis remarquablement décorée s'était changée en un foutoir encombré de dossiers étiquetés : *Mur de Berlin, Fidel Castro, GRU, KGB*... Mais là où j'ai vraiment frissonné d'épouvante, c'est quand j'ai vu qu'il avait installé des téléphones rouges dans toutes les pièces! Vous imaginez un peu! Des téléphones rouges! Comme s'il envisageait de discuter avec le représentant de l'Union soviétique de l'éventualité d'une guerre atomique. Ce soir-là, j'ai compris qu'il avait perdu la tête.

— Pourquoi, selon vous?

— Je n'ai aucune certitude, mais je crois que l'origine de la crise remonte à l'invitation adressée à toute l'équipe par le bureau des relations publiques de la Maison Blanche. En fait d'invitation, on nous avait plutôt convoqués pour une discussion informelle autour d'un verre. Discussion au cours de laquelle le président en personne viendrait nous dire un mot. Je crois en réalité qu'il s'agissait d'une mise en garde déguisée. On voulait montrer aux saltimbanques que nous avions un président en chair et en os, et nous faire comprendre qu'on ne pouvait en aucun cas attenter à la dignité d'un tel homme, qu'il y avait des limites à ne pas franchir. Si nous passions outre, nous n'aurions plus aucun futur dans l'industrie cinématographique aux USA. Nous en serions réduits à aller tourner des navets en Europe avec des budgets de misère.

— Et vous avez réellement vu le président?

— Oui, il est passé en coup de vent, souriant, charmeur, mais ferme, l'œil d'acier, le brushing impeccable. Il a entraîné Lawrence à l'écart, lui a fait visiter le bureau ovale. Ils sont restés assez longtemps ensemble. Je n'ai jamais pu savoir ce qu'ils s'étaient dit, mais quand il a reparu, Lawrence était hagard, comme s'il venait de rencontrer Dieu en personne. Je crois que le traumatisme date de cette entrevue.

— Vous pensez que le président l'a menacé?

— Je ne sais pas. Une chose est sûre, à partir de ce jour, Lawrence a perdu les pédales. D'aimable bouffon, il s'est métamorphosé en homme portant le poids du monde sur ses épaules. Comme s'il avait eu la révélation. Au début, on s'est gentiment moqué de lui, mais il a réagi violemment, et on a vite cessé de le taquiner à ce sujet. Et puis... et puis il y avait des trucs bizarres.

— De quel genre?

— Des hommes le surveillaient. Des types en noir, style service secret. On les voyait rôder dans les studios, et même sur le plateau. Il n'était pas question de les foutre dehors. Lawrence m'a dit : « Ils sont là pour moi, pour me protéger. Maintenant je sais des choses, n'est-ce pas? » J'ai essayé d'en parler avec Peggy, mais elle a éclaté de rire. « Allons! Samuel! a-t-elle glapi, ne soyez pas si bête. Vous n'avez pas pigé que ces types sont probablement des figurants? Ma tête à couper que Lawrence les paye de sa poche. Il fait ça pour se donner de l'importance. C'est du bluff! »

— Vous avez eu l'impression que c'était du bluff?

— Non. Ou alors c'étaient de formidables acteurs. Mais j'ai l'habitude des figurants, ils en font toujours des tonnes, ça les trahit. Ces types étaient... comment dire? Presque des fantômes. À la fois présents et invisibles. Vous comprenez? Il émanait d'eux une menace sourde, un danger. Et pourtant ils n'avaient rien de ces gorilles qu'on exhibe dans les films. Ils n'étaient ni très grands ni très musclés. Non. Ils faisaient peur. Je sais que ça paraît confus, mais je ne trouve rien de mieux à dire.

Je hochai la tête. Je voyais à quoi il faisait allusion. J'avais déjà croisé ce genre de prédateurs.

— Ces types « planquaient » en face de chez lui, le soir, et durant toute la nuit, dans une voiture noire. Ils restaient là, comme des robots, à fixer sa porte d'entrée. Je le sais, je les ai vus. « Je bénéficie d'une surveillance spéciale, lâchait Lawrence quand je l'interrogeais. Je suis quelqu'un d'important, tu sais. » Peu à peu, il s'est mis à me faire des confidences délirantes. Le président et lui s'étaient découvert une espèce de communauté de pensée qui les avait rapprochés. Depuis leur rencontre, le président convoquait de plus en plus souvent Lawrence à la Maison Blanche pour discuter avec lui de la situation internationale, en tête à tête.

— Quoi ? ai-je hoqueté.

— Vous avez bien entendu. Lawrence me disait : « Tu comprends, je suis un homme du peuple, une espèce de candide. Je ne suis à la solde d'aucun parti, d'aucun groupe de pression, et c'est ce qui donne de la valeur à mes avis. Le président ne sait plus à qui se fier. Il est entouré d'ennemis, de menteurs. Il a besoin d'avoir en face de lui quelqu'un qui lui dit enfin la vérité, qui raisonne comme l'homme de la rue et lui renvoie une image exacte de l'opinion publique américaine. »

« Vous imaginez sans mal la tête que je devais faire quand il m'a débité cette tirade. J'ai pensé : "Ça y est, il est bon pour la camisole, on va l'interner à Pescadero au beau milieu du tournage et on se retrouvera tous dans la merde." Et, alors même que je pensais cela, une petite voix me chuchotait : "Fais gaffe... souviens-toi des gars en noir, dehors. Et si c'était vrai ?" Une espèce de crainte superstitieuse, vous voyez ? Pendant qu'il monologuait, perdu dans ses pensées, j'ai commencé à fureter dans la pièce, à examiner la paperasse entassée sur les tables. J'ai compris qu'il s'agissait de "rapports" rédigés par Lawrence. Des propositions stratégiques et politiques censées apporter une solution aux grands problèmes du moment. Cuba, l'URSS, tout ça... Lawrence s'y était collé, vraiment, comme un étudiant de Sciences Po. Il s'était mis à réfléchir. C'était pathétique et terrifiant, surtout de la part d'un homme qui, jusque-là, s'était surtout soucié de la couleur de ses cravates. À croire qu'on lui avait greffé un nouveau cerveau. J'ai essayé de me rassurer en me rappelant les propos de Peggy, tout ça c'était de la frime, un truc pour se rendre intéressant. Pourquoi pas, après tout? J'ai connu des acteurs qui louaient des figurantes pour jouer les fans hystériques lors de leurs apparitions publiques. Les filles se roulaient par terre en déchirant leur corsage pour montrer que leur idole était un foutu sex-symbol. Mais tout ça m'a laissé une mauvaise impression.

« Une semaine après, Lawrence a commencé à débarquer sur le plateau avec son super attaché-case d'espion. Une mallette en acier bleu retenu à son poignet par un bracelet de menotte. Il a expliqué qu'il ne pouvait pas s'en séparer et qu'il faudrait tourner toutes les scènes en intégrant l'objet dans l'action.

— Une valise en acier? ai-je relevé.

— Oui, mais pas un de ces bagages de frimeur qu'on voit aujourd'hui, non, un truc plus résistant que le canon d'une mitrailleuse, et affreusement lourd. Lawrence en avait le poignet meurtri. Des serrures à combinaison, bien sûr. Peggy a pouffé de rire en l'apercevant. Elle ne s'étonnait jamais de rien. Les excentricités de ses partenaires la laissaient froide. Heureusement, les scénaristes n'ont pas eu trop de mal à intégrer le machin dans l'histoire. Et même, ça donnait un effet comique, ce type qui se promenait en pyjama, son attaché-case à la main, et se couchait en le glissant sous son oreiller. Ou qui se rendait aux chiottes avec... On se demandait immanquablement : « Comment va-t-il se débrouiller pour se torcher ? » Le metteur en scène ne se prenait pas la tête, il faisait avec ; on n'avait pas une minute à perdre, il fallait libérer les plateaux à heure fixe pour qu'une autre équipe s'y installe. Si on était en retard, on écopait d'une amende.

— Avez-vous demandé à Lawrence ce que contenait la valise ?

— Oui, il a chuchoté : « Il ne vaut mieux pas que tu le saches, si je te le disais, les types qui me protègent seraient forcés de te tuer. » Je ne sais pas s'il déconnait ou s'il y croyait vraiment, mais ça m'a foutu la trouille. « Ne sois pas si con, a ricané Peggy, tu veux savoir ce qu'il cache dans sa boîte à malice ? Un slip de rechange, un tube de vaseline et une revue porno gay. Tu peux me faire confiance, j'ai les yeux aux rayons X de Superman ! »

« J'ai feint de rigoler, mais je n'en menais pas large. Les choses prenaient un tour déplaisant. Pour un agent artistique, ce n'est pas de tout repos de manager un acteur qui part en vrille. On ne peut jamais prévoir comment ça va finir. Plus ils deviennent célèbres, plus ils se comportent comme des gosses. À croire que leur intelligence diminue au fur et à mesure qu'augmente leur compte en banque. Je n'avais qu'une peur : que Lawrence pète les plombs au beau milieu de la série, ç'aurait été la fin de sa carrière, et un très mauvais point pour la mienne. Un agent est censé savoir empêcher ce genre de catastrophe. "Il n'y a qu'à pas le contrarier, m'a proposé Peggy. Si on entre dans son jeu, il ira jusqu'au bout du tournage sans faire d'histoire. Après, tu pourras toujours le faire interner jusqu'à ce qu'il retombe sur ses pieds."

« Elle avait raison. Après tout, ce n'aurait pas été le premier acteur timbré à jouer dans un film sans que le public s'en aperçoive. À Hollywood, beaucoup de comédiens jouent les dingues pour faire parler d'eux, mais certains sont réellement des psychopathes dangereux, et ce ne sont pas toujours ceux qu'on imagine. Je pourrais citer des noms qui vous laisseraient bouche bée.

Je ne tenais pas à les entendre. Cette histoire commençait à m'impressionner. Les réticences de mon interlocuteur, l'angoisse que je lisais par instants dans ses yeux, me donnaient à penser qu'il disait la vérité. J'étais à deux doigts d'abréger l'entretien quand il murmura :

— Un soir, je me suis rendu chez Lawrence pour essayer d'en savoir un peu plus. Je l'ai trouvé dans son salon, vautré sur un canapé. Il avait bu. Pas mal. La foutue valise d'acier était posée sur son bureau, les fermoirs relevés, le couvercle entrebâillé. Lawrence a balbutié : « Ne regarde pas dedans, où bien ils te tueront dès que tu sortiras d'ici, et ils enterreront ton cadavre dans le désert. » Un frisson m'a secoué de la tête aux pieds. Bordel ! J'ai lancé : « Mais toi, tu sais ce qu'il y a dedans, bien sûr, et tu es toujours en vie. » Il m'a expliqué en bredouillant que lui, c'était différent. Il était indispensable. Il était la clef de tout, rien ne pouvait se faire sans lui. J'avoue qu'il m'agaçait et que je me suis laissé emporter ; je l'ai sommé de cesser ses conneries. Il m'a dévisagé avec une sorte de pitié, comme si j'étais un insecte. Il a dit : « Bon, tu l'auras voulu, je vais tout t'expliquer. Tu sais que la série va être diffusée dans le monde entier, n'est-ce pas ? Et cela de façon imminente. Le président va l'utiliser pour transmettre des messages secrets à nos espions où qu'ils se trouvent sur la planète. » C'était si énorme que je n'ai même pas songé à protester. Il a continué : « Il m'a fait apprendre un code gestuel, que je ne peux pas te révéler. Je me sers de ce code pour transmettre des instructions à nos agents. C'est quelque chose à base de mimiques, de froncements de sourcils, de position des doigts, de gestes précis. Ça passe inaperçu mais c'est très efficace. »

« J'ai poussé un soupir, je venais enfin de comprendre pourquoi, depuis deux semaines, il grimaçait de façon aussi débile pendant les prises de vue. Tout le monde s'en était plaint, et surtout Peggy qui avait un mal fou à ne pas pouffer de rire quand il se mettait à rouler des yeux et à tirer la langue au beau milieu d'un discours sur l'état de l'Union.

« "Tu comprends, a ajouté Lawrence, cette série est stupide, apparemment innocente, c'est la couverture idéale. Personne, dans aucun pays, ne pensera à la censurer. Certes, je passerai pour un pitre, mais je servirai ma patrie en combattant l'hydre communiste !" Puis il a conclu : "La valise contient la transcription codée des messages que je dois transmettre. Fiche le camp à présent, j'espère que je ne t'ai pas mis en danger en te révélant tout ça. Il y a peut-être des micros dans cette pièce. Je vais passer un coup de fil au président pour demander qu'on t'épargne. Prions pour qu'il m'écoute. Rentre chez toi et boucle ta porte à double tour, les heures à venir seront décisives." Je suis parti sans demander mon reste, et plutôt mal à l'aise, ne sachant ce que je devais croire. Ce truc me paraissait relever de la démence mais je ne pouvais empêcher mes jambes de flageoler un brin. Je ne vous apprendrai rien en vous disant que j'ai passé une mauvaise nuit, sursautant au moindre bruit. Dès qu'il est question d'espionnage, les choses les plus aberrantes peuvent devenir vraies. Au matin, comme j'étais toujours en vie, j'ai décidé de ne plus chercher à savoir. Je n'ai même pas osé en parler à Peggy de peur de paraître ridicule. De toute manière, elle m'aurait éclaté de rire au nez, elle n'était pas du genre à se laisser impressionner par des fantômes. À cette époque, elle incarnait plutôt la joie de vivre. C'était une sorte de sous-Shirley McLaine, vive, pétillante, très nature, toujours à blaguer. Les techniciens l'adoraient parce qu'elle ne jouait pas les vedettes et qu'elle cassait volontiers la croûte avec eux. Elle avait la réputation de porter chance. On la voyait comme une espèce de petit lutin écossais, drôle, ironique. Elle apportait beaucoup de fraîcheur dans un univers corrompu, vicié par la jalousie et les complots. C'était un plaisir de la regarder rire, danser. Elle me faisait penser à la Shirley McLaine des débuts, celle de *La Garçonnière*, encore un peu poupine.

— Comment Lawrence s'est-il comporté au cours des derniers épisodes de la première saison?

— À cause de ses tics, de ses gesticulations, il avait de plus en plus l'air d'un hystérique. Lorsque les producteurs ont visionné les rushes, ils se sont montrés très mécontents de son jeu, trop caricatural à leur goût, et qui donnait du président l'image d'un débile. Ils craignaient les réactions de la censure et des ligues de vertu. Ils avaient peur d'être poursuivis pour offense au chef de l'Union. Le metteur en scène s'est fait copieusement engueuler, puis m'est tombé dessus à bras raccourcis pour m'ordonner de reprendre mon acteur en main. Qu'est-ce que c'était que ce carnaval? Dans ce style de *sitcom* tous les acteurs en font des tonnes, d'accord, mais là c'était trop. On courait droit à l'interdiction d'antenne pure et simple!

« C'est là que les choses ont tourné au drame. Brutalement. Rien n'a été élucidé. Aujourd'hui encore personne ne sait ce qui s'est réellement passé. Quelques jours avant l'événement la rumeur a commencé à circuler : les studios exigeaient le renvoi de Lawrence et son remplacement. La production et le metteur en scène étudiaient le découpage pour voir comment reprendre la série depuis le début en retournant un minimum de scènes avec un nouveau "président". C'est généralement un casse-tête effroyable qu'on n'envisage qu'en dernier ressort, lorsqu'un acteur meurt au milieu d'un film. "Faut améliorer les choses, m'a confié Allen, le metteur en scène. Pour le moment on essaye de couper les plans où Lawrence grimace comme un débile, mais c'est difficile. Les filles du casting cherchent une doublure, si possible un type qui lui ressemblerait, et à qui on ferait seulement retourner certaines séquences, en le maquillant. En floutant l'image, ça pourrait passer."

« J'ai couru prévenir Lawrence, le suppliant de se reprendre, d'arrêter ses conneries. Il était en train de flinguer sa carrière. Il est resté imperturbable. Il m'a lancé : "Ils ne pourront rien faire, la Maison Blanche va leur passer un coup de fil pour leur remonter les bretelles. Je suis indispensable et intouchable. Ne t'en fais pas."

« Il avait pris l'habitude d'arriver sur le plateau dans sa voiture noire, conduite par les deux sbires aux lunettes d'aviateur. Il débarquait à la façon d'un ministre, sa foutue mallette d'acier à la main. Ça n'amusait plus personne, tout le monde pensait qu'il en faisait trop. L'angoisse s'installait, on avait peur que la série passe tout bonnement à la trappe. L'atmosphère devenait tendue. Même Peggy commençait à paniquer à l'idée de perdre son boulot.

« Un matin qu'on l'attendait, Lawrence ne s'est pas présenté. On m'a prié d'aller le chercher et de le ramener à coups de pied dans le cul si nécessaire. Je me suis rendu chez lui. J'ai sonné en vain. Comme j'avais la clef, je suis entré. La baraque était nickel. Le foutoir de paperasse, les dossiers, les cartes militaires épinglées sur les murs, les téléphone rouges, tout avait disparu. La maison était d'une propreté rigoureuse, rangée au millimètre. Je n'ai pas davantage trouvé trace de la mystérieuse valise blindée. Lawrence, lui, s'était envolé.

— Et la voiture noire des deux sbires ?

— Disparue elle aussi. J'ai eu un mauvais pressentiment. J'ai prévenu les flics. Bien évidemment, ils ne se sont dérangés qu'au bout d'une semaine. Pourquoi se seraient-ils précipités ? Lawrence était majeur et il n'y avait aucune trace de lutte ou d'effraction. En réalité, ils se trompaient, il y avait pire.

— Pire ?

— Oui, quand ils ont voulu relever les empreintes à l'intérieur de la maison ils se sont aperçus qu'il n'y en avait aucune. Pas la moindre ! Pas même celles de Lawrence. Toutes les surfaces avaient été scrupuleusement essuyées. Or aucune femme de ménage n'était passée entre-temps. On a fini par découvrir un peu de sang sur la moquette du séjour. Oh ! très peu, mais du même groupe que celui du disparu. La quantité, infime, ne permettait pas de conclure à une agression. Lawrence avait très bien pu se couper en pelant un fruit, n'est-ce pas ? C'est ce qu'a fait valoir l'inspecteur chargé de l'enquête. Les choses en sont restées là, le dossier a été classé.

— Lawrence Brickstone n'a jamais reparu ?

— Non. Son compte en banque est resté intact. Jamais personne n'a tenté d'y accéder, et Lawrence n'avait effectué aucun retrait important avant de disparaître, ce qui rend peu plausible l'hypothèse d'une fuite volontaire. Quand on veut s'évanouir dans la nature on emporte généralement de quoi financer sa nouvelle vie, on ne part pas les poches vides !

— Et quelle est votre interprétation des événements ?

— Quand j'ai évoqué toute l'affaire avec Peggy, elle a émis l'idée que Lawrence, humilié qu'on puisse songer à le remplacer, a décidé d'accréditer l'idée qu'il était embringué dans une terrible histoire d'espionnage. Il a donc soigné sa sortie en s'inspirant de James Bond, de manière à faire croire qu'il avait été enlevé ou « exfiltré » en lieu sûr. Une façon comme une autre de ne pas perdre la face. En réalité, il avait pris la poudre d'escampette et filé de l'autre côté de la frontière, à Tijuana.

— Et l'argent ?

— On ne peut pas exclure qu'il ait conservé chez lui une importante somme en liquide. Somme qui a servi à financer sa fuite.

— Vous y croyez ?

— Je ne sais pas. Les réactions d'un acteur humilié sont imprévisibles, et souvent disproportionnées. Je suis incapable de déterminer s'il était réellement en train de sombrer dans la folie ou s'il jouait la comédie pour se donner de l'importance.

— Pensez-vous parfois qu'on a pu le faire disparaître... l'enterrer dans le désert par exemple?

— Parfois oui, lorsqu'une insomnie me visite, et que je reste là, à fixer le plafond. Je me dis que nous sommes passés à côté de quelque chose, d'une vérité que nous n'avons pas voulu voir. C'était la guerre froide, la paranoïa érigée en système, la peur de l'holocauste atomique; les services secrets rivalisaient d'ingéniosité. N'est-il pas envisageable qu'un quelconque *gagman* d'une agence gouvernementale ait eu l'idée d'utiliser une série télévisée pour transmettre des informations secrètes à l'insu de tous? On sait aujourd'hui, que certains romans populaires ont été cryptés dans ce but. Alors pourquoi pas *Beloved First Lady*?

— Justement, qu'est devenue la série après la disparition de Lawrence?

— Elle a connu le succès pendant près de quinze ans, comme l'on sait, enchaînant rediffusions sur rediffusions. Lawrence a été remplacé dans la saison 2 par un autre acteur lui ressemblant peu ou prou. C'est un procédé courant à la télé. Rappelez-vous *Ma Sorcière Bien-Aimée*, ou encore *Dynastie*... des séries ou, au mépris de toute vraisemblance, on a substitué un acteur à un autre. Le public rechigne au peu au début, puis s'y fait. Certains, peu physionomistes, ne voient même pas la différence.

« Pendant longtemps j'ai vécu sur le qui-vive, je ne le cacherai pas. J'ai connu d'interminables insomnies, je sursautais au moindre bruit. Le soir, en rentrant chez moi, il m'arrivait d'examiner la disposition des objets pour m'assurer qu'on ne les avait pas changés de place en mon absence. Je reniflais comme un chien de chasse, à la recherche d'une odeur étrangère, celle par quoi – dans les thrillers – se trahit l'intrus pourtant méticuleux. Je n'ai jamais eu la moindre preuve qu'on visitait mon appartement ou qu'on perquisitionnait mes dossiers. Longtemps, également, j'ai serré les fesses au moment de tourner la clef de contact de ma voiture, m'attendant à ce qu'une explosion me réduise en miettes. J'ai des excuses, l'assassinat du président Kennedy avait installé dans tous les esprits l'obsession du complot. *First Lady* a d'ailleurs souffert de cet attentat. Par décence, la chaîne en a suspendu la diffusion sur le territoire américain pendant deux ans. Cette mesure n'a pas eu trop d'incidence financière car la série a continué à être projetée en boucle par les autres réseaux du monde entier, y compris l'URSS qui voyait dans ce *serial*, une bonne occasion de ridiculiser les États-Unis.

« À plusieurs reprises j'ai passé la frontière pour me rendre à Tijuana, où j'ai traîné dans les bars de garçons, dans l'espoir d'y surprendre Lawrence. J'avais mauvaise conscience. Je me reprochais de ne pas l'avoir pris au sérieux. Je conservais sa photo dans ma poche, l'exhibant parfois, mais personne ne se rappelait l'avoir vu récemment. Lors de l'une de ces expéditions j'ai été pris en filature par une voiture noire, et j'ai cru reconnaître les deux sbires aux lunettes d'aviateur qui escortaient Lawrence, jadis. J'ai pris peur, et abandonné aussitôt toute velléité d'enquête. C'était l'époque où les témoins de l'affaire Kennedy mouraient les uns après les autres, victimes d'accidents bizarres. Mes craintes s'alimentaient de ce que trois comédiens ayant participé à la première saison de *First Lady* étaient morts, eux aussi, dans des circonstances mal définies, noyés dans leur baignoire, électrocutés dans leur douche, et écrasés par un train. J'y voyais des coïncidences fâcheuses.

« Ces morts, ajoutées à la disparition mystérieuse de Lawrence, ont contribué à la légende noire de la série. Très vite, la rumeur a parlé de *feuilleton maudit*. Une secte occultiste a même été jusqu'à prétendre que le

fantôme de Kennedy nous punissait de l'avoir carica-
turé de son vivant. C'est vrai que, par la suite, il y a eu
beaucoup d'accidents de plateau, de malheurs. Le plus
célèbre étant l'attentat perpétré contre Peggy par une
folle qui voulait imiter Valerie Solanas abattant Andy
Warhol de trois coups de revolver. Les comédiens sont
superstitieux, et j'ai vu plusieurs d'entre eux refuser de
tourner dans la série à cause de cette pseudo-malédic-
tion, que certains journalistes s'obstinent à surnommer
curse of the shot dead president.

Dynamite Langford poussa un long soupir et conclut :

— On va arrêter là, je suis fatigué et je ne vois pas ce que
je pourrais ajouter. Si vous voulez un autre son de cloche,
allez voir Peggy... ou plutôt contactez les gens de son
fan-club, ils vous parleront de l'attentat dont elle a été victime et qui a failli mettre un terme à sa carrière. J'ai leur
adresse, quelque part. Allez les voir de ma part, ils sont
souvent venus ici. Ce sont des dames charmantes, un peu
dingues, mais qui ont rassemblé une véritable mine de
renseignements sur la série qui vous intéresse.

Il se leva avec difficulté et disparut dans la maison
dont il ressortit un peu plus tard une carte de visite à la
main. Ses doigts tremblaient tellement que j'eus du mal
à saisir le bout de carton.

— Allez-y, insista-t-il. Je vais leur passer un coup de
fil pour les prévenir.

De toute évidence il cherchait à se débarrasser de
moi le plus vite possible. Il regrettait d'avoir tant parlé.

Il ne me raccompagna pas jusqu'à ma voiture « à
cause de l'escalier qu'il avait du mal à grimper ». Il n'at-
tendit pas davantage que je m'en aille pour disparaître
dans la maison.

Je démarrai, en proie à un malaise indéfinissable.

3

Le fan-club de Peggy McFloyd siégeait à Santa Monica, dans un quartier pimpant, aux jardins non clôturés, réservé aux cadres moyens. La carte de visite proclamait, en lettres multicolores striées d'éclairs fluo :

Roaring sixties memories fans club

Tout un programme ! Mais le carton avait jauni et le lettrage n'était plus à la mode depuis trente ans. À tous les coups le club en question avait été dissous... Je décidai néanmoins de tenter ma chance.

J'en fus récompensée. Ma course me mena au seuil d'une grande villa cubique, bétonnée comme un bunker, entourée d'un jardin quasi tropical qu'agrémentaient des sculptures censées glorifier Peggy McFloyd dans tous ses avatars filmiques. C'étaient, hélas, des œuvres d'amateurs, qui ne rendaient guère hommage à la pauvre actrice. Je fus toutefois désagréablement impressionnée par l'une d'elles qui représentait Peggy, la moitié gauche du visage réduite en charpie comme si elle venait d'encaisser une décharge de chevrotines à bout portant.

La statue, réaliste, témoignait d'un réel talent, contrairement aux autres. L'effet n'en était que plus répugnant. Une plaque, apposée sur le piédestal, portait la mention *Juste avant la « renaissance »*, suivie de la signature de l'artiste.

Le contraste entre les deux moitiés du visage, celle intacte et belle, l'autre ravagée, nouait l'estomac. La sensation d'une présence dans mon dos me fit sursauter. Une grande femme se tenait là, souriante et maigre, le crâne enveloppé d'une chevelure d'un noir improbable. La soixantaine, des dents à ce point blanchies qu'elles devaient lui tenir lieu de lampe de poche lors des pannes de courant.

— Bonjour! lança-t-elle. Je suis Julia Hoodcock, la présidente du club. « Dynamite » m'a prévenue de votre visite, c'est un chou, n'est-ce pas? Et tellement en forme pour son âge!

La chose ne m'avait guère sauté aux yeux, mais je m'abstins de la contredire. Il émanait d'elle autant de vibrations que d'une centrale thermique sur le point d'exploser. L'énergie développée par sa nervosité aurait suffi à propulser une navette spatiale dans la stratosphère.

Désignant la statue hideuse, elle ajouta d'un ton grave :

— C'est Peggy, juste après l'attentat. L'artiste a utilisé une photo médicale qu'un infirmier de la clinique Olcroft lui a vendue. Saisissant, n'est-ce pas?

C'était le moins qu'on puisse dire!

— Une œuvre de Geena Mellow, ajouta-t-elle. L'une de ses dernières créations. Nous n'avons plus de nouvelles d'elle depuis longtemps. Nous la regrettons. Elle a tellement fait pour le club dans le passé. Mais c'est courant, certaines de nos adhérentes sont âgées. Un jour, elles cessent de se manifester.

Avisant la carte de visite que je tenais toujours à la main, elle dit, d'un ton d'excuse :

— Oh! c'est une ancienne carte. Elle date de l'époque où mon mari était vivant. Le club avait alors une vocation généraliste. Nous nous occupions de plusieurs séries : *Rusty et Rintintin, Bonanza, Au nom de la loi, Le Virginien*... Mon époux était fan de westerns, après sa mort, j'ai recadré notre activité sur des choses plus féminines. Et puis, peu à peu, je me suis centrée sur Peggy McFloyd, l'idole de ma jeunesse. Sa carrière, sa chute, son combat, sa renaissance... C'est une telle leçon de vie pour nous toutes, n'est-ce pas?

J'opinai d'un bref mouvement de la tête. Je me sentais égarée au milieu de cette jungle remplie de bustes atroces, sous le regard de cette gentille sorcière qui souriait à s'en décrocher la mâchoire.

— Il fait chaud, décida-t-elle soudain, rentrons boire une citronnade. Je vous ferai visiter notre musée. Sans me vanter, nos archives sur Peggy McFloyd sont probablement ce qui existe de plus complet à ce jour. Une telle documentation représente des milliers d'heures de recherches. Brandon, mon pauvre mari, y a dilapidé la totalité d'un petit héritage qui lui venait d'un oncle éloigné.

Je lui emboîtai le pas. Au milieu de chaque buisson, un buste de Peggy me dévisageait d'un air malveillant, comme pour me faire comprendre que j'étais une intruse. La présence de ces faces mal modelées avait quelque chose d'angoissant. J'eus soudain l'impression de contempler une suite de moulages faciaux témoignant du pourrissement progressif d'un cadavre. Je songeai aux Romains de l'Antiquité, qui vivaient entourés des masques mortuaires de leurs ancêtres.

La fraîcheur régnant à l'intérieur de la maison me fit du bien.

— Mille excuses pour la pénombre, énonça Julia, mais nous devons protéger les documents de la lumière solaire qui les dégraderait.

Après l'éblouissement du dehors, je progressais presque à tâtons, craignant d'entrer en collision avec un mur.

Lorsque mes pupilles se furent accoutumées à ce crépuscule intérieur, je m'aperçus que les cloisons étaient couvertes de cadres contenant qui des photos, qui des pages de journaux. Il ne subsistait nul espace libre. C'était oppressant.

S'étalait devant moi le compte rendu clinique d'une véritable obsession. Le moindre événement était répertorié par ordre chronologique, depuis la naissance de Margaret McFloyd jusqu'à nos jours. On la voyait grandir ; de bébé devenir collégienne, *cheerleader*, diplômée... Je me demandai comment Julia Hoodcock s'était débrouillée pour collecter de tels documents mais je m'abstins de poser la question de peur d'avoir à subir l'interminable récit de cette épopée. Sans doute n'avait-elle pas hésité à faire du porte-à-porte, allant quémander chez les anciens voisins, condisciples ou parents de l'actrice ? C'était pathétique et effrayant. Les vitrines me confortèrent dans cette impression. Elles s'alignaient le long des murs, comme dans un musée, sauf qu'au lieu de préserver des trésors archéologiques elles exhibaient des trophées dérisoires, voire sordides. Mais, de toute évidence, ces « merveilles » constituaient la fierté de Julia, et elle se rengorgea en m'expliquant comment elle les avait obtenues en fouillant les poubelles de Peggy dont elle avait réussi à obtenir l'adresse. (Ce qui, entre parenthèses, n'est guère difficile à L.A. puisqu'on trouve au coin de chaque rue des guides expliquant très précisément aux touristes où logent leurs idoles.)

Abasourdie, je m'extasiai poliment sur les Kleenex tachés de rouge à lèvres, les emballages de produits de beauté, les protège-slips et autres cochonneries encore plus intimes qui s'alignaient sur les étagères de verre. À quel point d'aliénation fallait-il être parvenu pour oser se glorifier de posséder de telles ordures ?

Julia semblait ne pas en avoir conscience, elle se voyait dans la peau d'une conservatrice de musée dépositaire de joyaux inestimables, tels le rasoir d'Alexandre le Grand, le gratte-dos de Napoléon ou la brosse à dents de Charlemagne... Bientôt, elle allait m'expliquer qu'en récupérant l'ADN subsistant sur ces débris on pourrait cloner Peggy McFloyd et la rendre immortelle. Je n'avais nulle envie de m'aventurer dans ces sables mouvants de l'esprit. Peut-être avais-je commis une erreur en venant ici. J'avais oublié que les fans – qui peuvent se montrer sympathiques à l'occasion – flirtent souvent avec la manie obsessionnelle et l'identification magique au modèle.

En contemplant les vieilles robes de l'actrice drapées sur des mannequins, j'eus la vision de Julia, les enfilant parfois, en transe, pénétrée de l'illusion de communier ainsi avec son idole, d'opérer une jonction fusionnelle lui permettant de lire dans les pensées les plus secrètes de la comédienne.

Julia, sans reprendre son souffle, m'expliquait avec un grand luxe de détails dans quelle occasion Peggy avait porté ce vêtement. Elle connaissait tant d'anecdotes que je finis par la soupçonner de les inventer au fur et à mesure.

— Cette tache, là, récitait-elle, est une éclaboussure de martini gin au cocktail donné pour la première de *Trois filles en vacances*. Peggy a été bousculée par Robert Mitchum qui ne s'en est même pas aperçu parce qu'il se querellait avec le journaliste d'une feuille à scandale...

Cela ne me passionnait pas exagérément ; j'avais hâte d'en venir à la raison de ma visite : *First Lady...* et bien sûr, le fameux attentat.

Hélas, avant d'en arriver là, il me fallut parcourir le chemin de croix de la première à la dernière station : les culottes de Peggy, le soutien-gorge de Peggy, son escarpin droit perdu lors d'une bousculade, son foulard volé par un fan. Tout cela, bien évidemment, racheté à prix d'or par Julia et son mari. Je me gardai de lui faire observer qu'elle s'était fait arnaquer à vingt reprises. Si cela l'aidait à supporter sa solitude, pourquoi pas ?

Elle interrompit la visite sous prétexte de boire un nouveau verre de limonade « maison », mais je constatai qu'elle avait perdu son entrain premier et que ses traits reflétaient une certaine angoisse, comme si elle appréhendait d'aborder la section suivante, celle consacrée au DRAME. Nous bûmes notre jus de citron sucré à l'aspartam sur une table basse, encerclées par les mannequins revêtus des atours de Peggy, et qui semblaient nous fixer d'un œil méchant. Cédant à l'impatience, je priai Julia Hoodcock de me dire ce qu'elle savait de l'attentat. Elle se figea, me dévisageant avec incrédulité, comme s'il était inconcevable que quelqu'un, sur la Terre, ignorât encore les circonstances du drame.

— Ça a été quelque chose de terrible, se décida-t-elle enfin à balbutier. D'impensable et d'imprévisible. Je veux dire que Peggy n'avait rien d'une actrice contestataire, elle ne brûlait pas son soutien-gorge en public, elle ne jouait pas les Jane Fonda, elle n'allait pas s'exhiber en souriant à côté des canons vietnamiens qui bousillaient nos petits gars, *elle*! Peggy, c'était la simplicité et la bonne humeur personnifiées. Dans ses films on riait, on pleurait, puis tout s'arrangeait à la fin. Les morceaux se recollaient, les amoureux fâchés se rabibochaient. Peggy, c'était notre copine de toujours, des années « collège », des pom-pom girls... Elle nous rappelait notre adolescence, avec elle on ne se sentait pas vieillir. Elle était notre machine à remonter le temps. En la regardant, on se retrouvait en jupe plissée, queue-de-cheval et socquettes blanches, nos livres de classe attachés par une lanière, trottinant à côté d'un boy-friend aux cheveux taillés en brosse qui, en bredouillant, nous invitait à voir un film au drive-in du coin. Je veux dire par là, qu'elle n'avait rien de contestataire. On ne pouvait imaginer une fille plus gentille qu'elle. C'est vrai qu'elle vieillissait comme nous toutes, mais elle nous renvoyait une image optimiste de la maturité. Elle nous prouvait que, même à quarante ans, la vie pouvait être encore pleine de surprises merveilleuses. Que l'amour nous attendait peut-être au détour d'une gondole de supermarché, comme dans *Vous avez oublié votre porte-monnaie, Mademoiselle...* Je la trouvais plus proche de nous que Doris Day. Doris était merveilleuse, certes, mais trop parfaite pour qu'on puisse véritablement s'identifier à elle, vous voyez?

La gorge nouée par l'émotion, elle s'interrompit. Des larmes brillaient dans ses yeux. Gênée, je m'abîmai dans la contemplation d'une étagère supportant les cassettes et DVD des films où Peggy avait joué, voire fait une apparition de trente secondes. La niaiserie des titres avait quelque chose de rafraîchissant : *Un parapluie pour deux, Le bibi de Miss Anderson, Un caniche dans la boîte aux lettres, Miss Anderson et l'astronome, Concours de beauté, La princesse et la shampouineuse, Qui a volé la niche du chien?... La secrétaire du Président...*

— Tout ça, bredouilla Julia, pour vous dire que l'attentat a surpris tout le monde. La folle qui l'a perpétré avait prémédité son action de A à Z; elle n'a pas agi sur une impulsion. Elle savait que Peggy se rendait tous les jeudis chez son agent Dynamite Langford, sur Sunset, au Felder Building. Chaque fois ses fans en profitaient pour la guetter et lui faire signer des photos, des revues ou des pochettes de disques. Il y avait donc, rituellement, un rassemblement sympa, pas du tout hystérique, et Peggy se prêtait gentiment à la cérémonie. Tout le monde s'empressait de lui demander quand on la reverrait sur les écrans, car c'était une période creuse pour elle. Elle devenait trop vieille pour continuer à jouer les petites fiancées de l'Amérique, et aucun producteur n'envisageait de la recycler dans des rôles plus matures. Vous savez, à l'époque, la carrière des actrices était courte; passé trente-cinq ans, on les considérait déjà comme des mémères et on ne leur proposait plus que des rôles de troisième plan. Mais bon, les anciennes séries et les films de Peggy continuaient à passer en boucle sur toutes les chaînes et elle ne courait pas le risque d'être oubliée. Comme elle était sur la touche, elle ne menaçait personne, c'était évident. Ses concurrentes ne la jalousaient plus. C'est pourquoi l'agression a surpris tout le monde. Le 31 mai de cette année-là, donc, alors qu'elle sortait de l'immeuble où son agent avait ses bureaux, la troupe habituelle de fans l'a entourée.

— Vous étiez présente?

— Oui, c'est pour cette raison que j'ai été à ce point traumatisée par l'événement et que j'en ai fait une dépression nerveuse. Il m'arrive encore, malgré les médicaments, de revoir la scène dans mon sommeil, et cela avec une telle précision dans les détails que j'ai l'impression d'y être réellement.

De la sueur perlait à son front. Le gobelet tremblait dans sa main. Elle semblait sur le point de tomber en syncope. J'eus peur de la voir s'effondrer sur la moquette, prise de convulsions, avalant sa langue… Elle parvint à se dominer et reprit, dans un souffle :

— La fille… *cette folle*, devrais-je dire, a surgi de nulle part. Habillée en homme. Enveloppée dans un cache-poussière en peau de buffle, le Stetson enfoncé au ras des yeux, des lunettes noires, des gants de cuir de rodéo. Elle a fendu la foule pour se rapprocher de Peggy et lui a jeté au visage le contenu d'un flacon de vitriol. C'était atroce. Je vois encore la joue et le nez de Peggy se mettre à fumer comme une craie aspergée de vinaigre. La chair bouillonnait. Un mélange de bulles de sang qui gagnait du terrain de seconde en seconde. J'étais tellement choquée que je ne me suis pas tout de suite rendu compte que j'avais été touchée par une éclaboussure, puis la douleur m'a transpercé le bras, et j'ai hurlé, moi aussi.

Elle s'interrompit le temps de relever la manche droite de sa robe. Une vilaine cicatrice fripait son biceps, à peine pâlie par les années.

— Ça a mis six mois à guérir, commenta-t-elle. Si

je la touche, c'est encore douloureux, et pourtant c'est arrivé il y a quarante ans. J'en avais tout juste dix-huit.

— Quel âge avait Peggy McFloyd ?

— Difficile de répondre avec précision. Les actrices ont tendance à retoucher leur acte de naissance, vous savez. Disons entre trente-cinq et trente-sept ans. Aujourd'hui ce n'est rien, mais à l'époque c'était considéré comme vieux. D'ailleurs, il n'y a pas si longtemps les producteurs estimaient encore qu'une femme de quarante-huit ans n'avait plus sa place sur les écrans. C'est pour cette raison que Joan Collins a failli se voir refuser le rôle d'Alexis dans *Dynastie*, alors qu'elle y était sublime !

— Qu'est-il arrivé ensuite ?

— La confusion était totale. Peggy s'est effondrée. Je la revois, à genoux sur le trottoir. Dans un réflexe, elle avait porté la main à sa joue, et l'acide lui dévorait également le bout des doigts. Quelle horreur ! Ces sifflements ! Cette vapeur qui prenait à la gorge... Toute sa peau avait disparu. La moitié de son visage était écorchée vive. L'agresseur m'a bousculée pour prendre la fuite. À ce moment-là, on ne savait pas encore qu'il s'agissait d'une femme. Elle s'est mise à courir, puis a tourné au coin de la rue pour s'engager dans une ruelle. Heureusement, des témoins de la scène se sont lancés à sa poursuite. Elle aurait pu leur échapper mais elle a commis une erreur. Elle a fait une pause pour ôter ses gants. Ils étaient aspergés d'acide ; le cuir avait fondu et le dos de ses mains se couvrait de cloques. Elle souffrait elle aussi. Elle n'a pas pu s'empêcher de s'arrêter pour se débarrasser des gants. Si bien que ses poursuivants l'ont ceinturée. La foule voulait la lyncher. Les femmes, surtout, qui ont entrepris de la frapper à coups de talon aiguille. Elle aurait été mise en pièces si la police ne s'était interposée.

— Qui était-ce ?

— Une certaine Rhonda Bozman, dont l'idole

était Valerie Solanas, la féministe qui a tiré sur Andy Warhol.

— S'est-elle expliquée sur ses motivations ?

— Elle n'a jamais beaucoup parlé. C'était quelqu'un de buté, d'obtus. Elle a refusé de faire des déclarations à la presse. En fait, dès les premières heures de son arrestation elle s'est murée dans un silence obstiné. Lors de son interrogatoire, elle a insisté pour se présenter comme une guerrière de la cause féministe et une prisonnière politique. Les journalistes n'ont rien déniché de croustillant sur sa vie privée. Selon ses voisins elle menait une existence solitaire, ne recevant aucune visite. Dans la journée elle travaillait comme caissière dans un supermarché, le soir elle suivait des cours à l'université. Ces cours du soir pour adultes, vous savez…

— Qu'étudiait-elle ?

— La civilisation moderne… Dieu sait ce que ça veut dire ! Tout et rien, je suppose. Un truc pour paumés. Ses profs n'avaient pas grand-chose à dire sur elle. Ils l'ont présentée comme quelqu'un d'effacé, ne prenant jamais la parole mais dont le travail demeurait acceptable. Bref, une espèce d'ectoplasme. En perquisitionnant à son domicile, les flics ont découvert qu'elle avait tapissé les murs avec les pages du *SCUM Manifesto*, le torchon ordurier de Valerie Solanas. Certains des slogans les plus obscènes étaient peints au plafond.

— Vous savez qu'avant sa mort Solanas a renié ce manifeste ?

— Oui, mais ça ne change pas grand-chose à l'affaire. Rhonda Bozman était manifestement dérangée. Pour sa défense, elle a expliqué qu'elle avait choisi Peggy pour cible parce qu'à son avis, l'actrice symbolisait la femme dominée par le pouvoir machiste, et se complaisait dans cet esclavage. La parfaite poupée programmée pour la distraction des mâles, obéissante, docile, et ne cherchant nullement à briser ses chaînes. Quel charabia ! Elle a répété que Peggy était une « barbie » et qu'il aurait fallu vitrioler toutes les barbies d'Amérique pour provoquer le réveil de la classe féminine et déclencher enfin une réelle guerre des sexes aboutissant à l'anéantissement pur et simple des mâles dans des camps d'extermination. Après ça, elle n'a plus ouvert la bouche.

« Peggy a refusé de porter plainte contre Bozman, mais la justice l'a condamnée à cinq ans de détention, dont trois en asile psychiatrique. Pendant son internement, elle a reçu des milliers de lettres émanant de femmes la félicitant pour son initiative. C'est à se demander dans quel monde nous vivons !

« Venez, je vais vous montrer des photos de l'attentat. J'ai également la copie d'un film d'amateur tourné par l'une des fans présente ce jour-là, et qui avait amené une petite caméra 8 mm Kodak. Ce n'est pas très bon, bien sûr, mais l'on m'y aperçoit, je suis au premier rang, tout près de Peggy. Je vais brancher l'appareil mais je vous laisserai visionner seule les images. Ça me rend malade à chaque fois, je ne supporte plus de les voir.

Elle se leva, et je la suivis dans un cagibi dépourvu de fenêtre où l'on avait improvisé une mini-salle de projection. Je m'assis sur une chaise de plastique rouge tandis que, dans mon dos, Julia branchait un antique projecteur à bobines, puis s'éclipsait sans un mot.

Des images granuleuses aux couleurs criardes défilèrent sur l'écran. Elles évoquaient pour moi le fameux film d'amateur que tout le monde a vu cent fois, celui où Kennedy encaisse les deux impacts qui le tueront et dans lequel – assurent certains – on discerne la masse jaunâtre de son cerveau liquéfié par la balle s'échappant de sa boîte crânienne.

La prise de vue tressautante me donnait le mal de mer. La petite caméra, tenue à bout de bras, essayait tant bien que mal de filmer l'apparition de Peggy McFloyd quittant l'immeuble de son agent artistique. Elle souriait, blonde et menue dans un tailleur bleu très strict. Une curieuse petite toque à la Jackie Kennedy la coiffait. Je me rappelai, à cette occasion, que l'actrice appréciait le style Coco Chanel, prétendument indémodable. Elle s'avançait, un « kelly » en bandoulière, charmante, saluant ses fans de la main. C'était la première fois que je la voyais ailleurs qu'au cinéma, et je fus étonnée par sa petite taille, sa vulnérabilité. À près de quarante ans, elle avait toujours l'allure d'une *cheerleader*. Le premier mot qui venait à l'esprit pour la définir était *cute*, ou si vous préférez « mignonne ». *Incroyablement mignonne*. Elle me rappelait l'adorable Debbie Reynolds de *Singing in the rain*, ou, plus près de nous, la Meg Ryan de *Quand Harry rencontre Sally*.

Son sourire vous faisait fondre ; c'était celui de l'éternelle copine de cœur, celle avec qui vous êtes passée du collège à la fac, qui vous a consolée de vos déboires amoureux, qui ne vous a JAMAIS volé votre petit copain... Bref, la fille idéale, dont on sait qu'elle sera encore là le jour de votre mort pour vous tenir la main jusqu'au bout en vous chuchotant à l'oreille : « C'est fini, soit, mais on s'est bien amusées, non ? »

Luttant contre la nausée que faisait naître en moi la houle de la caméra, je fixai l'écran, les ongles plantés dans les accoudoirs du fauteuil, attendant le moment fatidique. Une jeune fille brune s'approchait de Peggy, brandissant une photo ou une pochette de 33 tours. Je crus reconnaître Julia, mon hôtesse. Elle paraissait si... *jeune*. Débordante d'optimisme, encore à l'aube d'une vie qu'elle imaginait merveilleuse. Soudain, un remous se produisait, bousculant les femmes agglutinées autour de l'actrice. Un personnage de western trash surgissait de la foule. Manteau de pistolero mexicain, chapeau de buckaroo, lunettes noires. Je soupçonnai Rhonda Bozman de s'être affublée de cette manière pour se protéger des éclaboussures acides. Mais elle aurait dû mieux se documenter, car seules certaines matières plastiques résistent à l'H_2SO_4. Dans le cas présent, le cuir ne vaut rien ; c'est une matière organique analogue à la peau humaine.

La créature venue de l'autre rive du Pecos esquissa un geste brusque en direction de Peggy McFloyd qui, aussitôt, porta les mains à son visage. De la vapeur filtra entre ses doigts. La suite devint confuse, la caméra ne filmant plus que des pieds ou des mains. L'objectif retrouva sa stabilité une minute plus tard pour accompagner la fuite de l'agresseur galopant en direction du carrefour, les pans de son manteau de cuir flottant derrière lui dans la plus pure tradition des films d'aventures. Trois hommes se lançaient à sa poursuite, dont un vendeur de hot-dogs à la stature herculéenne. Puis la caméra revenait se fixer sur Peggy, effondrée sur le trottoir, en état de choc, la bouche démesurément ouverte. La moitié gauche de son visage était à présent rouge vif. À cet instant la caméra tombait sur le sol, parce que celle qui la tenait venait de s'évanouir.

Il y eut un déclic ; l'écran redevint blanc. Je me levai pour éteindre le projecteur. Je me sentais barbouillée.

Quand j'émergeai de la cabine, Julia Hoodcock m'attendait, assise devant la table basse. Elle avait débouché une bouteille de bourbon et rempli deux verres.

— C'est dur à supporter, hein ? fit-elle d'une voix rauque. Maggie French, la fille qui a filmé ça, ne s'en est jamais remise. Elle a dû suivre une thérapie. Elle a réussi à vivre vingt ans sans sortir de son appartement, jusqu'à ce que son mari exige le divorce. On a dû l'interner. Pour beaucoup d'entre nous, ça a été un coup terrible. Le signe manifeste que nous vivions dans un monde de fous.

Elle vida son verre d'un trait. Manifestement ce n'était pas son premier. Elle avait commencé à boire juste après avoir allumé le projecteur. Une rougeur empourprait ses pommettes, gagnait son cou, la naissance de ses seins.

— Tenez, a-t-elle grogné, dans ce dossier vous trouverez le CV de Rhonda Bozman, cette cinglée.

Elle poussa vers moi un classeur empli de documents plastifiés. Des coupures de journaux. On y voyait celle que les tabloïds surnommaient « la vitrioleuse » ou encore « Acid Mama ». Dans sa tenue pénitentiaire orange, elle offrait l'image d'une femme trapue, au visage bovin, fermé. Les traits étaient grossiers, les cheveux taillés n'importe comment. Levant ses mains menottées, elle esquissait le V de la victoire à l'intention des photographes. Le regard demeurait inexpressif. On eût dit qu'elle ne se sentait absolument pas concernée par ce qui lui arrivait. Bizarre.

Une espèce de kamikaze du féminisme?

Les coupures de presse précisaient que les analyses avaient révélé des traces de morphine dans son sang. On suggérait que, s'attendant à être lynchée, elle s'était droguée pour supporter l'épreuve. Le personnage, peu loquace, avait déçu les reporters avides de déclarations fracassantes. Soumise des jours durant à un feu roulant de questions, elle s'était contentée de répéter qu'elle avait agi en soldat et exigeait d'être traitée en prisonnière politique.

L'examen psychiatrique avait mis en évidence une haine viscérale des hommes, une misandrie liée à des traumatismes anciens, peut-être des abus sexuels. C'est la thèse qu'avait choisi de plaider son avocat commis d'office, sans pouvoir toutefois l'étayer par des témoignages concrets. En fait, on ne savait pas grand-chose de Rhonda Bozman. Elle semblait n'avoir laissé aucun souvenir dans la mémoire de ceux qui l'avaient côtoyée. Elle appartenait à cette catégorie d'individus qui se fondent dans la masse et existent à peine. Cet insupportable anonymat l'avait peut-être poussée à haïr les vedettes de l'écran, adulées, dans le monde entier, et qui focalisent la fascination béate des foules.

— C'est un personnage bizarre, reprit Julia d'une voix mal assurée. On a dû l'isoler durant son incarcération car les autres détenues voulaient lui faire la peau.

Elle s'est comportée en prisonnière modèle, restant à l'écart, lisant beaucoup. On a fini par la nommer bibliothécaire de la prison. On ne l'aimait pas mais on n'avait rien à lui reprocher. Je sais que Peggy lui a rendu trois fois visite. On ignore ce qu'elles se sont dit. Les gardiens affirment que les conversations se sont chaque fois déroulées dans le calme. Je suppose que Peggy lui a pardonné son geste, mais que Bozman est restée imperturbable, campant sur ses positions.

— Elle a fini son temps.

— Oui. On l'a libérée. Le service de réinsertion lui a trouvé un emploi dans un magasin de moquette en gros. Elle y travaille toujours, du reste.

— Mais quel âge a-t-elle ?

— Elle avait vingt ans au moment de l'agression, elle en a donc soixante aujourd'hui. Je l'ai vue récemment, c'est une grosse dondon à gueule de bouledogue. Affreuse. À se demander comment elle ne fait pas fuir les clients !

Je sursautai.

— *Vous allez la voir ?*

Julia esquissa un geste d'excuse.

— Oui, avoua-t-elle. C'est plus fort que moi. Ça me prend parfois. Je me dis que si j'avais du courage, j'entrerais dans le magasin pour lui tirer un coup de fusil dans la caboche, comme l'on fait pour les chiennes enragées. Mais je suis trop lâche, alors je me contente de la suivre. Elle loge pas très loin du magasin, dans une vieille villa de deux étages qu'elle loue une bouchée de pain. Un taudis. 278 Morison Drive, vous pourrez y jeter un coup d'œil par curiosité. Ça devrait s'appeler « l'allée des Cafards », oui !

Elle gloussa sottement, s'abandonnant à la pente de l'ivresse.

— Que s'est-il passé pour Peggy, après l'attentat ? m'enquis-je. Vous prétendez qu'elle était défigurée, mais si je me rappelle bien, elle a recommencé à tourner, non? Et elle a connu encore bien des succès. Comment expliquez-vous ce miracle?

J'avais sans doute formulé mes objections trop abruptement, car Julia me jeta un regard acerbe. Je crus un instant qu'elle allait me jeter le contenu de son verre à la figure.

— Vous êtes trop jeune pour savoir ce qui s'est réellement passé, siffla-t-elle. Ça n'a pas été aussi simple. Peggy a été hospitalisée dans une clinique privée pour se placer entre les mains d'un chirurgien plasticien spécialisé dans le remodelage des visages de stars. Le docteur Fleming Olcroft. Elle est restée là-bas une année entière, ne sortant de sa chambre que pour de courtes promenades dans les jardins de la clinique. Je pense qu'elle y a vécu un calvaire. On dit qu'elle a subi trente-sept opérations. Parfois les greffes prenaient, d'autres fois non, la chair pourrissait sur ses joues, il fallait recommencer. La plupart des gens estimaient qu'elle était finie, qu'on ne la verrait jamais sur les écrans. Régulièrement, les journaux se faisaient l'écho de son combat. Elle ne renonçait pas. Dans ses interviews elle ne se montrait nullement amère. Elle affirmait prier beaucoup et puiser dans la parole de Dieu la force de continuer. Au bout de douze mois, le docteur Olcroft a annoncé qu'elle allait enfin quitter son établissement car il était arrivé au bout de ce qu'il pouvait faire. Bien sûr, on s'attendait au pire.

« J'étais là, dans la foule, quand Peggy a franchi le seuil de la clinique. Vous ne pouvez pas vous rendre compte, on frisait l'émeute. Un cordon de police essayait de contenir les photographes et les types de la télévision. Des milliers de fans s'étaient déplacés. On avait préparé des pancartes proclamant « On t'aime quand même! » au cas où le résultat aurait été catastrophique. Mon cœur battait à tout rompre, j'étais au bord de la syncope. J'avais tout à la fois envie de m'enfuir et de rester. J'étais comme folle. Tout cela était tellement injuste! Peggy McFloyd ne méritait pas ça! Pas elle. Surtout pas elle. Hollywood regorgeait de garces et petites putains à qui une telle leçon n'aurait pas fait de mal, mais pas Peggy...

Sa voix s'étrangla. À présent des larmes coulaient sur ses joues. Elle ne fit pas mine de les essuyer.

— Enfin, après une attente interminable, la porte de la clinique s'est ouverte et Peggy s'est avancée, soutenue par son agent Dynamite Langford. C'était affreusement triste de voir qu'aucun amoureux n'était là pour l'accueillir. On a toutes pensé que ces salauds d'hommes ne s'intéressaient plus à elle maintenant qu'elle était défigurée, et que son petit ami avait dû se faire la malle depuis belle lurette. J'ai eu un mauvais pressentiment. Je me suis dit : « Ça a raté, elle est pleine de cicatrices, elle ne tournera plus jamais » et je me suis mise à sangloter. Peggy s'est avancée à petits pas, au bras de son agent. Elle portait un chapeau avec une voilette, si bien qu'on n'apercevait pas ses traits. Une limousine s'est approchée. Une seconde avant d'y grimper, Peggy s'est arrêtée. Elle a contemplé la foule puis, lentement, relevé la voilette. Son visage était superbe! Encore plus beau qu'avant! Elle a crié : « Je suis toujours là! Et je vous aime! » Alors ça a été le délire. Des hurlements de joie incroyables. La folie complète. On se jetait dans les bras de n'importe qui, on s'embrassait, on s'envoyait des claques dans le dos! Les flics ont été débordés, ils ont pris peur et commencé à distribuer des coups de matraque car tout le monde s'était mis à courir derrière la limousine qui s'éloignait. Des gens ont été piétinés. Il y a eu des bras et des jambes brisés... On s'en fichait, on était heureux. Le retour de Peggy c'était comme le symbole que tout était possible, qu'il y avait une justice, qu'il ne fallait pas se laisser abattre. *Happy days are coming back*, comme dit la chanson. Je débordais d'une joie incontrôlable. J'ai suivi une bande d'inconnus dans un bar, nous nous sommes saoulés, comme des cochons en trinquant à la renaissance de Peggy. Cette nuit-là j'ai couché avec deux hommes en même temps, des types que je ne connaissais même pas et que je n'ai jamais revus. C'était une nuit magique, un événement comme il ne s'en produit qu'une fois dans une vie. J'imagine que mes parents ont dû éprouver quelque chose d'analogue lorsqu'on a annoncé la capitulation de l'Allemagne nazie.

Elle se tut, à bout de souffle, les yeux perdus dans le vague.

Au bout d'une minute, elle dit :

— Dans les mois qui ont suivi, les studios se sont arraché Peggy McFloyd. Elle était devenue un symbole. Une combattante. Celle qui, jetée à terre, s'était relevée. Celle qui venait de renaître de ses cendres. Un formidable élan s'est créé, qui a poussé les foules à voir ses nouveaux films. Le drame qu'elle venait de vivre lui a permis de changer de registre. Terminé les rôles de midinette amoureuse, de petite fiancée de l'Amérique, pour lesquels, de toute manière, elle devenait trop âgée. Elle incarnait désormais des personnages dramatiques, humains, foudroyés par le destin mais triomphant des coups du sort. C'est ainsi qu'elle a joué la religieuse de *L'Atoll des oubliées*, dont l'action se déroule durant la guerre du Pacifique. Ou encore la trapéziste paralysée du *Cirque des ombres* qui continue à faire le saut de la mort alors qu'elle a perdu l'usage de ses jambes ! D'énormes succès. La liste est longue, mais cette seconde carrière a été un régal de tous les instants pour nous, les fans. Vous savez qu'elle a son étoile sur le *walk of fame* ? Au 6744 Hollywood Boulevard, tout près de celle de Marilyn Monroe !

« Malheureusement, Peggy a mis fin à sa seconde carrière le jour de ses cinquante ans. Pour raison de santé, dit-on. C'est là qu'elle s'est retirée dans son domaine, sur les collines de Santa Monica, et n'en est plus sortie, comme l'a fait Doris Day avant elle. Elle se consacre à des œuvres, les royalties qu'elle perçoit sur ses vidéos lui permettent de financer des projets humanitaires. Vous savez qu'elle a fondé, sur sa propriété, une maison de retraite pour les vieux artistes du cinéma sans ressources ? N'est-ce pas admirable ? Hélas, elle est devenue invisible. Elle ne se montre plus en public, j'ai peur qu'elle soit mal en point. Elle approche des soixante-quinze ans… peut-être même est-elle plus âgée si, comme je le crois, elle a triché sur sa date de naissance. C'est une vieille dame qui nous a donné bien du bonheur et je ne l'en remercierai jamais assez. Je lui écris souvent, mais je ne reçois en retour que des cartes imprimées, très polies mais impersonnelles. Mon rêve serait qu'un jour, elle vienne visiter mon musée et se laisse photographier en ma compagnie. Mais, bien sûr, cela n'arrivera jamais.

Il y avait tant de détresse dans sa voix qu'elle me fit pitié. Elle m'apparut soudain sous son vrai jour, en vieille petite fille solitaire se raccrochant à un conte de fée qui l'empêchait de s'ouvrir les veines.

Je la remerciai et pris congé. Elle ne bougea pas. Ivre de bourbon et de souvenirs, elle resta figée dans son fauteuil tandis que je m'éloignai. Quand je me retournai une dernière fois sur le seuil, elle me parut aussi peu vivante que les mannequins qui l'encerclaient.

4

Je repris le chemin de mon domicile en proie à des sentiments mitigés. La journée avait été longue et prodigue en révélations étranges. Je ne savais que penser de ce pêle-mêle de ragots. Une chose restait certaine : j'appréhendais de rencontrer Peggy McFloyd en chair et en os. On n'avait cessé de me la décrire comme une fille formidable, d'une incommensurable gentillesse, mais je n'étais pas assez naïve pour me fier à ces avis. À l'époque où je décorais les penthouses des vedettes du show-biz, à New York, j'avais rencontré plusieurs de ces *buddy guys* qui cultivaient sur les écrans l'image du chouette copain, le cœur sur la main, un poil fleur bleue, bourré d'humour mais timide avec les filles, etc. Dans la vie réelle, ils révélaient leur vraie nature, celle de beaux enfoirés se croyant tout permis et qui vous glissaient la main dans la culotte en attendant que vous leur disiez « merci » d'une voix éperdue de reconnaissance.

Les filles ne valaient guère mieux. Trois sur cinq s'avéraient de redoutables garces qui n'hésitaient pas à vous balancer leur téléphone portable à la figure si vous aviez le malheur de ne pas obtempérer assez vite à leurs caprices. L'une de mes assistantes avait ainsi écopé d'un décollement de la rétine.

Bref, en ce qui concernait Peggy, l'ex-petite fiancée

de l'Amérique, je restais circonspecte. Et puis beaucoup d'eau avait coulé sous les ponts depuis l'époque où elle incarnait Miss Anderson, dans la série de films contant les aventures de cette fille nunuche mais adorable, débarquant de son *home town* pour conquérir New York, et dont les histoires désopilantes avaient enchanté le public à l'aube des sixties.

Ces bluettes évoquaient dans mon esprit la Shirley McLaine, joufflue et encore gamine, de *La Garçonnière* – où elle incarnait le rôle d'une jeune liftière naïve et amoureuse, attendrissante – qui, en fin de carrière, s'était vue cantonnée dans les rôles de vieille garce, insupportable et méchante... où elle excellait, au demeurant. Je veux dire par là que la dame que j'allais bientôt rencontrer n'aurait rien de commun avec la *first lady* du feuilleton ou la miss Anderson du grand écran. J'avais toujours nourri une grande admiration pour Shirley McLaine, principalement pour sa prestation dans *Some came runing (Comme un Torrent)*, où elle écrase littéralement Frank Sinatra et Dean Martin, ce qui est prodigieux pour une débutante de vingt ans ! À mes yeux, Peggy McFloyd avait beaucoup imité Shirley, lui volant son sourire, ses expressions. Je la considérais comme une pâle copie, gâchée par une tendance à la mignardise et une propension à pleurnicher trop facilement. Mais sans doute était-ce là ce qu'avait adoré le public ?

Ayant réchauffé une pizza pastrami au micro-ondes, j'essayai vainement d'ordonner mes impressions.

Pourquoi tenais-je tellement à me documenter sur cette vieille actrice avant de la rencontrer ? Avais-je le pressentiment d'un inévitable coup tordu ?

Énervée, incapable de trouver le sommeil, je téléphonai à Paddy. En proie aux insomnies du grand âge, il passait ses nuits devant son téléviseur à visionner des comédies musicales d'avant-guerre. Le whiskey aidant, il finissait par en brailler les refrains d'une voix éraillée, ce qui provoquait rituellement la colère de ses voisins.

Il répondit à la troisième sonnerie. Je perçus en fond sonore les dialogues de *Brigadoon*.

Je lui résumai ma journée et le priai, s'il en avait le temps, de me parler de Peggy McFloyd qu'il avait souvent côtoyée en tant qu'accessoiriste. Quelle impression lui avait-elle faite ?

— Difficile de te répondre, grogna-t-il, c'était quelqu'un de changeant. D'instable. Un jour elle vous faisait la bise, le lendemain elle vous insultait. Mais comme elle était incroyablement mignonne on lui pardonnait ses sautes d'humeur. Un jour, elle vous jouait la gentille fée Clochette, le lendemain la méchante sorcière. Je crois qu'elle passait son temps à tester son pouvoir de séduction, tu vois ? Le syndrome du marionnettiste. Tirer les ficelles, ça l'excitait.

— Sa vie amoureuse ?

— Le black-out total. Elle se protégeait. Personne ne venait jamais la chercher aux studios. Les journaux lui prêtaient des idylles avec ses partenaires, mais c'était du pipeau, de fausses indiscrétions arrangées par son agent, Dynamite Langford. Même ses chagrins d'amour étaient bidon, conçus pour attendrir ses fans. En fait, c'était quelqu'un de très secret, faussement extraverti. Elle respirait la joie de vivre, mais je pense qu'elle jouait la comédie. Elle m'a toujours fait l'effet d'une femme travaillée par un drame caché. Je sais que je me mets à parler comme une feuille de chou à scandale, mais c'est la vérité. Et puis il y avait des zones d'ombre dans sa vie. Il lui arrivait de disparaître plusieurs mois sans qu'on sache où elle était passée. Même Dynamite Langford, son agent, s'arrachait les cheveux. Il avait des projets financièrement juteux à lui soumettre mais il était incapable de dénicher où elle se planquait.

— Une vie secrète... fis-je, pensivement.

— En tout cas ça y ressemblait.

— Que sais-tu du pétage de plombs de Lawrence Brickstone sur le tournage de *First Lady*?

— Pour certains c'était tout simple, Lawrence se camait à mort. Langford lui était très dévoué. Il essayait d'aplanir les choses, de rattraper ses conneries.

— On m'a dit que Brickstone et Langford étaient amants.

— Possible. Mais ça me paraît bizarre en ce qui concerne Lawrence Brickstone; il avait une façon de regarder les nanas qui ne collait pas avec sa réputation d'homosexuel. Ou alors il était bi.

— Que penses-tu de sa disparition?

— C'est un peu l'histoire du serpent de mer. Des tas de gens prétendent l'avoir croisé, au Texas, en Alaska, à Paris, où il aurait refait sa vie. La légende la plus répandue c'est qu'il était embringué dans une sale histoire de drogue où il servait d'intermédiaire. Il approvisionnait, paraît-il, les grands pontes des studios, c'est pour ça qu'on le maintenait dans la profession et qu'on l'imposait aux metteurs en scène. Il rendait service. Quelque chose a cafouillé. Pour les uns, il se serait tiré avec le fric d'une livraison, une très grosse somme. Pour d'autres, la Mafia l'aurait liquidé parce qu'il se sucrait au passage. C'était un type pas net, de toute façon. Il était également connu pour organiser des partouzes de starlettes à l'intention des producteurs. Ça explique pourquoi, alors qu'il tournait peu, il vivait sur un grand pied. Mais bon, je n'ai aucune preuve. Pour ce que j'en sais, il a pu tout bêtement se faire descendre à Tijuana, alors qu'il draguait un giton dans une boîte à pédés. C'est dangereux, ce coin-là. Si Dynamite Langford connaît la vérité, il n'en a jamais soufflé mot.

Cela ne m'avançait guère. Jadis, j'avais personnellement fait les frais de telles calomnies, je savais donc le peu de valeur qu'on devait leur accorder. Alors que j'allais raccrocher, Paddy ajouta d'une voix hésitante :

— Fais tout de même attention avec la mère Peggy...
De drôles de rumeurs circulent au sujet de sa maison
de retraite pour anciens d'Hollywood. Ce ne serait pas
vraiment le paradis décrit par les journalistes. Il m'est
arrivé de boire un verre avec certains de ses pensionnaires, des types de ma génération. Ils m'ont paru
bizarres.

— Bizarres comment ?

— Je ne sais pas. On aurait dit des prisonniers en
cavale, tu vois ? Toujours à regarder par-dessus leur
épaule comme s'ils craignaient qu'on ne vienne tout à
coup les attraper par la peau du cou pour les ramener
à la niche. Oh ! ils ne se plaignent pas, loin de là. À les
entendre Peggy c'est Mère Teresa réincarnée, mais ils
ont l'air de réciter une leçon apprise par cœur.

— Pourquoi restent-ils là-bas, alors ?

— Tu en as de bonnes, ma cocotte ! Tu crois que
c'est facile pour les vieux artistes ? Ces gars-là ont
connu la gloire, la richesse, ils habitaient des baraques
de luxe, roulaient en limousine... et puis la roue a
tourné, ils sont devenus démodés, on les a remplacés.
C'étaient des cigales, ils avaient gagné des fortunes
mais tout claqué au fur et à mesure, si bien qu'ils se
sont retrouvés clodos du jour au lendemain, l'IRS et
les huissiers au cul. Quand Peggy leur a proposé d'intégrer son institution, la plupart d'entre eux travaillaient
comme gardiens de parking, promenaient les chiens
ou balayaient les laveries automatiques, quand ils ne
faisaient pas tout bonnement la queue à la soupe populaire de la *Sally*. D'autres dormaient sous des cartons
ou dans des squats. J'aurais été dans le même cas si
l'Agence 13 ne m'avait pas engagé comme magasinier.
Aujourd'hui, grâce à Peggy, ils ont trouvé un abri,
alors ils s'y cramponnent de peur d'être rejetés à la rue.
Mais, de toute évidence, il y a quelque chose de pas
clair dans cette histoire. Une espèce de loi du silence
qui ne me dit rien qui vaille. Une fois là-bas, tu auras

intérêt à marcher sur des œufs. Je sais de quoi je parle, il y a beaucoup de zones floues dans la vie de Peggy McFloyd. Son départ à la retraite, par exemple...

— Que veux-tu dire par là ?

— Elle s'est retirée en pleine gloire, brusquement, alors que ça marchait à fond pour elle. C'est bizarre. Il y a des rumeurs...

— Il y a toujours des rumeurs.

— Ouais, mais j'ai rencontré, un jour, une ancienne maquilleuse des studios. Elle m'a raconté qu'en réalité, les greffes qu'avait subies Peggy après l'attentat n'étaient pas stables, qu'elles se dégradaient régulièrement. Bref, qu'elle avait la moitié du visage qui pourrissait. Dès les premiers symptômes, elle repartait en clinique se faire rafistoler. Ça foutait en l'air le planning de tournage. Le problème, c'est qu'à force de se faire charcuter, ça commençait à se voir. Fallait l'emplâtrer de fard pour faire illusion, et superposer des tulles sur l'objectif de la caméra... C'est ce qu'on faisait à l'époque pour dissimuler les rides des actrices.

— Je sais.

— À la fin, elle n'était plus montrable. Regarde ses derniers films, on ne la voit que de profil. Toujours le même, celui qui a été épargné par le vitriol. Elle n'est filmée de face qu'en plan éloigné, ou dans l'ombre, ou avec une écharpe, un chapeau... C'est révélateur. Ma copine maquilleuse m'a affirmé que les partenaires de Peggy se voyaient contraints de signer un engagement de confidentialité avant le tournage. Interdiction totale sous peine de procès de révéler quoi que ce soit sur l'état de la star.

— Selon toi, elle a renoncé à sa carrière parce qu'elle devenait hideuse ?

— Exactement. C'est ma théorie. Ça coïncide justement avec la mort d'Olcroft, son chirurgien esthétique, le docteur qui l'avait rafistolée après l'attentat. Je pense qu'elle n'a retrouvé personne capable de renouveler le miracle. Comme elle ne pouvait plus faire illusion, elle a préféré se cacher. Voilà pourquoi elle n'a plus jamais reparu en public. Il est possible que tu sois confrontée à la fiancée de Frankenstein, ma petite. Telle que je me rappelle Peggy McFloyd, ce genre de problème n'a pas dû lui arranger le caractère ! Prépare-toi au pire ! Elle ne doit pas supporter le voisinage des jolies filles.

— Allons, elle a près de quatre-vingts ans !

— Comme si ça changeait quelque chose pour vous, les femmes !

Je le remerciai et le laissai retourner à *Brigadoon*, un film ambigu qui m'a toujours mise mal à l'aise puisque, en définitive, tout glamour mis à part, il y est question d'un humain égaré chez les morts-vivants.

Devais-je y voir la préfiguration de mon équipée chez Peggy McFloyd ?

Je me couchai en avalant un somnifère, car je craignais que cet imbroglio d'hypothèses ne m'empêche de fermer l'œil.

Le lendemain matin, je décidai de reprendre mon enquête là où je l'avais abandonnée. Je pensais bien sûr à Rhonda Bozman, la « vitrioleuse ». Julia m'avait donné son adresse en précisant qu'elle travaillait au magasin d'usine situé non loin de chez elle. Accepterait-elle de me parler ? J'étais curieuse de connaître sa version des événements. Qu'avait-elle à dire, quarante ans après le drame ?

Je cherchai à rassembler ce que je savais de Valerie Solanas et de son manifeste, le fameux SCUM *(Society for Cut Up the Men)* que certains traduisirent par *Mouvement visant à mettre les hommes en pièces*, et d'autres par *Société dont le but est de couper les couilles aux mecs...*

Les années ont passé mais personne n'est encore tombé d'accord sur la signification définitive de cet acronyme qui, par ailleurs, peut avoir le sens de *merdeux, crasseux...*

La personnalité de Valerie Solanas reste encore assez floue puisque étayée de suppositions que rien ne vient étayer. Ainsi, fut-elle réellement victime d'abus sexuels dans son enfance? Se prostitua-t-elle pour payer ses études? La légende s'est emparée de l'individu, en en faisant la grande martyre du féminisme. Aujourd'hui que le scandale de ses écrits est oublié, on ne se souvient guère que de l'attentat du 3 juin 1968 perpétré contre Andy Warhol, qui faillit y laisser la vie en raison des trois balles qui lui perforèrent des organes majeurs. Attentat qui eut pour origine une incompréhensible querelle à propos d'un manuscrit perdu intitulé *Bougez-vous le cul* (*Up your Ass*).

De SCUM, ne surnageait dans ma mémoire qu'une phrase : *l'homme est une femme manquée, une fausse couche ambulante, un avorton congénital.*

Et ça, c'était la partie la plus aimable du texte!

À la fin de sa vie, Valerie Solanas renia ce manifeste. Peu de temps après, dans la misère, elle mourait d'une pneumonie.

Il m'était difficile de deviner à quel point le geste de Rhonda Bozman était l'écho de celui de Solanas. Avait-elle, après coup, voulu donner à son acte une coloration politique dont il était en réalité dépourvu? Avait-elle agi par pure jalousie? Par désespoir... ou tout bêtement pour faire parler d'elle, pour sortir enfin de l'anonymat dans lequel elle était cantonnée depuis toujours?

Peut-être ne le savait-elle pas elle-même.

J'étais nerveuse en me glissant au volant de ma Chevrolet Impala rafistolée. Étais-je vraiment forcée de faire cela? Bon sang! Je n'étais pas flic après tout!

La mise en garde de Paddy continuait à me trotter dans la tête, et, quelque part, je suppose que je voulais rassembler le plus de renseignements possible sur celle qui pouvait, éventuellement, devenir une ennemie, à savoir Peggy McFloyd.

En cela je ne faisais qu'obéir aux principes énoncés par Sun-Tzu dans *L'Art de la Guerre*.

L'adresse communiquée par Julia me conduisit à la périphérie du Watts, quartier défavorisé de Los Angeles qui respire la désolation avec ses bungalows dont les fenêtres et les portes sont défendues par des grilles, et les façades criblées d'impacts de balles, conséquences de l'interminable guerre des gangs opposant des bandes rivales surarmées dès la tombée de la nuit.

Je n'eus pas de mal à dénicher le magasin d'usine débitant au kilomètre des revêtements de sol bradés en raison de défauts d'aspect. Il s'agissait d'un hangar rébarbatif, aux tôles disjointes barbouillées d'un jaune citron sur lequel se détachaient des slogans publicitaires. Je garai ma voiture sur le parking que surveillait un ancien catcheur anabolisé cultivant une vague ressemblance avec Mickey Rourke.

D'immenses rouleaux aux couleurs criardes occupaient l'intérieur de l'entrepôt, un haut-parleur diffusait une musique guillerette que scandaient des annonces promotionnelles sur tel ou tel type de moquette. L'air empestait le caoutchouc, le plastique et le chien mouillé. Il n'y avait pas grand monde. Un jeune vendeur à la calvitie précoce se rua à ma rencontre avec un sourire halluciné. Sa joie de vivre s'éteignit dès que je prononçai le nom de Rhonda Bozman, et il se contenta de désigner du pouce le fond de la remise.

ELLE était effectivement là, plantée au milieu de l'allée, aussi indéracinable qu'un rhinocéros en pleine digestion. Presque aussi large que haute, elle avait quelque chose d'un lutteur japonais, tant dans la morphologie que dans l'attitude. La tête rentrée dans les épaules, les bras ballants, les jambes écartées, fléchies dans cette position que les karatékas appellent *le cavalier de fer*, elle semblait se préparer à repousser à mains nues un bataillon du SWAT.

Elle était énorme et sans âge, le cheveu gris et ras. Si peu féminine qu'on aurait pu aisément la prendre pour un homme. Mais le plus frappant restait son regard vide d'expression. Un regard de cyborg. Elle me fixait sans bouger d'un poil, et j'eus soudain la certitude qu'elle savait déjà ce que je venais faire ici. Je décidai de ne pas finasser et de lui révéler d'emblée que je réunissais des informations sur la carrière de Peggy McFloyd. Elle ne broncha pas. Pendant une minute elle demeura silencieuse puis, d'un ton monocorde, elle lâcha :

— Il y a bien longtemps que personne ne m'avait parlé de ça. Dans quarante-cinq minutes ce sera mon heure de repas, attendez-moi sur le parking.

J'acquiesçai, un peu surprise toutefois qu'elle ne m'ait pas brisé la mâchoire d'un direct du gauche. Je retournai donc sur mes pas et rongeai mon frein durant trois quarts d'heure sur le siège avant de l'Impala. Rhonda Bozman fut ponctuelle. Elle se déplaçait pesamment, vêtue d'un tailleur-pantalon en acrylique lavande de taille XXXL. De toute évidence les gamins du quartier devaient hésiter à se moquer de son obésité car son expression – calquée sur celle du pit-bull – décourageait les plus hardis d'entre eux. Je remarquai les vieilles cicatrices de brûlures au vitriol sur le dos de ses mains. Quarante années n'avaient pas suffi à les effacer.

— Allons chez moi, dit-elle, c'est tout près, je ne mange pas grand-chose mais ça me permet de prendre un bain de pieds glacé. C'est bon pour ce que j'ai.

Je verrouillai ma portière et la suivis. Elle filait en une trajectoire rectiligne de pachyderme bien décidé à piétiner tout ce qui aurait le malheur de croiser son chemin. Elle avait beaucoup changé en quarante ans. À cause de son poids elle s'essoufflait vite, c'est sans doute pourquoi elle resta muette le temps du trajet. Nous arrivâmes devant une baraque de deux étages, en planches. Une ancienne maison de maître, à clochetons, mais si vétuste qu'on s'étonnait qu'elle ait pu résister aux secousses sismiques qui ébranlent régulièrement Los Angeles. C'était l'une de ces demeures auxquelles, jadis, on avait coutume d'accoler la mention *Mansion* ou *Manor*, quand on voulait se piquer de snobisme. Aujourd'hui elle évoquait plutôt la maison hantée de Disney Land.

— Elle est bouffée aux termites, m'expliqua Rhonda, personne n'en veut. Je pèse trop lourd pour habiter à l'étage, le plancher s'effondrerait, alors je me contente du rez-de-chaussée, c'est bien suffisant. J'ai abandonné le reste aux cafards et aux souris.

Nous traversâmes un jardinet encombré de détritus, puis Rhonda Bozman déverrouilla la porte d'entrée. Derrière, s'étendait une vaste salle aux cloisons nues. L'endroit était d'une propreté de bloc opératoire et aussi dépouillé qu'une cellule monastique. Le mobilier se composait d'un lit, d'une table, d'une chaise et d'une bibliothèque surchargée de livres. À l'autre bout de la pièce se dressaient une penderie en nylon, le bloc-évier, une cuisinière à gaz et un réfrigérateur. Cela faisait peu pour un espace d'environ cent mètres carrés ! Une bombe d'insecticide trônait près du lit. Des pièges à souris traînaient ici et là. Il convenait de regarder où l'on posait le pied.

Notant ma surprise, Rhonda grogna :

— En prison ou à l'hôpital on apprend à se contenter de peu, et c'est tout aussi bien.

Sans plus s'occuper de moi, elle se laissa tomber sur l'unique chaise de l'endroit, se déchaussa et plongea ses gros pieds dans une sorte de cuvette bleue faisant office de bain à remous. Ne sachant quelle attitude adopter, je jetai un coup d'œil à la bibliothèque. Il s'agissait d'ouvrages religieux. Bibles, gloses, écrits des pères de l'Église… Aucun manuel du parfait petit terroriste, aucune recette pour fabriquer de la gélinite à partir de produits ménagers courants. Derrière moi, Rhonda poussait des grognements de satisfaction qu'on aurait pu qualifier d'orgasmiques. Elle semblait revenir à la vie.

Au bout d'une dizaine de minutes, elle parut se rappeler ma présence et sourit.

— Vous ne vous attendiez pas à ça, pas vrai? ricana-t-elle. L'horrible vitrioleuse n'est qu'une grosse dame qui a mal aux pieds. C'est décevant, non?

Je bredouillai quelque chose de peu convaincant, elle haussa les épaules et reprit :

— C'était il y a si longtemps que j'ai parfois l'impression que ça n'est jamais arrivé. J'étais quelqu'un d'autre, vous comprenez. J'avais vingt ans. Dans mes souvenirs ça a maintenant aussi peu de consistance qu'un film vu dans mon adolescence. Des images, oui... mais seulement des images. Rien de vécu. Rien de senti. Ça s'est effacé au fil des années. Un peu comme lorsqu'on essaye de se rappeler le visage d'un parent mort il y a trente ans. Les traits se brouillent, on n'est plus sûr de rien. C'est devenu flou. À l'époque j'étais quelqu'un d'autre. Je vouais une haine démesurée aux acteurs. Et plus particulièrement à ceux de *First Lady*. Je les trouvais ridicules. Surtout Lawrence Brickstone qui jouait le président Flower-Hall. Quel pitre! Toutes ces grimaces! Ça devenait vite insupportable. Heureusement, il a disparu à la fin de la première saison. Son agent, Dynamite Langford, n'a jamais vraiment su expliquer où il était passé.

Elle se tut et entreprit de se sécher les pieds avec application, puis les enduisit d'une pommade anesthésiante empestant la citronnelle.

— Rester debout, soupira-t-elle, ça devient difficile pour moi. Des problèmes de circulation. Si ça continue faudra m'amputer des orteils. La gangrène pourrait s'y mettre.

Ce rituel accompli, elle me pria d'ouvrir le frigo et de lui apporter le bol de tofu qui s'y trouvait. J'obéis. L'appareil ne contenait que des flacons de compléments alimentaires, du tofu, des germes de blé, et des boissons sans sucre. Comment, avec ce régime, faisait-elle pour demeurer aussi énorme ?

Comme si elle avait lu dans mes pensées, elle déclara :

— Mon obésité, c'est le poids de mes péchés. Le poids de la faute. Quand Notre Seigneur aura jugé mon expiation suffisante, il me fera maigrir. Alors je deviendrai aussi maigre que vous. Un vrai squelette ambulant. Je me suis mise à grossir en prison quand j'ai eu la Révélation.

— Quelle sorte de révélation ?

— J'ai compris soudain que j'avais mal agi, que je m'étais comportée de façon ignoble et surtout que, depuis le début, je me mentais à moi-même. Cette illumination m'a foudroyée ; dès le lendemain j'avais déjà pris un kilo. Après ça n'a fait que s'aggraver. Je me privais de tout et je continuais pourtant à grossir au rythme d'un kilo par semaine. J'ai pensé que j'allais en crever... La prise de poids s'est ralentie quand j'ai commencé à prier, à me repentir. Aujourd'hui encore je ne suis pas tirée d'affaire. Si, cédant à la fatigue, je m'endors sans avoir fait mes prières du soir, je prends du poids pendant mon sommeil. C'est un combat de tous les instants. Mais je ne m'en plains pas. Je dois payer, c'est la loi.

Elle piochait dans son bol, mâchant avec minutie la nourriture nauséabonde. J'étais déçue et contrariée, je ne m'étais pas préparée à cela. Cette folle mystique n'allait pas m'être d'une grande utilité. Je décidai de brusquer les choses en lui demandant les raisons de son geste. Elle s'essuya la bouche avant de répondre :

— À l'époque j'ai menti, j'ai prétendu qu'il s'agissait d'un geste politique. J'ai dit que j'avais choisi Peggy McFloyd pour cible parce qu'elle symbolisait la parfaite « barbie »... C'était de la comédie. Je frimais, je voulais jouer les Valerie Solanas, devenir une vedette

76

de la cause féministe. J'espérais qu'on me citerait en exemple, qu'on écrirait des livres sur moi, mais ça n'a pas marché. On ne m'a pas trouvée sympathique. J'avais commis une erreur en choisissant Peggy; les gens l'aimaient beaucoup trop. Warhol c'était différent, il ne faisait pas l'unanimité, mais Peggy McFloyd, si... C'était une icône intouchable. La petite sainte un peu nunuche... Je n'avais pas compris ça.

Elle s'interrompit pour boire un verre d'eau tirée au robinet. La sueur ruisselait sur son visage. Le moindre geste paraissait lui demander d'insurmontables efforts.

— Vous ne pouvez pas savoir, reprit-elle d'une voix lointaine. Malgré votre nez cassé vous êtes jolie, vous avez du charme... Moi, au mieux j'étais la fille invisible, au pire la truie dont tout le monde se moquait. Au collège on me surnommait Hulk, on racontait que j'étais gouine, que j'étais « une brouteuse de gazon ». Ma mère était jolie, malheureusement j'ai hérité les gènes de mon père qui avait tout du gorille. Le comble, c'est qu'il avait honte de moi... Rassurez-vous, je n'ai pas l'intention de vous raconter ma vie et de chercher des excuses, je n'en ai pas. J'aurais dû me flinguer, pas détruire la vie d'une autre femme. Je suis impardonnable.

Elle but un second verre d'eau. Je fixai ses pieds bleuâtres, sillonnés de varices. Plusieurs de ses orteils avaient effectivement l'aspect d'une saucisse avariée.

— Le pire dans tout ça, souffla-t-elle, c'est que j'ai été une grande fan de Peggy. J'allais voir tous ses films, je ne manquais aucun épisode de *First Lady*. Bon sang! qu'elle était drôle! Je découpais ses photos dans les magazines... J'ai dû voir six fois de suite chaque film de la série des Miss Anderson! Je ne m'en lassais pas. Quand je sortais de la salle, j'étais sur un petit nuage.

— Alors pourquoi... commençai-je, éberluée.

Elle m'interrompit d'un geste en grimaçant.

— Oh! fit-elle, à cause d'une bêtise... Une espèce de rancœur qui m'était venue à la suite d'un incident. Un truc que je n'avais jamais réussi à digérer. Vous êtes la première à qui je raconte ça. Aujourd'hui ça n'a plus d'importance... et puis ça soulagera ma conscience et m'aidera peut-être à perdre quelques kilos.

Elle redevint silencieuse, comme si elle cherchait à rassembler ses forces. Une vive rougeur avait envahi son visage, achevant de le masculiniser.

Elle se balançait d'avant en arrière, tel un gourou en transe. Tout à coup, elle dit, d'une voix à peine audible :

— J'avais seize ans, je crois. J'étais allée l'attendre à la sortie des studios. Des tas de fans étaient là, surtout des filles. On était excitées comme des puces. Quand Peggy est apparue, on s'est jetées sur elle pour faire dédicacer nos photos, nos pochettes de disques. À ce moment-là, un photographe s'est pointé. Il a voulu prendre un cliché de groupe, Peggy au milieu de ses fans. On s'est regroupées autour d'elle, c'est alors que Peggy a murmuré quelque chose au journaliste. Le type m'a jeté un coup d'œil en biais ; la minute d'après il m'a expulsée du groupe sous prétexte qu'il y avait trop de monde dans le cadre. J'ai compris que Peggy McFloyd, mon idole, m'avait jugée trop moche pour figurer sur la photo, et je l'ai haïe. Ce jour-là, j'ai failli me jeter sous un bus. En rentrant chez moi, j'ai brûlé ses photos, cassé ses disques. Je ne suis plus jamais allée voir aucun de ses films. Elle était devenue mon ennemie. C'est stupide, non ? Pourquoi le nier, c'est vrai que j'étais moche et que j'aurais déparé la photo de groupe. Tout le monde aurait pensé : « Qu'est-ce que cette truie fait au milieu de toutes ces jolies filles ? »

Comme il m'était difficile de lui sortir des âneries genre « Mais non, mais non, vous vous faites des idées ! », je gardai le silence. Elle se talqua les pieds puis entreprit de remettre ses chaussures. Elle respirait fort.

Cette besogne achevée, elle releva la tête pour me fixer droit dans les yeux.

— Vous savez, dit-elle, Peggy est venue me voir en prison. C'était courageux de sa part avec cet énorme pansement sur la figure et les journalistes qui la harcelaient, essayant tout le temps de la prendre en photo pour montrer à quel point elle était détruite, foutue, finie... J'ai eu terriblement honte. J'aurais voulu qu'elle me frappe, qu'elle m'arrache les yeux, qu'elle m'écrase les doigts avec un marteau. Au lieu de ça, elle m'a dit qu'elle se rappelait...

— Quoi donc?

— L'incident de la photo de groupe. Elle m'avait reconnue. Elle se rappelait avoir demandé au journaliste de me virer du cadre. Elle avait honte, elle me demandait pardon... Elle disait qu'elle n'aurait jamais dû agir ainsi et qu'elle comprenait mon geste. Elle m'a avoué que le succès l'avait rendue capricieuse, imbue d'elle-même, et que cette épreuve allait lui remettre les idées en place. Que cette épreuve lui était envoyée par Dieu, et que j'avais été choisie dans ce but. Je n'avais rien à me reprocher, je n'étais que l'instrument de la colère divine. Elle répétait : « Les torts sont partagés. » Je sais que, par la suite, elle est intervenue personnellement auprès du département de la justice pour les supplier de m'accorder une remise de peine, mais les juges n'ont rien voulu entendre. Elle m'a plusieurs fois écrit pour m'assurer qu'elle m'aiderait à ma sortie de prison.

— L'a-t-elle fait?

— J'ai refusé. Elle voulait me donner de l'argent, me trouver un travail, un logement, j'ai dit non. C'était hors de question, je devais expier. J'ai juste accepté qu'elle se porte caution pour la location de cette baraque, à cause de sa proximité avec le magasin de moquette, cela m'évite d'utiliser une voiture... C'est commode, et puis ça me convient, je n'ai jamais eu des goûts de luxe.

« Bon, je vous ai dit ce que j'avais à dire... comme

vous l'avez constaté, je ne suis pas très douée pour la parole; et puis l'heure file, si vous n'y voyez pas d'inconvénient il faut que j'y retourne. Le patron est sympa mais inflexible sur la discipline, c'est un ancien taulard qui fait de la réinsertion de détenus. Il commence à se faire vieux, et j'ai un peu peur de ce qui m'arrivera quand il cassera sa pipe.

Elle s'arracha de la chaise avec beaucoup de difficulté.

— Si vous écrivez quelque chose, ajouta-t-elle d'une voix sourde et vaguement menaçante, un article ou un livre... ne salissez pas Peggy McFloyd, c'est quelqu'un de bien. Une espèce de sainte. Sans elle, je me serais suicidée. Je n'ai plus aucun contact avec elle depuis longtemps, et je le regrette parce que je crois qu'aujourd'hui elle est en mauvaise santé et, pour tout dire, qu'elle approche de la fin. Ça m'aurait plu de la revoir encore une fois, une seule... Si vous la rencontrez, dites-lui ça. Oui, j'aimerais bien la revoir, même de loin, à travers les grilles de sa propriété. Des fois je rêve que je lui dis au revoir, de loin. Je me tiens sur le trottoir, et elle au fond du jardin, elle est coiffée d'une capeline qui dissimule son visage. Elle me répond en agitant la main, gracieusement, et elle sourit... vous savez, comme faisait Miss Anderson à la fin de chaque film. Non, vous êtes trop jeune pour les avoir vus. C'était tellement bien qu'on avait envie de ne plus jamais sortir du cinéma. Oui, tellement bien.

Elle se dirigea vers la porte et je ne pus que l'imiter. Le retour au magasin fut silencieux, nous nous séparâmes sur le parking, rapidement, sans un mot de trop. Je la regardai trottiner vers le hangar avec la résignation d'un bœuf qui rentre à l'abattoir.

5

Désormais je n'avais plus aucune raison de différer mon rendez-vous avec Peggy McFloyd, il me fallait pénétrer sur son territoire. Ayant entassé mon ordinateur, mes carnets de croquis, appareils photo et caméras numériques à l'arrière, je pris la direction des montagnes de Santa Monica par le Mulholland Scenic Corridor. Il faisait chaud, et le vent poussait le voile de smog jaune soufre vers Pacific Palisades. Le paysage était accidenté, sauvage, coupé de canyons tortueux et de ravins. Au fur et à mesure que je gagnai de l'altitude, je m'enfonçai dans un brouillard malodorant de plus en plus épais. Je me sentais anormalement nerveuse, comme si un sixième sens me hurlait de faire demi-tour.

La propriété de Peggy était loin de tout, juchée au sommet d'un pic difficilement accessible, s'érigeant loin des aires de randonnées pédestres. En choisissant ce coin perdu, l'actrice avait sans doute voulu se protéger de la curiosité des touristes, mais la solitude de ce caillou brûlé par le soleil, côtoyant le vide, avait quelque chose de rébarbatif. La végétation ne réapparaissait qu'au sommet, là où des arrosages intensifs rendaient la terre fertile.

Je fus brusquement assaillie par d'intenses sifflements d'oreille. J'en déduisis que je traversais une zone placée sous l'influence de ces diffuseurs d'ultrasons « anti-jeunes » qui – émettant sur une fréquence voisine de 18 000 hertz – sont censés causer d'insupportables malaises à la population des moins de 25 ans. En Grande-Bretagne, ces boîtiers connaissaient un réel succès commercial. Ici, surnommés *Mosquito Buzzer*, on les vendait sous le manteau. Leur utilisation avait déclenché une virulente polémique quant à leur prétendue innocuité.

Le malaise se dissipa rapidement, soit parce que j'étais sortie de la zone de couverture, soit parce que, à près de trente ans, mon tympan n'était plus assez sensible.

Un rideau d'arbres, plantés près des grilles, masquait en partie une immense bâtisse de style hispano-texan. L'entrée était bien évidemment gardée par un service de sécurité composé de vieillards athlétiques, style sergent instructeur de Biloxi à la retraite, et qui me donnèrent du « M'dame » avec cette inimitable politesse condescendante que les militaires réservent aux civils. Bien que septuagénaires, ils n'avaient pas une once de graisse sur le corps et des pectoraux à faire baver d'envie les surfeurs de Malibu. Ils me laissèrent passer à regret après avoir donné trois coups de fil depuis la guérite de surveillance.

— Je vous souhaite un bon séjour, M'dame, grogna le plus imposant des deux. Roulez tout droit, Monsieur James, qui se charge de l'accueil des visiteurs, va vous expliquer les règles à suivre. Elles ne sont pas négociables. Si vous refusez de vous y conformer vous serez expulsée. Madame McFloyd est intraitable. D'ordinaire ce domaine est rigoureusement interdit aux personnes âgées de moins de soixante ans, elle a donc fait une exception pour vous. Ne la décevez pas.

C'était débité du ton qu'il aurait utilisé auprès d'une jeune recrue pour dire : « Tu vas sauter de cet hélicoptère sans parachute, mon gars, tu verras, si tu survis au premier saut, tu t'habitueras très vite. »

Ayant jeté un coup d'œil sur ma banquette arrière, il ajouta :

— Je préfère vous prévenir parce que je vois que vous transportez du matériel prohibé, et que vous risquez d'être surprise. Monsieur James vous expliquera tout ça mieux que moi.

Décontenancée, j'appuyai sur l'accélérateur pour gravir la côte menant à la demeure. J'allais de toute évidence au-devant d'une mauvaise surprise. Cela dit, je savais que la mode des résidences interdites aux jeunes rencontrait un succès incontestable auprès de la clientèle des retraités aisés, en Floride notamment. Le fossé des générations prenait de plus en plus l'allure d'un abîme, et personne, ni d'un côté ni de l'autre n'avait envie de le combler. À ce train-là, les différentes classes d'âge se côtoieraient bientôt comme des peuplades extraterrestres ignorant tout de leurs us et coutumes respectifs.

Au sortir de l'allée boisée je fus arrêtée par une barrière blanche devant laquelle se tenait un sexagénaire en chemisette de seersucker et short de major de l'armée des Indes, style David Niven. Il me fit signe de couper le moteur et s'approcha en souriant.

— Bonjour! lança-t-il d'un ton jovial. Je suis James Peeterson. Peeterson, avec deux e, pas Peterson. Je serai votre guide à Esteranza. Esteranza avec un t, pas Esperanza.

Il me faisait penser à ces meneurs de revue des années 50, débordant de calembours éculés et d'un enthousiasme aussi fictif qu'inépuisable.

— C'est quoi « Esteranza »? m'enquis-je en descendant de mon véhicule.

— C'est le nom du domaine, fit-il sans se démonter. Les bâtiments ont été construits en 1920, par Pénélope Ronnette, une vedette du cinéma muet, spécialisée dans les rôles d'esclave langoureuse. Elle y donnait des fêtes un peu... *spéciales*, si vous voyez ce que je veux dire. Elle s'y est suicidée en 29, ruinée, oubliée des studios. Le domaine a été racheté dans les années 40 par Wilcox-Wilcox, un cascadeur en vogue. C'était l'époque où la Californie vivait dans la psychose des bombardements japonais. Wilcox a fait creuser un gigantesque abri dans les caves de la maison. Il avait l'habitude de s'y enfermer deux ou trois semaines durant avec ses amis pour jouer « à la fin du monde ». Bien évidemment, le jeu dégénérait vite en... vous devinez quoi ! Ensuite, le domaine est passé de main en main. On a, un temps, envisagé d'y installer un hôtel, mais l'accès est trop difficile, et puis, l'isolement, n'est-ce pas... Par ailleurs, quand il pleut, les routes sont balayées par des coulées de boue qui vous emportent un randonneur en moins de temps qu'il n'en faut pour le dire.

Il parlait à toute vitesse, en apnée. Une chose était sûre : il était nanti d'une capacité pulmonaire exceptionnelle ! Il aurait dû choisir la profession de pêcheur de perles.

S'apercevant que je demeurai stoïque, il mit fin à son numéro et rétrécit son sourire.

— Bien, soupira-t-il. Passons aux formalités désagréables. Cette barrière blanche symbolise la frontière entre deux mondes, deux époques. Vous vous tenez dans le présent, mais de l'autre côté le temps s'est arrêté en 1965. Peggy en a décidé ainsi. Elle ne veut rien voir, rien connaître de l'évolution du monde moderne. En prenant sa retraite, elle a choisi de vivre une fois pour toutes dans l'Amérique de sa jeunesse.

— Pourquoi 1965 ?

— Je ne saurais le dire. Je ne suis pas là pour m'interroger sur le bien-fondé de ses décisions mais pour les faire respecter. En tout cas, 1965, ça implique pas d'ordinateur portable, pas d'appareils photo numériques, ni de iPod, et j'en passe... Si vous décidez de rester avec nous, les objets prohibés que vous avez apportés seront confisqués, mis sous scellés et vous seront restitués

84

lors de votre départ. Même chose en ce qui concerne vos vêtements, vous passerez au vestiaire où, Tracy et Angela, nos habilleuses vous relookeront style années 60. Ces conditions ne sont pas négociables. Vous êtes libre de les refuser, mais dans ce cas il vous faudra faire demi-tour.

Il avait durci le ton, comme s'il m'avait d'ores et déjà cataloguée dans la rubrique « réfractaires à surveiller ».

Je ne tentai pas de polémiquer, au vrai cela me semblait plutôt amusant. Mon acceptation parut le soulager, et il m'ouvrit la barrière d'un geste d'une ampleur exagérée, comme pour me faire comprendre que je m'engageai sur la fameuse route de brique jaune qui mène à Oz.

Je le suivis en silence. Les pelouses étaient d'un vert stupéfiant, irréel, comme si on les avait repeintes afin qu'elles évoquent les couleurs sursaturées des films de l'époque. Je m'aperçus très vite qu'il en allait de même pour chaque objet. Comme l'aurait dit Paddy : « Les couleurs claquaient. » James Peeterson me conduisit d'un pas rapide jusqu'au seuil d'un bungalow où je fus accueillie par Tracy et Angela, deux charmantes dames de soixante-quinze ans, qui entreprirent, sitôt la porte refermée, de m'arracher mes vêtements. Je compris alors que je me trouvais entre les mains des habilleuses du service accessoires. Autour de moi, des dizaines de costumes se balançaient sur des portants. Cela allait de la tenue de collégienne à la robe du soir. Le tout, bien évidemment, dans le style des sixties. On me remit des bas, un porte-jarretelles, une robe en tissu imprimé, des gants, un petit chapeau, un réticule... Bref, on était en train de me déguiser en Audrey Hepburn dans *Vacances romaines* ou *Petit déjeuner chez Tiffany*!

Angela et Tracy se montraient attentionnées, notamment en ce qui concernait la gaine, dont les jeunes femmes d'aujourd'hui avaient, hélas, perdu l'habitude.

Pendant qu'elles entreprenaient de me coiffer, elles se

lamentèrent sur l'invention des collants qui, à leur avis, avait sonné le déclin d'une civilisation.

— Mon chou, me chuchota Angela, quand vous serez à l'intérieur, perdez l'habitude d'évoquer ce qui se passe aujourd'hui hors du domaine. Ce serait une faute de goût qu'on ne vous pardonnerait pas. Depuis que vous avez franchi la barrière blanche, vous êtes sur les terres des *roaring sixties* éternelles. Rien d'autre ne doit exister. Quand vous rencontrerez Peggy, ne faites aucune allusion au progrès technique, aux modes, ou ce genre de choses, ça la fâcherait tellement qu'elle pourrait bien vous flanquer dehors séance tenante.

Elle égrenait tout cela d'une voix babillante et gaie. Infirmière, elle aurait usé du même ton pour annoncer à un malade qu'on allait gentiment l'amputer des deux jambes.

Tracy semblait plus circonspecte, elle m'observait d'un œil réprobateur, comme si elle prévoyait que je ne tiendrais pas le coup plus d'une semaine.

— Ici on peut fumer, insista Angela. Partout, et c'est même recommandé. Dans les années soixante, le tabac n'était pas diabolisé comme aujourd'hui. Tous ces régimes stupides n'existaient pas, on mangeait de la viande à tous les repas, on utilisait de la peinture au plomb, il y avait de l'amiante dans les grille-pain, et je vais vous dire une chose, mon chou : *on ne s'en portait pas plus mal!*

Les cheveux entortillés sur un million de bigoudis, je fus propulsée sous un séchoir qui me brûlait la peau du crâne. Pendant ce temps, Angela me manucurait les deux mains avant de peindre mes ongles en rouge sang.

Quand j'émergeai enfin de ce supplice ce fut pour entrapercevoir mon reflet dans un miroir. Je me fis peur. Le brushing me donnait l'impression d'héberger un opossum au sommet de la tête. Quant au maquillage, il était à peine plus accentué que celui de Liz Taylor dans *Cléopâtre*.

— Vous êtes magnifique, mon chou, s'écria Angela. Vous voilà redevenue une vraie femme.

Une vraie femme peut-être pas, songeai-je, mais reine d'Égypte sûrement !

Pour saluer le retour de ma féminité, on m'aspergea de parfum. Bon, tout cela était assez rigolo. J'étais devenue une sorte de clone d'Angie Dickinson, il y a pire. Les jarretelles, c'était une autre histoire, quant au bustier, n'en parlons pas. Quand je sortis du bungalow, James Peeterson poussa un cri d'admiration outré.

— Vous êtes tellement mieux comme ça ! s'extasia-t-il. À votre arrivée vous aviez l'air d'un garçon manqué. Je ne comprendrai jamais cette obsession des femmes pour les pantalons...

Je ne répondis pas, je craignais que le nuage parfumé dont j'étais enveloppée n'attire l'un de ces essaims de guêpes mexicaines réputées mortelles.

— À présent que vous êtes présentable, reprit James, je peux vous introduire dans le bâtiment. Je préfère vous prévenir, il ne s'agit pas à proprement parler d'une simple demeure. Seule une partie de la surface est dévolue à l'habitation et se divise en dortoirs, chambres et appartements. Le reste se compose de bureaux et de studios. En fait, Peggy a tenu à bâtir ses propres plateaux de tournage, avec tout ce que cela implique au niveau de la maintenance. Magasin d'accessoires, maquilleuses, habilleuses, locaux à matériel, laboratoire de développement, bureaux pour les scénaristes, les dialoguistes... Toute la chaîne de fabrication cinématographique est représentée de A à Z.

— Mais ça doit prendre une place folle ! balbutiai-je.

— Oui, mais l'abri souterrain a été réaménagé. Il était très grand, trois niveaux superposés que desservait un ascenseur. On y a installé les plateaux et les décors.

Nous nous suffisons à nous-mêmes. Les films peuvent être tournés sans aucune intervention extérieure.

J'étais perdue. *À quoi faisait-il allusion?* Je pensais avoir été engagée pour redécorer la villa d'une vieille actrice et voilà que je débarquais dans un Cinecitta miniature!

— Mais que filmez-vous? demandai-je.

Il me jeta un coup d'œil éberlué.

— Mais la suite de *First Lady*, bien sûr! lança-t-il, un poil scandalisé par mon ignorance.

— *La suite...* bredouillai-je. Mais la série s'est arrêtée en 1967, non? Ensuite elle a été continuellement rediffusée, mais aucune nouvelle saison n'a été mise en chantier.

— Aucune nouvelle saison *officielle*, oui, admit James, mais Peggy a décidé de poursuivre l'aventure pour son plaisir personnel. On continue donc, ici, à Esteranza, à suivre les aventures du président Flower-Hall et de sa charmante épouse. Nos scénaristes écrivent de nouveaux épisodes, nos metteurs en scène les tournent, et nous les diffusons sur le circuit intérieur du domaine, mais également dans les asiles de nuit pour nécessiteux, les maisons de retraite, les hôpitaux, et cela sans réclamer le moindre dollar. Il s'agit d'une œuvre de bienfaisance. Une façon d'apporter un peu de joie aux malheureux. Vous comprenez?

J'éprouvais quelque difficulté à me représenter comment une telle entreprise pouvait fonctionner. Quels acteurs Peggy avait-elle engagés? Elle ne jouait pas le rôle de la première dame? *Si?* À près de quatre-vingts ans! Bon sang, ce devait être effrayant!

Je réprimai un frisson.

— Je vais vous conduire à votre chambre, déclara James. Nous l'avons aménagée en studio; de manière que vous puissiez y travailler. S'il vous faut du matériel, crayons, papier à dessin, appelez le service des fournitures. Sachez que vous n'êtes nullement tenue d'habiter au domaine pendant la durée de vos travaux, mais je pense que Peggy préférera vous avoir sous la main à toute heure du jour et de la nuit. À son âge elle dort très peu, et il est possible qu'elle vous convoque à deux heures du matin pour discuter de tel ou tel point. Ce serait donc plus commode pour tout le monde si vous résidiez sur place. Comme toutes les vieilles dames, Peggy a peu de patience, elle s'énerve vite. Si elle vous trouve trop lente, vous ne ferez pas de vieux os ici. N'y voyez aucune menace, il s'agit seulement d'un conseil amical.

Une fois à l'intérieur je découvris combien le bâtiment était vaste. Si la façade était de style hispano-texan, l'intérieur, lui, offrait un aspect purement fonctionnel dépourvu de la moindre décoration. On se serait cru dans un immeuble de bureaux. Des tableaux de service jalonnaient les couloirs, alternant avec les fontaines et les distributeurs de café. À travers les portes closes s'élevaient les cliquetis des machines à écrire et les échos de conversations animées. L'atmosphère était celle d'une ruche au travail.

D'un pas vif, Peeterson me guida vers l'ascenseur.

— Cette aile du bâtiment est dévolue à l'habitation, expliqua-t-il doctement. Les techniciens sont installés dans des dortoirs, seuls les metteurs en scène et les comédiens ont droit à des chambres ou des appartements, cela selon leur degré de notoriété.

Perplexe, je me demandai de quelle notoriété pouvaient se prévaloir les acteurs jouant d'une série diffusée dans les asiles de nuit et les salles d'attente des compagnies de bus à prix cassés ?

— Vous êtes une créative, continua Peeterson, vous bénéficierez donc d'un studio que vous n'aurez pas à partager. Peggy tient à ce que vous soyez au calme. Nous avons fait pour le mieux. Je pense que la pièce est bien orientée et que la lumière est adéquate. J'ai prévenu le département des fournitures de votre arrivée. Si votre fauteuil, votre table à dessin ne conviennent pas, n'hésitez pas à les remplacer.

La cabine nous lâcha au troisième étage, dans un couloir moquetté de beige. Des portes numérotées, toutes semblables, se succédaient, comme dans un hôtel. L'inévitable panneau de service affichait un emploi du temps compliqué où s'entremêlaient des notations gribouillées à la hâte.

— Vous êtes au 32, précisa James. Prenez le temps de vous installer. Promenez-vous ici et là afin de vous familiariser avec les lieux. Il y a des plans à chaque embranchement.

Je franchis le seuil du logement. C'était un studio d'artiste comme on les concevait au lendemain de la Seconde Guerre mondiale. Baie vitrée, table à dessin et profusion de pots à crayons, ciseaux et tubes de colle. Aucun équipement informatique, bien sûr, pas le moindre espoir de concevoir des modélisations en 3D.

Des dizaines de livres d'échantillons s'alignaient au long des étagères : tissus, moquettes, papiers peints, textures diverses et variées... C'était très fonctionnel, et cela aurait fait le bonheur d'un décorateur... *des années 50* !

Je cachai ma déception. Le sourire éclatant de mon guide prouvait qu'il aurait été malséant de me plaindre, après tout on aurait pu me rétrograder au dortoir, avec les maquilleuses et les couturières de la section « costumes ».

La seconde moitié du studio abritait un lit et un cabinet de toilette. Un énorme téléviseur y trônait, du genre armoire cathodique ; il voisinait avec un pick-up et une pile de 33 tours : Frank Sinatra, Dean Martin, Sammy Davis jr...

— Là, sur la table de chevet, précisa James, votre badge de cantine et un plan des installations, ne sortez pas sans eux. Les services sont signalés par une sirène.

À midi et à une heure. Après il n'y a plus rien jusqu'à dix-sept heures. La nourriture est simple mais saine. *Home cooking!* Je vous laisse, prenez la température des installations. Apprivoisez l'espace.

— Eh! lançai-je. Combien de gens logent ici?

— Une cinquantaine en moyenne, parfois plus, parfois moins. C'est selon.

Il sortit en tirant le battant derrière lui. Je demeurai une minute immobile au milieu de la pièce, m'y sentant bizarrement étrangère, puis je me secouai et entrepris d'inventorier les tiroirs de la commode. On y avait entassé des culottes, combinaisons, bas, sweaters, corsages et autres ustensiles féminins de première nécessité. Les vêtements étaient tous à ma taille. Dans la salle de bains, les emballages et étiquettes du dentifrice, de l'eau de toilette et du savon affichaient des marques depuis longtemps disparues et que mon père avait dû utiliser dans son enfance. On avait systématiquement préféré la corne, le bois, le coton au plastique et au nylon.

Je n'allais pas tarder à découvrir que cette obsession de « l'ancien » était la règle d'or de l'établissement. On y aurait vainement cherché un produit postérieur à 1965. Même chose en ce qui concernait les magazines et les romans. Ces derniers étant présentés dans leur édition originale. C'est ainsi que je pus lire une aventure de James Bond publiée en 1958!

Assez curieusement, des distributeurs de cigarettes gratuits étaient installés à tous les étages. Ils délivraient des Lucky Strike, des Camel et des Senior service. Les ascenseurs, comme les toilettes, empestaient le vieux cendrier. C'était quelque chose de nouveau pour moi, habituée que j'étais à vivre dans une Amérique où les fumeurs étaient considérés comme des criminels potentiels et des sociopathes avérés.

Mal à l'aise dans mon déguisement, je m'assis sur le lit. J'aurais donné n'importe quoi pour ôter mes bas et mon porte-jarretelles, mais je craignais, en agissant ainsi de passer pour une dangereuse terroriste et d'être expulsée sur-le-champ. Je me demandai ce que je fichais là. Qu'étais-je censée redécorer? Les appartements privés de Peggy McFloyd sans doute?

La curiosité me dévorait le ventre. De la chambre d'à côté me parvenait l'écho d'un calypso. Je crus reconnaître *Take yuh meat out meh rice* de Lord Kitchener. Je fus une seconde tentée d'aller frapper à la porte pour me présenter; une soudaine timidité m'en empêcha.

Incapable de rester plus longtemps inactive, je ramassai clef, badges, plan du domaine, et quittai le studio, bien décidée à explorer ce territoire né des fantasmes d'une vieille actrice un peu gaga.

Je gagnai le rez-de-chaussée et m'immobilisai au milieu de ce qui tenait lieu de hall d'accueil. Il y régnait toujours la même rumeur confuse d'activité mais les portes des bureaux restaient hermétiquement closes, comme si le règlement intérieur interdisait qu'on se promenât dans les couloirs. Et pourtant, derrière ces portes on riait, on se disputait, on tapait à la machine.

Je décidai de m'approcher de l'un des battants et d'y coller mon oreille. Tant pis si je me faisais pincer.

Une voix d'homme dictait un dialogue à une quelconque assistante. « ... *le président veut connaître le protocole en vigueur lorsqu'on reçoit une délégation d'extraterrestres.* Point d'exclamation... Réponse du premier secrétaire : *Rien n'a été prévu, mais peut-être pourrait-on appliquer celui qu'on a utilisé l'année dernière pour la délégation canadienne.* Point d'interrogation... »

Je parcourus une dizaine de mètres et me plaquai contre une autre porte. Cette fois il s'agissait d'une âpre discussion entre un directeur d'écriture supervisant un scénario et ses auteurs. Chacun défendait son point de vue et le ton montait. Tout cela ponctué de grands claquements de briquets dont on rabattait les capuchons avec rage.

Je m'éloignai, en proie à une sensation de gêne. Quelque chose ne collait pas... Tout à coup, j'eus une illumination. Ces conversations, j'en avais entendu des bribes lorsque James Peeterson m'avait poussée vers l'ascenseur. Je veux dire : *les mêmes mots !* Les mêmes lambeaux de phrases, comme si...

Prise d'un doute, je frappai deux fois sur l'un des battants et tournai la poignée, une excuse aux lèvres. Si l'on me demandait ce que je fichais là, je prétendrais m'être égarée.

Mais personne ne me demanda quoi que ce soit, pour la bonne raison que le bureau était vide. Il était bien meublé, certes, mais personne n'y travaillait, et les conversations sortaient d'un haut-parleur fixé au plafond.

Je parcourus rapidement le couloir, visitant les autres bureaux. Ils offraient tous le même aspect. Des tables en acier gris, des machines à écrire Remington, des paquets de feuilles vierges, des pots à crayons auxquels personne ne touchait jamais.

— Je sais ce que vous pensez, fit la voix de Peeterson dans mon dos, mais vous vous trompez, il ne s'agit pas d'une supercherie.

— Comment appelez-vous ça, alors ? lâchai-je en lui faisant face.

— Disons que c'est une sorte de musée sonore. Vous entendez les enregistrements de travail des gens qui ont écrit les cent cinquante épisodes de *First Lady*. Et dont certains sont décédés aujourd'hui. L'homme qui dicte les dialogues, c'est Peter Schlosser, l'un des plus talentueux scénaristes de sa génération. On peut dire qu'il a grandement contribué au succès de la série par son sens de la repartie. Cette femme, en arrière-plan...

— Ça va, j'ai compris, coupai-je, agacée. D'où sortent ces bandes ?

— D'un dépôt d'archives. Peggy les a rachetées alors qu'on allait les détruire. Il a fallu les restaurer.

À l'époque toutes les séances de travail étaient enregistrées afin d'éviter d'éventuelles contestations sur la paternité des idées lancées par les scénaristes. De cette manière on savait très exactement qui avait inventé quoi.

— C'est tout de même une drôle d'idée, fis-je observer. Ces fantômes qui discutent derrière des portes closes.

— Considérez cela comme un hommage. Tant qu'ils parlent, on ne les oublie pas.

Une sirène émit une brève plainte, faisant diversion.

— Premier service, fit James. Venez, je vais vous faire découvrir la cantine. Ce sera l'occasion de rencontrer les membres de l'équipe.

Je l'accompagnai, furieuse de m'être fait pincer et troublée par les curieuses pratiques de l'endroit.

Le réfectoire était une vaste salle peinte en orange, où s'alignaient des tables bleues. Un haut-parleur diffusait en sourdine un bulletin d'information.

« Aujourd'hui, 25 février 1961, fit la voix du présentateur, Henry Kissinger a été nommé conseiller à la sécurité auprès du président Kennedy... »

Je décidai de rester de marbre. Je venais de comprendre que Peggy ne s'était pas contentée de racheter des enregistrements de travail, elle avait aussi fait main basse sur les archives sonores des radios locales, collectant tout ce qu'on avait diffusé jusqu'en 1965. J'imaginai qu'elle avait fait de même pour les matchs de base-ball, de boxe, de foot, qui devaient passer en boucle sur le circuit fermé du domaine. Sa phobie du modernisme avait transformé la propriété en une espèce de capsule temporelle affranchie des lois ordinaires.

Je reportai mon attention sur les personnes présentes. Il y avait là une dizaine d'hommes et autant de femmes, tous entre soixante-cinq et quatre-vingts ans. Certains en assez bonne forme, les autres dans un état de délabrement avancé. Ils mangeaient lentement, les yeux baissés sur leur assiette. La plupart avalaient des nourritures semi-liquides ou ne nécessitant nulle mastication forcenée.

L'ambiance était celle d'une maison de retraite.

James me mit un plateau entre les mains. J'avançai. Le serveur, sans me demander mon avis, y déposa une louche de haricots à la tomate et une paire de saucisses. Ça n'avait pas d'importance, l'appétit m'avait quittée.

Je m'installai en compagnie de Peeterson à une petite table et chipotai dans mon assiette.

« Aujourd'hui, 9 octobre 1961, annonça le speaker, le parti communiste a été décrété illégal sur tout le territoire des États-Unis, ses membres seront désormais considérés comme des traîtres portant atteinte à la sûreté de l'Union... »

Je me penchai vers James et murmurai :

— Ces gens sont âgés, vous n'allez pas prétendre qu'ils travaillent sur les plateaux? J'en vois un qui ne tiendrait pas debout sans ses béquilles.

Peeterson eut un claquement de langue agacé.

— Vous seriez surprise de l'énergie déployée par ces vieux artistes, siffla-t-il. Et puis certains ne sont là qu'à titre de conseillers, ils font bénéficier de leur expérience des exécutants plus jeunes.

— Jeunes comment?

— Cinquante, cinquante-cinq... on n'est pas invalide à cet âge-là, ne soyez pas aussi méprisante. Comme tous ceux de votre génération vous estimez qu'à partir de quarante ans on est bon pour la casse, mais ce n'est pas vrai. Tous ces « ancêtres » ont cent fois plus d'expérience et de malice que bien des jeunes diplômés frais émoulus de Harvard. Songez que certains d'entre eux ont été milliardaires!

— Je ne le conteste pas, ripostai-je. Je m'inquiétai de leur santé.

— La plupart d'entre eux croupissaient dans la misère, dans des hospices ou chez leurs enfants qui les maltraitaient, poursuivit James. N'étant affiliés ni à la *Blue Cross* ni au *Blue Shied*, ils allaient mal. Depuis qu'ils sont ici, leur état de santé s'est considérablement amélioré. Le domaine possède son propre centre médical, son médecin, ses infirmières, et tout cela est entièrement gratis. Voulez-vous un exemple ? L'homme aux béquilles, c'est Justin O'Meara, le grand décorateur qui a signé les décors de dizaines de péplums et de films historiques. Avant que Peggy ne le récupère, il vivait chez sa fille, dans un galetas au-dessus du garage. Sous un toit goudronné dont les effluves l'asphyxiaient peu à peu. Quand nous sommes allés le chercher, il était mourant... regardez-le aujourd'hui ! Vous savez que nous avons dû littéralement « l'acheter » à sa fille qui ne voulait pas le laisser partir de peur de ne plus toucher l'aide sociale ? C'est beau, la famille ! Quand on songe que cet homme a signé des décors dans lesquels ont joué Richard Burton, Jack Palance, Sophia Loren, John Wayne...

— Et en quoi vous est-il utile aujourd'hui ?

— Il supervise, il a le poste de directeur artistique. On le consulte. Il valide les projets. Il mourra en faisant ce qu'il a toujours aimé faire, dans l'honneur, pas comme un clochard oublié de tous. Ici, nous le respectons, nous savons ce qu'il vaut. Pardonnez-moi, Mademoiselle, mais votre génération vit dans l'éphémère... dans l'illusion, vous finissez par vous persuader que vous ne vieillirez jamais. Que le présent est immobile et perpétuel. C'est une erreur. Vous y passerez comme les autres. Cela vous tombera dessus un beau matin sous la forme d'un cheveu blanc, d'une ride, et vous glisserez de plus en plus vite sur le grand toboggan. À l'heure où nous parlons, vous avez déjà commencé à mourir. Songez-y !

Je repoussai mes haricots froids. Peeterson avait certes raison, mais je n'aimais pas la lueur de haine qui scintillait dans ses yeux. Je compris qu'il estimait ma présence déplacée et qu'il ne ferait rien pour me faciliter les choses.

— D'accord, capitulai-je, je me suis mal exprimée, pardonnez-moi.

— Nous ne sommes pas une secte! martela-t-il sans décolérer. Nous essayons simplement de venir en aide aux vieux artistes en leur permettant de se sentir encore utiles. Chez nous, pas d'aumône pleurnicharde, pas de pitié dégoulinante. Nos pensionnaires travaillent dans la mesure de leurs possibilités, ils gagnent leur pain en collaborant à une œuvre, cela leur permet d'échapper au sentiment de déchéance qui est le lot de la vieillesse.

— Ça va, j'ai capté, fis-je pour abréger l'échange car la moutarde me montait au nez.

Il dut sentir qu'il était temps de rompre les chiens, car il se leva et fit une annonce publique pour me présenter, moi, Michelle Annabella Katz, que cette chère Peggy venait d'engager pour s'occuper des décors des nouveaux épisodes de *First Lady*.

Je sursautai. Voilà qui était nouveau! Ce cochon de Devereaux ne m'avait pas parlé de ça! Jusqu'alors j'avais cru qu'il s'agirait de retaper la résidence de Peggy McFloyd, pas de travailler pour une télévision privée. J'avais été promue, à mon insu, décoratrice d'une série fantôme; je n'étais pas sûre de devoir m'en réjouir.

5

Pour échapper à l'atmosphère étouffante du domaine, je prétendis qu'une affaire privée me réclamait de toute urgence *downtown*. Peeterson me répéta, avec toutefois une pointe d'acidité, que je n'étais nullement prisonnière et que je pouvais aller et venir à ma guise. Le principal étant que je ne tente point de transgresser les règles en introduisant en fraude du matériel prohibé. Je courus aussitôt récupérer mes vêtements « civils » auprès d'Angela et de Tracy. C'est avec un immense soulagement que je me glissai au volant de la Chevy Impala pour fuir l'univers mortifère d'Esteranza.

Une fois sur la route je réalisai que j'avais cédé à une bouffée de panique injustifiée et j'essayai de comprendre ce qui m'avait effrayée à ce point. Je fus incapable de mettre le doigt dessus. C'était... l'atmosphère générale, sans doute? Ce mouroir propret hanté par des petits vieux qui, jadis, avaient été des géants de l'industrie télévisuelle, pour ne pas dire : des tyrans. Ils avaient fait trembler scénaristes, metteurs en scène et acteurs célèbres... Aujourd'hui ils clopinaient sur des béquilles et mâchouillaient, en bavant, des haricots à la tomate dans la cantine d'un hospice tout entier dédié au « bon vieux temps ».

C'était déprimant. Je songeai que le portique

surplombant l'accès à la propriété aurait dû porter ces mots célèbres : *Plus dure sera la chute.*

Comme pour accentuer mon malaise, alors que je m'engageai sur Sunset, je fis une curieuse rencontre.

Bloquée dans l'un de ces embouteillages qui font le charme de Los Angeles, je regardais nerveusement par la vitre latérale quand j'aperçus, à la terrasse d'un restaurant de luxe, un personnage qui n'aurait normalement pas dû se trouver là.

Rhonda Bozman. La vitrioleuse qui avait trouvé Jésus.

Ce fut moins sa présence en ces lieux que son allure générale qui me frappa. Elle riait. Par ailleurs, bien qu'elle fût toujours aussi grosse, elle était vêtue avec recherche, de vêtements coûteux, et portait des bijoux qui ne l'étaient pas moins. Elle avait l'air d'une femme obèse, certes, mais d'une femme obèse *riche.*

Elle déjeunait avec quelqu'un que je ne pouvais voir de là où je me tenais. Elle semblait détendue, gaie, et parfaitement à l'aise, avec cette assurance propre aux gens à qui l'argent ne fait pas défaut. Où était donc passée la mémère usée, aux pieds douloureux, que j'avais rencontrée à la braderie de moquettes ?

Intriguée, et soupçonnant d'avoir été menée en bateau, je manœuvrai pour me garer ; ce qui relevait de l'exploit.

Quand je parvins enfin à me rapprocher du restaurant, Rhonda Bozman en sortait. Elle ne me vit pas et se mit à trottiner au long du trottoir, à la recherche d'un taxi. Elle tenait à la main un grand sac en papier contenant les vêtements de pauvresse qu'elle comptait enfiler avant de rejoindre sa baraque squattée par les cafards. La signification de ces manigances m'échappait. Un *yellow cab* s'arrêta à sa hauteur et elle s'y engouffra avec peine.

Sa transformation m'intriguait au plus haut point. Je commençais à penser que son numéro de pécheresse repentie n'était qu'une comédie destinée à rassurer les curieux. De même que son job de vendeuse de tapis-brosses aux couleurs fluorescentes, qui lui servait de couverture.

Je décidai d'aller rendre visite à Paddy. Il faisait la sieste aux entrepôts de l'Agence 13, là où Devereaux entassait les objets de valeur récupérés sur les scènes de crime. Il s'agissait la plupart du temps de sculptures ou de meubles aspergés par le sang des victimes, et dont les héritiers s'empressaient de se défaire pour une bouchée de pain. Le hangar avait la réputation d'être hanté, et le vieil Irlandais prenait soin d'entretenir cette légende afin d'éloigner les cambrioleurs. Il fallait l'entendre raconter, devant une pinte de Guinness, comment telle commode avait le mauvais œil et poussait ses propriétaires successifs à assassiner leur famille.

Je le trouvai somnolant sur un canapé souillé de projections brunâtres provenant de quelque hémorragie ancienne. D'abord il m'accueillit fraîchement car il aurait préféré poursuivre sa sieste, mais ce que je lui racontai le réveilla tout à fait.

— Tu as vu la Bozman sapée en duchesse? répétait-il, incrédule. Bon sang! Je croyais qu'elle becquetait à la soupe populaire. C'est pas blanc bleu, ce truc-là.

Il se leva et entreprit de préparer du café pour chasser les brumes de la Guinness qui lui empâtaient le cerveau.

— Y a un truc, grommelait-il toutes les deux minutes.

— Tu penses à quoi? m'enquis-je.

— À un chantage, se décida-t-il à marmonner en posant devant moi une tasse fumante.

— Mais encore? m'impatientai-je.

— Un chantage à la peur, expliqua-t-il. Pourquoi, à sa sortie de prison, n'aurait-elle pas menacé Peggy McFloyd de la vitrioler de nouveau dès que l'occasion s'en présenterait?

— Tu penses qu'elle rackette Peggy?

— Pourquoi pas? La peur, ça peut vous fournir une sacrée rente. Si ça se trouve, Peggy la paye depuis des années pour avoir la paix. Leur histoire de pardon, de repentir, c'est de la frime.

Je concevais sans difficulté qu'une femme traumatisée pût se soumettre à un tel chantage pour s'épargner un calvaire à base d'opérations, de greffes et de souffrance.

— Je crois que tu as raison, soupirai-je, la Bozman m'a roulée.

Le visage de Paddy se crispa.

— Fais gaffe, grogna-t-il. Si c'est bien ça, la garce est dangereuse.

— Elle déjeunait avec quelqu'un que je n'ai pas pu voir.

— Peut-être son complice. Celui avec qui elle a mis sa machination au point. Il n'est pas impossible que l'attentat « féministe » n'ait été qu'un écran de fumée. Depuis le début, ces deux-là ne visaient qu'à extorquer du fric à leur victime. Les flics et la presse n'ont vu que la partie émergée de l'iceberg. Il règne pas mal de zones d'ombre sur *First Lady*. La disparition brutale de Lawrence Brickstone, le roi de la grimace, qui jouait le président Flower-Hall, en est une... Personne n'a jamais su ce qu'il était devenu. Son imprésario, Dynamite Langford, a toujours prétendu n'avoir aucune idée sur la question. Pourquoi Bozman n'aurait-elle pas essayé de faire raquer Brickstone? C'était un très beau mec. Il a pu paniquer et prendre la fuite...

Je haussai les épaules, ça n'avait rien d'invraisemblable. Le chantage durait peut-être depuis longtemps, le style : « Payez ou, un jour, on vous vitriolera ! » Mais Peggy McFloyd avait refusé de raquer, ou bien elle n'avait pu honorer ses échéances... ou encore elle avait cru à un bluff... Comment savoir?

Avant de prendre congé je brossai pour Paddy un tableau fidèle de ce que j'avais découvert au domaine. Il ne parut pas surpris.

— Ça correspond à ce que m'ont raconté les vieux avec qui je vide parfois une pinte à La sorcière de Dublin.

Mais bon, ne perds pas de vue que nous sommes en Californie, la terre des dingos, le paradis des sectes, où il suffit d'acheter une patente de deux cents dollars pour avoir le droit de fonder une religion ! Le domaine d'Esteranza, c'est peut-être le dernier cadeau que s'offre une vieille femme qui va bientôt mourir.

Je le quittai sur cette note mélancolique. Une fois chez moi, j'essayai d'imaginer la manière dont Rhonda Bozman et son complice avaient conçu leur bizness. Le concept d'un racket à la beauté n'avait rien d'invraisemblable. Ça pouvait marcher ! Il suffisait de contacter de jeunes et belles actrices en leur expliquant qu'elles seraient défigurées si elles refusaient de verser une cotisation mensuelle baptisée « taxe de protection ». On leur expliquait qu'elles auraient beau s'entourer de gardes du corps, l'attaque se produirait au moment où elles s'y attendraient le moins.

Bien sûr, pour rendre la menace crédible, il importait de faire un exemple, de temps à autre. Il fallait se résoudre à vitrioler quelqu'un pour prouver qu'on ne bluffait pas, que le danger était réel. Peggy McFloyd avait fait les frais de l'une de ces démonstrations de force. Quoi qu'il en soit, elle n'avait jamais dénoncé ce racket, par peur d'une récidive. Des dizaines d'autres actrices avaient payé, elles, pour ne pas subir le même sort.

Toutefois, dans le cas de Peggy, quelque chose avait foiré. Rhonda Bozman s'était fait coincer, ce n'était pas prévu. Selon Julia Hoodcock, la directrice du fan-club, la faute en incombait à l'acide dont Bozman s'était accidentellement aspergée. Possible. L'une des fans agglutinées autour de Peggy avait pu la bousculer au moment fatidique.

Je décidai qu'il était temps d'aller dormir et j'avalai un somnifère, car ces suppositions m'avaient échauffé la tête.

Je passai la nuit à rêver d'attentats, de visages en lambeaux, et me réveillai nauséeuse.

J'avalai un pot de café sucré en rassemblant le matériel

« classique » dont je risquais d'avoir besoin au domaine car j'avais mes habitudes en matière de crayons, de plumes et de papier à dessin.

Mon foutoir entassé dans un carton sur la banquette arrière, je repris le chemin d'Esteranza. Cette fois-ci, les retraités des commandos Delta qui montaient la garde à la grille d'entrée firent moins de difficultés pour me laisser passer.

Peeterson m'attendait devant la barrière blanche. Il paraissait étonné de mon retour. En me voyant prendre la fuite, il s'était probablement estimé débarrassé de ma présence. Il m'escorta au seuil du « vestiaire » pour s'assurer que je passais mon uniforme estampillé sixties avant de poser le pied dans le saint des saints. Lui-même portait une sémillante tenue de golf qui semblait avoir été exhumée des accessoires de *Noblesse oblige*.

Pour la première fois je notai qu'il s'appliquait à employer des mots français qu'il prononçait avec un accent épouvantable : *rendez-vous, faute de goût, s'il vous plaît...*

— Quand vais-je rencontrer Peggy ? demandai-je abruptement.

— Peut-être demain, peut-être jamais, ricana-t-il. Cela dépendra de son caprice, et de la qualité de vos travaux. Vous êtes là pour remplacer Wilfrid Muldow qui nous a quittés.

— Il a repris sa liberté ?

— On peut voir les choses de cette manière. En fait il est mort il y a deux semaines. Crise cardiaque. Une perte irremplaçable, il avait dessiné les décors des trente derniers épisodes. C'était un génie, mais au cours de son existence il avait abusé des poppers. Le nitrite d'amyle, ça use le cœur. Vous allez devoir prendre la suite, ce ne sera pas facile. On vous attend au tournant.

Je vis bien qu'il cherchait à me provoquer mais je m'appliquai à rester zen. Mon apparente indifférence l'agaça. J'en fus ravie.

Une fois dans la maison nous empruntâmes l'ascenseur

pour descendre dans les entrailles secrètes de l'ancien abri antiaérien aménagé en studio. Là encore, on avait l'impression d'avoir fait un saut temporel dans le passé. Les affiches, les exemplaires de *Variety* qui traînaient sur les tables basses, tout faisait référence à une époque où Marilyn Monroe était encore considérée comme la débutante de *Home town Girl* où elle panouillait dans le rôle d'une petite secrétaire.

En tant que décoratrice professionnelle j'étais fascinée par le soin apporté à cette reconstitution. On aurait vainement cherché une fausse note. Même les bouteilles de Coca-Cola présentaient la forme adéquate, celle qu'on prétend « féminine ». Le fond sonore était assuré par la voix de Sinatra. Ses roucoulades me portaient à la somnolence et j'aurais nettement préféré entendre Joan Jett dans *I hate me for loving you* !

J'eus un choc en pénétrant sur les plateaux car c'étaient bien ceux qui servaient de décor à *First Lady*. Toutefois, j'éprouvai une bouffée d'incrédulité en réalisant que les caméras utilisées étaient celles en usage pendant les sixties, ces mêmes gros monstres de métal qui, perchés sur leur trépied, évoquaient des robots de science-fiction. Par quel miracle fonctionnaient-elles encore ?

Bosselées, écaillées, elles avouaient leur usure. Le décor, lui aussi, respirait l'agonie. Tous les trompe-l'œil s'écaillaient, les stucs s'émiettaient. Plus rien ne faisait illusion, un demi-siècle s'était écoulé, digérant les textures et les couleurs. Des rafistolages grossiers permettaient aux meubles de tenir debout à condition que personne ne s'avisât de les effleurer. Au milieu du plateau trônait le légendaire *Resolute Desk*, ce bureau fabriqué à partir des membrures d'une frégate anglaise – la *HMS Resolute* – dont l'épave avait été retrouvée par les Américains dans les glaces du pôle. Ici, toutefois, il était en contreplaqué ! C'était derrière lui que Lawrence Brickstone avait passé des heures à grimacer lors du tournage de la première saison.

— C'est triste, n'est-ce pas? fit une voix enrouée dans mon dos.

Je me retournai. Un vieil homme rondouillard au nez gonflé de veinules violettes se tenait là, sanglé dans une salopette qui avait bien du mal à contenir sa bedaine.

— Conrad Schnausser, se présenta-t-il. J'étais troisième assistant lors de la première saison de la série. J'avais dix-huit ans, comme Peggy. Nous étions les deux seuls gamins au milieu d'un troupeau de vieux messieurs... du moins c'est ainsi qu'ils nous apparaissaient! On en rigolait.

Peeterson en profita pour s'éclipser d'un air pincé, comme si son emploi du temps ne lui permettait pas de s'alanguir en apartés nostalgiques non productifs.

Conrad désigna le plateau d'un geste enveloppant, comme pour m'amener à prendre conscience de l'étendue du désastre.

— Ça tombe en ruine, soupira-t-il. Jusqu'à présent Peggy tenait à ce qu'on utilise les décors d'origine qu'elle a rachetés aux studios, mais ce n'est plus possible. L'usure devient visible à l'image. Je comptais sur Wilfrid, le précédent décorateur, pour remédier à cela, mais il était trop... *malade*.

Je notai son étrange réticence sur le dernier mot, comme s'il l'avait substitué *in extremis* à celui qu'il s'apprêtait à prononcer.

— Vous savez que Peggy a réussi à retrouver certains des acteurs de la première saison? lança-t-il avec une jovialité exagérée. Ils nous ont rejoints ici. Bud Milton, qui jouait le grade du corps bègue, vous vous rappelez? Et Stephen George, le cuisinier de la Maison Blanche, qui détestait le poulet frit du Kentucky alors que c'était le plat préféré du président... et aussi Minie Shermann, la première femme de chambre qui avait peur des taies d'oreillers parce qu'elles lui rappelaient les cagoules du Ku-Klux-Klan... C'étaient tous des poulains de Dynamite Langford, l'imprésario de Brickstone.

Il égrenait les noms comme si j'allais bondir de joie à chaque énoncé. Il ne lui venait pas à l'idée qu'il se trouvait en face d'une non-spécialiste, quelqu'un qui n'avait pas grandi dans l'idolâtrie de la série. Je mesurai tout à coup à quel point ils étaient ici « entre eux », tels les comploteurs d'une armée secrète.

— Bien sûr, dit-il un ton en dessous, certains ont disparu, comme Brickstone qui incarnait le président Flower-Hall, et Elvington, le comédien qui reprit le rôle, mais nous sommes encore assez nombreux pour entretenir la flamme du souvenir.

Me saisissant le coude, il m'entraîna vers une cafétéria où se languissait une serveuse aux traits fatigués, qui remplit nos tasses en s'arrachant un sourire de commande.

Depuis un moment une question me brûlait la langue, je n'osai la poser, et pourtant un doute affreux venait de me saisir.

Je me décidai à demander :

— Comment vous débrouillez-vous pour tourner de nouveaux épisodes avec des acteurs d'aujourd'hui puisque l'accès du domaine est interdit aux moins de soixante ans ?

Conrad me dévisagea avec stupeur.

— Mais... bredouilla-t-il, nous utilisons – si c'est possible, bien sûr – les comédiens d'origine, ou leurs doublures de l'époque. Aucun jeune acteur n'est admis à Esteranza.

J'eus le sentiment que la foudre me traversait.

— Attendez, soufflai-je, mais les gens dont vous parlez ont soixante-dix ans, voire davantage...

— Oui, c'est à peu près ça, admit Conrad. Pour les plus anciens, du moins, car ceux engagés pour l'ultime saison, sont un peu plus jeunes, soixante, soixante-trois ans...

J'étais atterrée. Ainsi le tournage de *First Lady* se poursuivait contre vents et marées avec des vieillards !

— Oh! je vois, murmura Conrad, Peeterson ne vous a pas mise au courant. Je pensais que vous saviez. Peggy s'est toujours opposée à ce qu'on engage des acteurs correspondant à l'âge des personnages. Elle veut que rien ne sorte de la « famille », que le truc continue à se passer entre initiés.

En l'écoutant, j'essayais d'imaginer ce que pouvait donner ce feuilleton qui, sur le script, mettait en présence un président de trente-cinq ans et une première dame venant à peine de fêter ses vingt-deux printemps. Je visualisais ces mêmes rôles tenus par des septuagénaires. On devait se croire revenu à l'ère de Ronald et Nancy Reagan! Mais des clones de Ronald et Nancy pouvaient-ils faire rire le public?

— Je vois que vous êtes désarçonnée, fit Conrad. Je sais qu'à première vue ça surprend. Moi-même, quand je suis arrivé ici...

Il n'acheva pas sa phrase, comme s'il craignait de proférer un blasphème. Il parlait de plus en plus bas.

— C'est la volonté de Peggy, chuchota-t-il, il faut l'accepter comme telle. Une forme de superstition. Elle s'est mis en tête que...

— Que quoi?

Il regarda par-dessus son épaule en direction de la serveuse.

— Elle croit que tant qu'on ajoutera de nouveaux épisodes à la série elle ne mourra pas, dit-il en fuyant mon regard.

Je frissonnai. C'était l'histoire de la veuve Winchester qui recommençait! Cette femme – persuadée que les fantômes de tous les malheureux abattus par les carabines fabriquées par son époux hantaient sa demeure – n'avait cessé d'agrandir sa maison en dépit du bon sens dans l'espoir de semer ses poursuivants, créant une monstruosité architecturale sans queue ni tête.

— Elle pense qu'elle mourra si la série s'interrompt? répétai-je.

— Chut! m'intima Conrad. On ne doit pas en parler. Il y a ici des gens qui partagent cette croyance. Du moins, Peggy a fini par les en persuader. C'est pathétique, je le reconnais, mais à nos âges on s'accroche au premier espoir venu.

Je n'avais pas grand-chose à objecter.

— Désolé, fit-il, je ne voulais pas vous perturber, mais je crois nécessaire de vous avertir. Au domaine on ne rigole pas avec ça. Peggy est entourée de vrais fidèles... presque des fanatiques. Elle les a sauvés de la misère, faut comprendre... Moi-même, avant qu'elle vienne me chercher, je n'étais pas bien flambard. Je nettoyais les pare-brise dans les parkings souterrains et je dormais dans une remise à produits d'entretien. Tout ça après avoir mis en scène des séries qui sont entrées dans l'histoire de la télévision. Je considère que Peggy m'a sauvé la vie, et je lui en suis reconnaissant, mais bon... il y a des limites. Je n'ai jamais donné dans le mysticisme. Je sais bien qu'on est en Californie, la patrie du New Age, des cristaux, des gourous et tout ce qui s'ensuit, mais je reste pragmatique. Leur délire de vie éternelle, je fais semblant de m'y associer pour leur faire plaisir. Je ne les contrarie pas. Pourquoi le ferais-je si, après tout, ça les aide à finir leur existence dans la sérénité?

Il se racla la gorge. Il avait cette voix goudronnée des gros fumeurs.

— Je voulais vous dire, ajouta-t-il, que si vous les entendez radoter à ce sujet, jouez le jeu. Ne poussez pas des cris d'incrédulité, ne criez pas au blasphème. Ça pourrait vous valoir des ennuis.

— Quel genre d'ennuis?

Il haussa les épaules et ébaucha un geste de la main.

— Je n'en sais rien, mais il y a ici des vieux types assez vindicatifs. D'anciens militaires. Ils obéissent à Peeterson comme des chiens bien dressés. Ils n'aiment pas beaucoup les jeunes dans votre style.

— Et quel est mon style?

— Je ne sais pas, une espèce de hippie qui se promène en jean, en t-shirt et sans soutien-gorge, je suppose?

Je faillis pouffer de rire. C'était bien la première fois qu'on me traitait de hippie.

— Ça ne me va pas bien au teint, comme définition, fis-je sourdement, parce que, je vais vous dire, je ne suis pas particulièrement non-violente. Tendre l'autre joue, c'est pas mon truc.

Il cilla, accusant le coup. Pendant une seconde il considéra mon nez cassé avec méfiance.

Jugeant plus prudent de passer à autre chose, il lança :

— Venez avec moi au salon de maquillage, je vais vous montrer comment on procède pour les comédiens.

Nous quittâmes la cafétéria pour entrer dans une espèce de laboratoire empestant le latex, le plâtre et la résine. Des têtes humaines s'alignaient sur une étagère. Je reconnus immédiatement les visages du président Flower-Hall, de la première dame... Je devrais plutôt dire ceux de Brickstone et de Peggy McFloyd. Ces masques souples étaient d'une incroyable fidélité. Il y en avait d'autres. En fait, tous les personnages de la série étaient représentés. Un petit homme bossu, aux énormes lunettes, s'activait derrière un établi. Il était vêtu d'une blouse de laborantin maculée de taches rosâtres ou brunes. Il avait l'air d'un gnome sorti du *Seigneur des Anneaux*. À croire qu'il avait été créé de toutes pièces par un concepteur d'effets spéciaux.

— Otto Brukwald, annonça Conrad. Notre « Ray Harryhausen » personnel.

Je me rappelai *in extremis* que le nom qu'il venait de prononcer était celui d'un spécialiste des effets spéciaux né en 1920. Un artisan génial qui s'était illustré dans l'élaboration de monstres de caoutchouc en modèles réduits qu'il animait image par image. Dans les années 50, il avait été vénéré comme un magicien. L'invention de l'image de synthèse avait fait de lui un *has been*. Un dinosaure du genre Méliès.

— J'ai toujours été meilleur que Harryhausen, grinça Otto, mais mon physique ne plaisait pas aux journalistes, alors on a très peu parlé de moi.

— Mademoiselle remplace l'ancien décorateur, lança Conrad pour couper court aux jérémiades qui s'annonçaient. Peux-tu lui expliquer en deux mots ce que tu fais ?

Otto rajusta ses lunettes et m'examina comme si j'étais une collégienne essayant de lui extorquer une interview pour le journal de son école.

— Dans l'Antiquité grecque ou romaine, commença-t-il, les acteurs ne s'exhibaient jamais à visage découvert, ils portaient des masques de bois ou de plâtre aux caractéristiques bien déterminées. Cela permettait à des hommes mûrs de jouer des rôles de puceau ou d'ingénue. Au domaine, nous ressuscitons en quelque sorte cette ancienne tradition en la perfectionnant. Avant d'entrer sur le plateau de tournage, les acteurs défilent dans ce laboratoire pour enfiler le masque qui leur est réservé. Ainsi, bien que d'âge canonique comme nous tous ici, ils correspondent aux personnages de la série tels qu'ils sont décrits dans le script. Comprenez-vous ?

Il s'adressait à moi comme si j'avais neuf ans. Tout à coup mon regard accrocha une multitude de gants de latex suspendus à un fil. Je crus qu'il s'agissait de ces gants qu'on utilise pour la vaisselle ou les travaux nécessitant une protection, puis je m'avisai que certains d'entre eux présentaient des veines en saillie, ainsi que des poils !

Otto ricana.

— Il ne faut pas oublier de déguiser également les mains, siffla-t-il. Elles trahissent l'âge de l'acteur, surtout quand elles sont marbrées de ces taches brunes surnommées « fleurs de cimetière ».

Chaque paire de gants était numérotée et correspondait à l'un des masques, comme les perruques dont la texture avait quelque chose de remarquable.

— Du cheveu véritable, commenta Otto, cousu mèche à mèche sur une coiffe de gaze.

Mais j'étais surtout fascinée par la texture des masques. On eût dit de la peau humaine. Des réminiscences de *La Maison de cire* me traversèrent l'esprit.

— Une formule de mon invention, insista l'étrange bonhomme. Je l'ai brevetée mais ça ne m'a pas rapporté grand-chose. Les gens n'ont pas le souci de la qualité, ils se satisfont d'imitations grossières... et moins onéreuses.

Ainsi donc, la série *First Lady* continuait sa carrière, jouée par des vieillards déguisés en jeunes gens, et – quand il s'agissait d'acteurs encore vivants – de septuagénaires costumés en ce qu'ils étaient cinquante ans auparavant ! Il y avait là de quoi donner le vertige. Une espèce de Halloween pathétique qui me nouait l'estomac.

— Nous allons te laisser travailler, lança Conrad.

Et, me prenant le bras, il m'entraîna hors du laboratoire.

— Qui joue le rôle de la première dame ? demandai-je. Peggy McFloyd ?

— Hélas non, souffla Conrad. Elle se déplace en chaise roulante aujourd'hui. Double arthrose de la hanche et des genoux. Les prothèses n'ont guère amélioré son état. Il y a un mois le rôle était tenu par Laura Delgado. Vous la remettez ? Elle jouait la *first lady* dans la troisième saison, juste après que Lenora Parker ait été virée pour possession de stupéfiants. Vous voyez ?

Non, je m'y perdais. À la différence des fans je ne connaissais pas la petite histoire de la série par cœur, avec ses complots, ses coucheries, ses drames...

— Et alors, cette Laura Delgado, lançai-je, elle ne convient plus ?

— Elle est morte il y a trois semaines, coma diabétique. De toute manière Peggy n'aimait pas son interprétation, elle m'inondait de notes de service fulminantes à ce propos. Peggy ne se reconnaissait pas en elle.

— Ah ! parce qu'il faut que Peggy s'identifie au personnage ?

— Oui, elle tient à se reconnaître dans le jeu de

l'actrice, comme si c'était encore elle qui évoluait sur le plateau. Que voulez-vous que je vous dise ? Coquetterie d'actrice. C'est elle la patronne. C'est elle qui paye toutes les factures, tous les frais médicaux des pensionnaires. On ne peut pas se permettre de la contrarier.

— Et donc, le rôle de la première dame est vacant ?

— Oui, je cherche... mais il n'y a personne, au domaine, qui corresponde aux exigences de Peggy. Je vais descendre en ville, contacter d'anciens agents artistiques. Ils pourront peut-être me dénicher une ancienne de la série. Mais ça devient difficile. Il faudra qu'un jour Peggy se résigne à accepter qu'on infuse du sang neuf dans le casting. Des gens qui n'ont jamais tourné dans l'une ou l'autre des saisons.

Le reste de l'entrevue se passa en considérations techniques. Conrad m'expliqua dans le détail ce qu'il me faudrait prévoir au niveau des décors. Il comptait tourner en extérieur (dans le parc d'Esteranza, en fait) et je devrais me débrouiller pour que ce bout de nature évoque au maximum les jardins de la Maison Blanche. Dans cet épisode on présentait au président un ordinateur tel qu'on les concevait à l'aube des sixties, c'est-à-dire une machine de la taille d'une armoire quatre portes tout juste capable d'additionner 2+2. Bien évidemment, la première dame appuyait sur le mauvais bouton, ce qui amenait le super-computer à enchaîner les gags aberrants. Mon boulot consisterait à dessiner cette machine, de manière à la rendre monstrueuse et grotesque.

Les gags prévus ne brillaient pas par leur finesse, non plus que les dialogues, mais on ne me demandait pas mon avis sur ce point. Il y aurait également un épisode où des extraterrestres feraient leur apparition. Leur but : redessiner les contours des continents qu'ils jugeaient peu harmonieux. Ils apportaient un catalogue de nouveaux tracés et proposaient de retailler les côtes américaines pour leur donner la forme d'un beagle dressé sur ses pattes postérieures et tenant un sucre en équilibre sur sa truffe. Bref, il me faudrait imaginer la tenue des Martiens, ainsi que leur apparence physique. Otto se chargerait des masques et prothèses.

C'était un travail amusant, qui me changerait des éternels appartements minimalistes zen imposés par une mode éphémère. Ces derniers temps, le « sobre » avait fâcheusement tendance à devenir synonyme de « non habité ».

Ayant pris un paquet de notes, j'abandonnai Conrad pour réfléchir à tout ça dans le studio qu'on m'avait attribué.

J'étais plutôt euphorique. Excitée à l'idée de dessiner des trucs rigolos, et les idées se bousculaient dans ma tête. Je m'installai aussitôt à la table à dessin et commençai à gribouiller des esquisses.

Habituée à utiliser une tablette graphique, j'avais perdu l'habitude de tailler des crayons, et l'odeur des copeaux de bois prit soudain l'allure d'un souvenir d'enfance.

J'étais tellement absorbée que le coin-coin de la sirène annonçant le repas du soir me fit sursauter.

Comme j'avais besoin d'une pause, je décidai d'aller manger.

Je ne croisai personne dans les couloirs, ce qui confortait mon impression d'habiter un immeuble désert au terme d'une catastrophe planétaire ayant réduit la population à presque rien.

Vingt-trois vieillards occupaient le réfectoire. Certains mangeaient à l'écart, d'autres s'étaient regroupés et péroraient bruyamment. Je ne tardai pas à réaliser que chacun soliloquait sans écouter ses compagnons de table. À ma grande surprise j'identifiai des comédiens que la gloire avait jadis couronnés de ses lauriers.

John-John Fiztwalker, par exemple, ancien enfant vedette, spécialiste des *teen-movies* édulcorés. Défiguré par la vieillesse, on le reconnaissait aux mimiques outrées et tics agaçants qui avaient constitué son « originalité », et dont six décennies n'avaient pas réussi à le débarrasser.

Paulson Riverside, transfuge du théâtre shakespearien, dont les gestes bizarres, chargés d'un symbolisme obscur avaient fait le délice des fans du cinéma d'épouvante. Aujourd'hui, il ressemblait plus que jamais au fantôme de Bela Lugosi.

Doc Mulgrave, dont l'unique emploi pendant vingt-cinq ans avait été un rôle d'extraterrestre exilé sur notre planète dans la série *Il n'y a personne au numéro que vous demandez*. Il en avait conservé une raideur dans le maintien et une façon mécanique d'agiter la tête qui donnait à penser qu'il était bardé de prothèses entravant sa mobilité.

Pour l'heure, entre deux bouchées de pain de viande, chacun évoquait une anecdote croustillante dont il avait été le héros, et que les autres, bien évidemment, n'écoutaient pas.

Il y était question de coucheries, de complots, de vacheries, des goûts sexuels de telle ou telle star mondialement connue, des Academy Awards de 1954... 56 ou 57, où ils avaient failli être nominés.

Je remarquai qu'ils s'abstenaient de regarder dans ma direction, comme si ma présence était si incongrue que mieux valait l'ignorer.

Je cessai d'écouter leur bavardage, avalai ma *cristal jelly* à la framboise et regagnai mon studio.

Soudain fatiguée, je décidai de me coucher. Dans la commode, je trouvai une nuisette tout droit sortie de *Baby Doll*. Le silence des appartements voisins m'oppressait. Je finis tout de même par m'endormir.

Je m'éveillai de bonne heure et, comme le studio était équipé d'une kitchenette, je décidai de ne pas me rendre au réfectoire. Une boîte de café moulu et des pancakes à réchauffer au grille-pain attendaient au fond d'un placard ; j'en fis mon ordinaire avant de regagner la table à dessin.

Une heure plus tard, par le plus grand des hasards, je fis une découverte qui me laissa perplexe.

En me baissant pour ramasser la gomme qui venait de m'échapper, j'aperçus, sous une commode, un rouleau de feuilles chiffonnées maintenues par un bracelet élastique. Des brouillons tracés par le précédent occupant des lieux, ce Wilbur, mort d'une crise cardiaque. L'employé chargé du ménage avait oublié de regarder sous les meubles, ce qui expliquait la présence du rouleau.

Je m'en saisis, fis sauter l'élastique et déroulai les feuillets sur la table. Je fronçai les sourcils. Il y avait là une dizaine de grandes pages découpées en cases, à la façon des bandes dessinées, ou plus exactement des story-boards.

Il ne s'agissait pas d'esquisses hâtives, de crayonnés succincts, mais bel et bien de scènes très élaborées, à la mine de plomb, dont la noirceur était çà et là illuminée par de rares touches de couleurs : rouge, jaune. Une équation chapeautait la première page, à la manière d'un titre :

$$\sqrt{\frac{1}{2}} \cdot \bigg(\, | \, \text{mort} \rangle + | \text{vivant} \rangle \bigg)$$

Je fus saisie par l'atmosphère angoissante du décor. Une sorte d'intérieur surchargé, style manoir victorien encombré d'horloges, de pendules, de bronzes, de miroirs gigantesques. Aucun personnage. Juste des couloirs, des pièces vides, se succédant, comme si tout cela était filmé en caméra subjective. C'était à peu de chose près *La Splendeur des Amberson*, ou la séquence de la cave aux trésors de *Citizen Kane*.

Très étrange. D'autant plus que je voyais mal comment un décor aussi anxiogène aurait pu trouver sa place dans un épisode de *First Lady* !

Au bout de quelques cases, la caméra se focalisait sur un chat empaillé, protégé par un globe de verre ornant le dessus d'une imposante cheminée seigneuriale. Les yeux de l'animal étaient jaunes, brillant d'un éclat sourd au milieu de la pénombre des lieux.

La dépouille taxidermisée avait un curieux aspect. Nue, dépourvue de pelage, elle évoquait les chats « sphynx » découverts au début du XXe siècle sur les territoires indiens du Nouveau-Mexique (c'est du moins ce que prétendent les nombreuses légendes entourant cette race étrange). Aujourd'hui, un sphynx à pedigree coûte deux mille dollars. Fans, vétérinaires et associations de protection des espèces animales s'entre-déchirent à son propos, certains affirmant que cette branche de la gent féline est le produit d'une manipulation génétique débilitante ou de croisements aberrants.

En y regardant de plus près, il m'apparut qu'il ne s'agissait pas d'un sphynx. La morphologie était celle d'un banal chat de gouttière que la pelade – ou un mauvais procédé de taxidermie – avait privé de sa fourrure tigrée.

Sur les cases qui suivaient, la bête s'animait brusquement, s'échappait de son globe, sautait sur le sol et courait à la rencontre de la caméra subjective. Sur la dernière image, elle bondissait plein champ, comme si elle me sautait au visage. Ses yeux jaunes, énormes, emplissant tout l'écran.

Je grimaçai. Les dessins faisaient montre d'un grand talent dans le maniement du noir et blanc, ainsi que des éclairages. À leur manière, les planches que j'avais sous les yeux, relevaient du pur chef-d'œuvre. Un chef-d'œuvre terrifiant dont l'utilité m'échappait.

À l'évidence je ne contemplais pas une séquence de *First Lady*. Ou alors le ton de la série avait beaucoup changé. On était loin de l'humour bon enfant qui en était la marque de fabrique.

Je m'aperçus que j'éprouvais certaines difficultés

à détourner les yeux de l'horrible petit félin. Me saisissant d'une loupe, j'examinai le trait de plus près. Le souci du détail était époustouflant. Le dessinateur était allé jusqu'à reproduire les coutures laissées par l'empailleur sur la peau du chat.

Pourquoi Wilbur, mon prédécesseur, avait-il éprouvé le besoin de dessiner ce *story-board*?

S'agissait-il d'un travail de commande pour un metteur en scène n'entretenant aucun lien avec le domaine? Wilbur envisageait-il de quitter Esteranza?

Probablement avait-il fini par trouver du travail à l'extérieur, un vrai travail de décorateur digne de son talent, mais il avait préféré tenir la chose secrète pour ne pas être taxé de traîtrise et d'ingratitude par Peeterson...

Je roulai les pages et les glissai là où je les avais découvertes.

Décidément, il se passait des choses bizarres au royaume de Peggy McFloyd.

J'essayai de me remettre au travail mais le cœur n'y était plus. Inventer des ordinateurs débiles et des Martiens hilares me semblait tout à coup une perte de temps. Je faillis appeler Devereaux pour lui signifier que j'abandonnais l'affaire. Je savais toutefois qu'il me rétorquerait : « Pas question! C'est très bien payé, je viens d'encaisser le premier chèque. Cette vieille carne de Peggy roule sur l'or et je n'ai aucune intention de la rembourser. Qu'est-ce que vous imaginez? Que l'agence a les moyens de refuser un tel pactole? Vous délirez, ma poupée! On a besoin de rentrer du cash! »

Je m'aperçus que je « coinçais ». L'inspiration me fuyait. La lecture du scénario ferait peut-être éclore de nouvelles idées? Où pourrais-je me le procurer?

J'appelai Conrad sur la ligne intérieure. Il me conseilla de voir ça avec le bureau des auteurs, dont il me donna les coordonnées. Troisième sous-sol, pièces 7 à 15.

Je déambulai donc une fois de plus à travers les

couloirs déserts, bercée par les conversations fantômes dont les enregistrements passaient en boucle derrière les portes closes. On riait, on s'engueulait... « J'ai une idée géniale ! » hurlait un homme mort depuis des années. « Je me taperai bien le jeune gars du courrier, soufflait une voix de femme, ses petites fesses doivent être aussi dures que des balles de golf. »

J'eus conscience d'être en train d'écouter la boîte noire d'une ancienne catastrophe. Les derniers enregistrements d'un monde oublié. J'épiais les discussions de dinosaures retournés à la poussière depuis des millénaires.

Je pressai le pas, gênée de m'être montrée indiscrète.

J'arrivai enfin à la section des scénaristes. J'y fus accueillie par les mêmes échos filtrant au travers des battants fermés. Cliquetis de machines à écrire, échos d'un match de base-ball radiodiffusé, et ayant eu lieu en 1958, gros rires masculins, blagues de garçons de bain machistes en diable. Je pris tout à coup conscience qu'un détail trahissait le caractère fictif de la supercherie : l'absence d'odeur de cigare et de cigarette, car en ces temps enfuis – contrairement à aujourd'hui – tout le monde fumait au travail !

Sur toute la longueur du couloir, une seule porte était ouverte. Un homme mince, à l'expression accablée, se tenait derrière un bureau encombré de paperasses. Le cheveu argenté, les traits émaciés, il était, en dépit de l'âge, incontestablement séduisant. Une plaque dorée, coincée entre un pot à crayons et une tasse de café annonçait : *Morton D. Clark, responsable de l'unité d'écriture.*

Il sursauta en m'apercevant sur le pas de la porte et dit :

— Alors c'est vrai, vous existez vraiment ? J'avais entendu des rumeurs mais je refusais d'y prêter foi. Je n'en reviens pas. Avez-vous conscience d'être une forme de vie inconnue ici, au domaine ? Une femme de moins de soixante ans !

En dépit du ton guilleret, il émanait de lui une grande lassitude. J'aperçus une boîte de boules Quiès sur la table de travail.

Ayant surpris mon regard, il soupira :

— Oh! ça... C'est à cause des enregistrements qui passent en boucle derrière les cloisons. Ça me rend dingue. Je connais toutes les répliques par cœur, je peux les réciter d'avance. C'est comme si j'avais été condamné à visionner le même film toute la journée jusqu'au jour de ma mort. Ça donne un avant-goût de l'enfer.

D'un geste, il m'invita à prendre un siège.

— Si je comprends bien, fis-je, vous êtes l'unique scénariste de la section?

— Oui, j'ai ce triste privilège depuis que mes deux collègues, Stavros et McDougall ont avalé leur bulletin de naissance à six mois d'intervalle. C'est courant ici. Le domaine est un mouroir, pas autre chose. Une salle d'attente.

— Vous n'avez pourtant pas l'air si vieux, objectai-je.

En dépit de ses yeux gris, il ressemblait vaguement à Paul Newman en fin de carrière. Un beau vieillard. Un *très* beau vieillard.

— Ne vous y fiez pas, souffla-t-il, je me suis donné beaucoup de mal pour entretenir la carrosserie, c'est vrai, mais le moteur est usé. Il ne faut pas regarder sous le capot.

— Pourquoi êtes-vous ici? m'enquis-je.

— Bof! L'histoire classique. J'ai été très demandé à une époque. Bon dialoguiste, de l'humour, le sens du comique de situation, mais le personnel des studios s'est renouvelé. Les metteurs en scène se sont mis à avoir vingt-deux ans, ils ne voulaient travailler qu'avec des subordonnés encore plus jeunes, mâle alpha oblige! Pas question pour eux de se retrouver sous le regard d'un homme d'expérience, ils voulaient pouvoir faire leurs conneries impunément, sans qu'un type de cinquante ans leur dise : « Je t'avais prévenu, coco, ce genre de truc ça ne fonctionne jamais, on l'a essayé bien avant ta naissance ! » On m'a débarqué sous une accusation bidon de harcèlement sexuel. Après j'étais grillé. Comme j'avais un peu de fric j'ai essayé de monter un petit restaurant de fruits de mer, à Venice, il a été saccagé par une bande de motards, ce n'était pas prévu dans mon contrat d'assurance, j'ai tout perdu. Vous voyez, c'est d'un banal ! Ça ne ferait même pas un bon scénario. Et pourtant j'ai travaillé pour *Amicalement vôtre, Le Prisonnier, Star Trek... Mission impossible* ! À une époque, j'avais pour agent Dynamite Langford, l'imprésario des seconds couteaux, vous avez peut-être entendu parler de lui. On prétendait qu'il était gay, que c'était le petit ami de Lawrence Brickstone, le premier « président » de *First Lady*.

— C'est Peeterson qui vous a recruté ? demandai-je.

— Oui, en fouillant les archives des anciens agents artistiques d'Hollywood il avait appris que j'avais travaillé sur la dernière saison de *First Lady*. Je débutais à l'époque. C'était mon premier job, et je n'étais pas très bon, je l'avoue. Pour Peeterson ça impliquait que je connaissais bien la bible de la série, les codes, les manies des personnages, leurs tics verbaux... Je faisais partie des initiés. C'est ce qu'ils veulent ici, *des initiés*. C'est pour cette raison que votre présence m'étonne. Vous êtes bien trop jeune pour avoir trempé dans cette soupe... ou alors vous avez découvert la fontaine de Jouvence ! Je veux dire : merde, comment peut-on être si jeune ? Ça me paraît impossible.

Il faisait son charmeur, à grand renfort d'œillades chargées de tristesse. Je me contentai de sourire.

— Moi, c'est différent, je n'avais pas trop le choix, reprit-il. J'étais à fond de cale. Les vieux artistes, vous savez... Je me suis fait interner ici, ça me permet de manger à ma faim et de ne pas dormir dans un carton, au fond d'un parking. Ça me conviendrait assez si je n'avais pas la désagréable impression d'être en prison.

— Mais tout le monde est libre de sortir à sa guise, non? lançai-je. C'est du moins ce que m'a dit Peeterson.

Morton Clark grimaça et se mit à jouer nerveusement avec son crayon.

— Ouais, grogna-t-il, c'est la version officielle du règlement. En réalité chaque sortie vous vaut un mauvais point.

— Quoi?

— Je n'invente rien. Peeterson note tout ça dans son carnet. Si l'on s'évade trop souvent, ça signifie qu'on est un mauvais résident, qu'on ne mérite pas d'être ici, alors vous subissez de petites vexations. On vous colle des corvées, on vous coupe l'air conditionné, on oublie de laver votre linge. Et si votre attitude ne s'améliore pas, ça empire. Votre charge de travail s'accroît, on vous fait réécrire vingt fois la même scène.

— Personne ne proteste?

— Eh! Vous déconnez? Se révolter c'est être foutu dehors séance tenante. Peggy McFloyd fait ce qu'elle veut. C'est un institut privé qui n'a de comptes à rendre à aucun service social. Nous sommes ses « invités », notre statut officiel est celui « d'amis en visite ». Et si, par malheur, un exclu se débrouillait pour mettre l'affaire entre les mains d'un avocat, on l'accuserait d'inconduite, de trafic de Viagra, de satyriasisme du vieillard, d'exhibitionnisme ou je ne sais quoi. C'est pourquoi je tourne un peu maboule ces derniers temps. Peeterson ne m'aime pas trop. Je le sais parce que j'ai dû réécrire dix fois le prochain épisode de cette série débile. J'en rêve la nuit. Cette scène d'extérieur, par exemple, est inutile, on pourrait s'en passer...

— Et qu'en pensaient vos collègues, ceux qui sont morts?

— Aucune idée, ils faisaient semblant d'être heureux, comme beaucoup de gens ici. Je sais que Stavros sortait souvent le soir pour hanter les peep shows sur Sunset. C'était un vieil obsédé de soixante-dix-sept ans.

— Il avait aussi travaillé pour *First Lady* ?

— Oui, mais ça n'a rien de surprenant, une série qui dure aussi longtemps, tout le monde y a émargé un jour ou l'autre. Songez que chaque épisode était écrit par une équipe de cinq ou six scénaristes, ça représente du monde ! À l'heure qu'il est, des centaines de gars et de filles ont figuré sur les bulletins de paye de *First Lady* et dans les fichiers de Dynamite Langford, l'imprésario des mauvais acteurs. Certains ont eu la chance de devenir célèbres, riches, et de n'avoir aucun souci d'argent ; les autres... les autres sont ici, au domaine, parqués comme des animaux en voie de disparition. Mais je suis injuste. Nous sommes logés, nourris, blanchis, et nous bénéficions de la gratuité des soins. Toutes les semaines le toubib nous examine, ajuste notre traitement. On nous donne même un peu d'argent de poche ! Beaucoup nous envieraient, c'est certain. Mais on se sent comme dans une secte, si vous voyez ce que je veux dire. On vit dans l'adoration de *First Lady* et de Peggy McFloyd, il ne faut critiquer ni l'une ni l'autre. Il faudra vous conformer à cette règle si vous ne voulez pas que Peeterson vous tape sur les doigts.

— Il me punirait ?

— Pas ouvertement, bien sûr. Mais vous devrez supporter mille petits désagréments, la climatisation en panne, par exemple. Plus d'eau chaude dans la douche. Des bruits incongrus qui vous réveillent six fois par nuit. Pour finir, on vous annoncera que votre voiture ne fonctionne plus et donc, qu'il vous sera impossible de redescendre à L.A. autrement qu'à l'aide de vos pieds, ce qui représente une trotte assez pénible pour épuiser un G.I. au top de sa forme physique. Vous réclamez un taxi ? Pas de bol ! justement, aucun ne monte jusqu'ici, l'endroit étant réputé trop isolé. Etc., etc.

Je hochai la tête. Exagérait-il ? Impossible de le savoir. Il avait le verbe facile et présentait les choses sans cesser de sourire, comme s'il s'agissait en fait d'un bizutage sans conséquence, mais ses yeux trahissaient une angoisse bien réelle. Je ne savais quel parti prendre. J'avais assez côtoyé de scénaristes à New York pour savoir qu'au contact des acteurs ils ont pris l'habitude de jouer la comédie et en font toujours des tonnes.

Je réalisai soudain que nous chuchotions comme des comploteurs. Morton parut se ressaisir.

— Ne prenez pas ce que je dis au sérieux, fit-il en se redressant. J'ai tendance à en rajouter par déformation professionnelle. Que puis-je pour votre service, jeune damoiselle ?

N'osant le pousser dans ses retranchements, j'exposai les problèmes que me posait la mise en décor du prochain épisode. Conrad ne m'en avait pas assez dit, j'avais besoin du script, bla-bla-bla…

Il se mit à fouiller dans les feuilles froissées qui recouvraient son bureau.

— Vous savez, fit-il avec lassitude, les ressorts de la série sont toujours les mêmes. La première dame commence par déclencher une catastrophe en appuyant sur n'importe quel bouton, on se croit au bord de la Troisième Guerre mondiale, puis on se rend compte que sa bévue a, en fait, arrangé les choses. La *first lady* est une gourdasse, mais une gourdasse de génie qui fait la nique aux hommes sérieux, caparaçonnés de logique, de savoir et d'expérience. Évidemment, ça ne colle plus du tout à l'état actuel de notre société mais Peggy s'en fout. Elle exige que rien ne change. Au reste ça n'a pas beaucoup d'importance car la série est diffusée en boucle dans les hospices, les prisons, les laveries automatiques, les salles d'attente des compagnies de bus, ou en Amérique du Sud. Les Latinos l'adorent parce qu'elle leur permet de se foutre de la gueule des gringos. Cela dit, je vous conseille tout de même d'en suivre les diffusions, ici, au domaine, car il arrive que Peeterson fasse circuler des questionnaires d'assiduité.

Impossible de savoir s'il plaisantait. Il occupa l'heure

suivante à m'exposer les développements des prochains épisodes, afin que je sache à quoi je devais m'attendre. Il me faudrait prévoir, outre l'IBM géante et les Martiens, une exposition d'œuvres d'art abstraites, donc ridicules, une séquence se déroulant à l'opéra, dans des décors grotesques avec une cantatrice affublée d'un costume auprès duquel ceux de Liberace auraient paru austères.

— Moi, je trouve le concept, résuma Morton, à vous de le mettre en images. De le rendre visuel. Je sais, c'est vous qui avez la mauvaise part, mais c'est normal, les décorateurs sont toujours mieux payés que les auteurs. Je suppose que Peeterson vous octroiera une double portion de flan à la framboise à la cantine.

Je n'étais pas dupe de son badinage. Alors que je traversais la pièce pour attraper un bloc de papier, j'aperçus le goulot d'un flacon de Wild Turkey dépassant d'un tiroir entrouvert.

À la fin de la séance, il semblait épuisé et, malgré la climatisation, la sueur perlait à son front. J'eus le sentiment qu'il avait dépensé des trésors d'énergie pour conserver une apparence normale. Comme je prenais congé, il me glissa une page de carnet sur laquelle il avait griffonné ses coordonnées.

— Le numéro de mon studio, fit-il ; si vous voulez discuter de choses et d'autres on pourrait se retrouver le soir, à la cafétéria. Elle reste ouverte nuit et jour. Les vieillards sont de grands insomniaques, ils se couchent comme les poules mais se réveillent une heure après et font les cent pas dans leur chambre jusqu'à l'aube.

Je pris le papier et m'empressai de tourner les talons pour fuir son air de chien battu. Un vieux dragueur qui savait jouer de son physique. Redoutable.

De retour dans mon studio, je gribouillai pendant deux heures. Mais j'étais préoccupée, mal à l'aise, et les idées me fuyaient. J'aurais dû pourtant m'amuser, ce n'était pas tous les jours qu'on me demandait d'inventer des robots, des robes de gala hideuses. La plupart du temps, dans la vraie vie, des yuppies fans de minimalisme me disaient des choses du genre : « Un vase *beige clair*? Vous êtes sûre? N'est-ce pas une couleur incroyablement... *agressive*? »

Je décidai de sauter le repas du soir et de me mettre au lit après avoir grignoté un paquet de biscuits Ritz déniché au fond du placard.

Qui remplissait les placards, au fait? Fallait-il dresser une liste de ce qu'on souhaitait y trouver, ou bien le « fournisseur » vous imposait-il ses goûts personnels?

Encore un nouveau mystère.

Je ne dormis pas trop mal mais je fus réveillée en sursaut à 6 heures du matin par la sonnerie du téléphone.

— Soyez prête à 8 heures, m'annonça Peeterson comme si j'allais être parachutée derrière les lignes ennemies, en pleine zone de feu. Peggy veut vous rencontrer. Je passerai vous prendre au service de l'habillement. J'ai prévenu Angela et Tracy, elles vous prépareront. Il est capital que vous soyez présentable.

Sur ce, il raccrocha.

6

Nerveuse, je me conformai aux instructions de l'intendant d'Esteranza. Les deux habilleuses m'accueillirent avec des pépiements de volailles et entreprirent, sur-le-champ, de me transformer en clone de Sophia Loren (version rousse et nez cassé) jouant le rôle de Natacha Alexandroff dans *La Comtesse de Hong-Kong*.

Le maquillage appliqué à la truelle me donna un peu l'impression d'être emmurée vive, mais bon, il faut ce qu'il faut... Les sixties, ça se mérite.

Je quittai le bungalow titubante et à demi asphyxiée par la laque à cheveux. J'étais à coup sûr devenue inflammable. Si je m'approchais inconsidérément d'une flamme, je connaîtrais le triste sort du *Hindenburg*.

Peeterson piétinait sur le seuil. Pour l'occasion il avait troqué sa tenue de golfeur contre un costume croisé bleu marine et une cravate piquée d'une perle.

Je croyais qu'il allait m'assommer de recommandations mais il n'ouvrit pas la bouche tout le temps du trajet. Il paraissait nerveux, pour ne pas dire au bord de l'hystérie.

Toutefois, alors que nous grimpions dans l'ascenseur, il murmura :

— Ne vous approchez pas de Peggy. Elle n'est guère en forme mais reste coquette. C'est pour cette raison qu'elle a renoncé aux apparitions publiques. Soyez concise dans vos réponses, il ne faut pas la fatiguer. Quand je ferai ce geste (il effleura la perle piquée dans sa cravate), cela voudra dire qu'il est temps de mettre fin à l'entretien. Ne soyez pas cérémonieuse, Peggy est restée quelqu'un de très simple, songez qu'elle a tenu à acheter une Rolls-Royce Ghost *d'occasion*, dans la version *adriatic blue*, pour la modique somme de quatre cent mille dollars. Il faut du courage, à Hollywood, pour se moquer du qu'en-dira-t-on, et accepter de rouler dans une bagnole de seconde main. Mais cela, c'est tout Peggy !

Il pérorait avec tant de conviction que je me sentis presque coupable d'avoir eu honte de ma Chevy Impala antédiluvienne. On oublie souvent que les grandes dames peuvent se montrer follement simples. On a de ces préjugés !

Je fus surprise, lorsque nous émergeâmes de la cabine, par l'atmosphère du lieu qui ne ressemblait en rien au reste de la maison. Ici, pas de couloirs fonctionnels, de murs clairs, de baies vitrées ouvrant sur le parc. On se serait cru dans un manoir anglais de l'époque victorienne. L'éclairage était si réduit qu'il fallait presque se déplacer à tâtons.

Tout n'était que lourds rideaux couleur prune, meubles énormes de bois sombre, colosses de bronze et de marbre s'appliquant à attraper une hernie en se livrant à d'incompréhensibles démonstrations de force. Ça empestait la poussière, l'antimite, l'encens et le cigare. Ainsi qu'une bizarre odeur de brûlé dont je ne parvins pas à déceler l'origine.

Brusquement, alors que nous entrions dans ce qui semblait être un salon, je sursautai. Sur la cheminée trônait un globe de verre, et sous ce globe un chat empaillé, complètement pelé... dont les yeux jaunes me dévisageaient.

Je venais de reconnaître l'horrible bestiole que Wilbur s'était complu à ressusciter le temps d'un *story-board*. Peeterson sentit mon mouvement de recul, car il me saisit par le coude pour me contraindre à avancer.

— Ce n'est rien, souffla-t-il. C'est Capitaine Spoutnik, le chat fétiche qui vivait dans la loge de Peggy, quand elle tournait *First Lady*. C'était la mascotte de l'équipe. Elle l'a fait taxidermiser quand il est mort à l'âge de vingt-trois ans.

En frôlant la cheminée, je pus constater à quel point la dépouille confinait au cauchemardesque. Les coutures zébrant le cuir pétrifié du cadavre en faisaient une créature de Frankenstein à quatre pattes. Peggy aurait pu se constituer une rente en le louant aux réalisateurs de films d'épouvante.

Nous franchîmes le seuil d'un second salon, lui aussi plongé dans la pénombre. Sur le sol, les tapis précieux se succédaient : boukhara, chiraz, kilim, gabbeh... Les murs étaient couverts d'étagères supportant des centaines de figurines en Wedgwood, modelées dans cette pâte appelée *fine china*. On avait entassé là – entre autres – la production de la célèbre maison Royal Doulton. Les statuettes aux teintes pastel représentaient, pour la plupart, des femmes élégantes du temps passé, en robe longue, figées dans des poses alanguies d'une grâce infinie ou abîmées en d'insondables rêveries victoriennes. Beaucoup de ces figurines valaient dans les neuf cents dollars pièce. D'un coup d'œil professionnel, je repérai également des porcelaines du Stafforshire, de Leeds, et ces fameuses figurines dites « de Chelsea » dont la valeur historique est aujourd'hui considérable.

J'avais sous les yeux un véritable musée édifié à la gloire de la « pâte molle » et de la fragilité.

Une femme se tenait là, assise dans un fauteuil roulant, positionnée de manière à apparaître en ombre chinoise. Je remarquai qu'elle s'arrangeait pour nous présenter son bon profil, celui que l'attentat et les greffes successives avaient épargné. Elle avait énormément grossi, peut-être sous l'effet des corticoïdes. Ses cheveux teints étaient artistement arrangés, mais peu épais. Les liftings et la chirurgie plastique lui avaient fait une tête de poupée, irréelle car trop lisse. Ça se gâtait toutefois au niveau du cou, qui évoquait celui d'une tortue.

Il était difficile de reconnaître dans cette matrone affaissée l'adorable lutin souriant des sixties. On avait installé un grand miroir en face de son fauteuil, de manière qu'elle puisse me voir sans tourner la tête. J'en déduisis que les rumeurs relatives à ses problèmes dermatologiques étaient fondées.

— Peggy, lança Peeterson d'un ton cérémonieux, voici la jeune fille que tu voulais voir, celle que nous avons engagée pour essayer de remplacer ce pauvre Wilbur.

La présentation n'était pas exempte de perfidie, mais je m'y étais préparée.

— Je le vois bien, rétorqua Peggy McFloyd, j'ai des tas d'infirmités mais je ne suis pas encore aveugle. Laisse-nous maintenant, nous avons à parler entre femmes.

Peeterson accusa le coup. Après avoir hésité, il sortit à reculons, comme en présence d'une impératrice.

J'entendis la porte se refermer dans mon dos. Alors Peggy murmura :

— Il est foutrement dévoué mais un peu collant. Je reconnais qu'il me rend d'immenses services, cela n'empêche pas que, parfois, il me tape sur les nerfs. Il en fait trop. Il aurait voulu être acteur, alors il a tendance à se mettre en scène en s'observant dans les miroirs du coin de l'œil. Il cabotine. C'est tout de même un chou.

Elle se tut, car sa respiration devenait sifflante.

— Je me fatigue vite, reprit-elle après deux minutes d'un pesant silence, alors je vais aller droit au but. Je connais votre travail, j'ai vu des photos des appartements que vous avez décorés lorsque vous étiez à New York, avant votre séjour en prison. Vous avez beaucoup de talent. Il est regrettable que cette accusation – et la mort inexpliquée de celle qui avait porté plainte contre vous – ait brisé votre carrière. Depuis que j'ai pris ma retraite, j'aide les artistes en difficulté. En feuilletant votre book, je me suis dit que vous pourriez rejoindre mon écurie au lieu de travailler pour cette ignoble Agence 13 qui s'enrichit en louant des scènes de crime.

Elle fut prise d'une quinte de toux et resta une fois de plus muette pendant trois minutes.

— Je voulais vous demander un service personnel, murmura-t-elle. Un caprice de vieille dame. Vous allez penser que je pousse le bouchon trop loin, mais bon… je me lance ! Conrad a dû vous faire part de notre problème principal, le grain de sable qui bloque la machine. Nous n'avons plus d'actrice pour jouer le rôle de la première dame. D'ordinaire, j'exige que tous nos acteurs aient joué au moins une fois dans l'une ou l'autre des saisons de la série, et soient d'anciens poulains de Dynamite Langford, mais aujourd'hui le temps presse, je ne suis plus en mesure de me montrer difficile. Puisque je vous ai sous la main, je voudrais vous adresser une supplique : voudriez-vous être la première dame dans les prochains épisodes que Conrad va tourner ?

Je me cabrai.

— Mais je ne suis pas actrice ! protestai-je.

— Tsst, tsst, fit Peggy McFloyd, pas de coquetterie entre nous, toute femme est comédienne par nature, c'est son seul moyen de défense contre les hommes. Toute femme sait jouer la comédie dès la naissance, c'est inscrit dans ses gènes. D'ailleurs, si vous avez su convaincre les jurés que vous étiez innocente du crime dont on vous accusait, c'est que vous êtes beaucoup plus douée que vous ne l'imaginez.

— *Mais j'étais innocente !* glapis-je. Je n'ai pas tué ma patronne !

La vieille dame éclata d'un rire caverneux.

— Allons, mon chou! ricana-t-elle. Pas la peine d'essayer de me convaincre. Toute femme a le droit d'assassiner ses rivales, cela fait également partie de ses privilèges. J'ai fait carrière à Hollywood, je sais de quoi je parle. Il en faut davantage pour me choquer. Si cette garce te voulait du mal, ma chérie, tu as eu raison de l'éliminer.

J'étais abasourdie.

— Écoute, chuchota Peggy. Il s'agit d'un simple service que je te demande. Je serai peut-être morte dans huit jours, alors tu peux bien me faire plaisir, non? Ça n'aura rien de compliqué. Otto ajustera à tes mesures le masque qui sert d'ordinaire aux prises de vues. Le texte n'est pas compliqué à apprendre. Pense à tous ceux qui suivent cette série et à la tristesse qui sera la leur si elle cesse brusquement d'être diffusée. *The show must go on.* Tu connais la devise. Cela me ferait tellement plaisir.

Je me rappelai soudain ce que m'avait révélé Conrad, à savoir que Peggy avait acquis la conviction irrationnelle qu'elle resterait en vie tant que la série serait diffusée. J'eus l'intuition qu'en réalité elle se moquait de l'indice d'écoute, ce qu'elle désirait par-dessus tout, c'était que les épisodes succèdent aux épisodes, sans aucune interruption, lui permettant de faire la nique à la Grande Faucheuse. Comme pour consolider cette analyse, elle martela :

— Il faut que le calendrier soit respecté. On ne peut se permettre le moindre retard.

Elle semblait craindre qu'à la première défection, le pacte qu'elle avait signé avec je ne sais quelle puissance des ténèbres soit rompu. Qui l'avait convaincue d'une telle absurdité? Quelle voyante? Quel gourou?

Je ne me sentais ni le droit ni le courage de la ramener à la raison. Je capitulai :

— D'accord, si ça peut vous faire plaisir, mais je vous

préviens, je joue comme une casserole. Même au collège on me trouvait nulle.

Cet aveu la laissa de glace. Sa décision était prise. Elle pressa sur un bouton pour rappeler Peeterson. L'entretien était terminé. J'étais certaine que mon accompagnateur, l'oreille collée au battant, n'en avait pas perdu une miette. Il me reconduisit en silence jusque dans le grand hall. Là, au moment de me quitter, il énonça, d'un ton grave :

— Peggy n'a qu'une parole. Si vous évitez de la contrarier, elle vous en sera reconnaissante et, malgré votre âge, vous aurez une place assurée au domaine. Une dispense vous sera accordée. On vous nommera chef décoratrice.

En disant cela, il avait la conviction de m'accorder un formidable privilège. Si je menais la mission à bien, je serais adoubée et la reine m'accorderait un duché.

Il s'éloigna, gonflé de son importance, grand chambellan d'un royaume qui n'existait que dans son imagination.

Je haussai les épaules et sortis faire un tour dans le parc pour m'aérer les idées.

Au détour d'une allée, je tombai sur Morton et Conrad qui se querellaient à mi-voix, mais néanmoins avec violence.

J'entendis le scénariste gronder :

— C'est de la connerie ! Pourquoi voulez-vous tourner en extérieur ? On ne l'a jamais fait. Chaque épisode se déroule en huis clos, et ça a toujours très bien fonctionné. Regardez *Friends*, les épisodes qui se passent hors de l'appartement sont souvent beaucoup moins bons.

Conrad objecta quelque chose que je ne compris pas, ce à quoi Morton répliqua :

— On n'aura jamais le temps de monter un nouveau décor. Le jardin de la Maison Blanche est situé au nord, il donne sur Pennsylvania Avenue, ça veut dire qu'on voit la ville, pas les montagnes de Californie, tout le monde sait ça! Vous allez rajouter une toile de fond représentant des immeubles? Et puis il y a le parc pour l'hélicoptère présidentiel, *Marine One*. Vous bricolerez un hélico en carton? Ça fera complètement toc, votre truc!

Je m'éloignai sur la pointe des pieds.

L'empoignade témoignait d'une hargne qui me parut disproportionnée, mais cela n'avait rien de surprenant car il est fréquent que scénariste et metteur en scène soient à couteaux tirés; le premier essayant de défendre son scénario, le second sacrifiant tout au culte de l'effet.

Je regagnai mon studio, mes esquisses d'ordinateur géant et de costumes martiens. Assez bizarrement, le souvenir du chat aux yeux jaunes me trottait dans l'esprit. Pourquoi Wilbur en avait-il fait le héros d'un *story-board* effrayant? Peeterson m'avait révélé le nom de la bestiole: Capitaine Spoutnik! Bon sang! Satanik Kat aurait mieux convenu!

Mais sûrement était-il moins affreux avant de perdre ses poils? C'était plus fort que moi, les animaux empaillés m'ont toujours dégoûtée. *Ces petits cadavres plantés sur un socle...* on a toujours l'impression qu'ils vont se mettre à bouger dès qu'on cessera de les regarder.

Je fis un effort pour me concentrer sur mon travail. J'arrivai à sortir quelques esquisses amusantes.

Le téléphone fit entendre son horrible grelot. Je décrochai, c'était Otto, le génie du latex qui me convoquait séance tenante pour procéder aux ajustements du masque de la première dame. Je n'eus d'autre choix que d'obtempérer. Dix minutes plus tard j'étais assise dans un fauteuil de dentiste, au cœur du laboratoire de prothèses. Penché sur moi, Otto me tripotait les joues, me pinçait le nez et le menton, en grommelant un chapelet de mensurations entrelardées d'imprécations colériques. Il était contrarié par l'état de mon visage qui ne correspondait en rien à celui de l'actrice précédente.

— Faudrait modeler un nouveau masque, siffla-t-il, mais le délai est trop court. Il va falloir faire avec ce qu'on a sous la main. Ce sera du bricolage. Essayez de ne pas trop remuer la mâchoire en parlant, sinon ça risque de faire des plis.

Je promis de m'appliquer. J'avais hâte d'abréger la séance, car le souffle aigre d'Otto me levait le cœur. Je n'aimais pas sentir ses doigts moites me tripoter le cou, les oreilles avec une insistance suspecte tandis que sa respiration s'accélérait.

Après m'avoir enduit la figure au moyen d'une pommade de son invention, il fit descendre le masque sur ma tête. Je trouvai cela désagréable en diable. On manquait d'air là-dessous, et le champ de vision s'en trouvait réduit. Je me sentis gagnée par une bouffée de claustrophobie.

— Vous serez forcée d'enfiler les gants, annonça-t-il. La carnation de vos mains ne correspond pas à celle du masque. Elle n'est pas raccord, ça se verra à l'image.

Super! pensai-je *in petto*.

Je me redressai pour examiner mon reflet dans la glace. En dépit de l'expression figée, l'illusion était criante de vérité. Pas de doute, Otto était un vrai magicien! La netteté discutable des caméras des sixties peaufinerait ce tour de passe-passe. Pourvu qu'on évitât les gros plans, le spectateur n'y verrait que du feu. Jusque-là j'avais été dubitative quant aux résultats; il me fallait faire amende honorable. La Peggy McFloyd qui me souriait dans le miroir de la loge avait l'air tout à fait réelle.

— Il ne faut pas conserver le masque plus de deux heures, déclara Otto. Passé ce délai, la matière synthétique peut déclencher une inflammation de l'épiderme. C'est douloureux. Des démangeaisons très désagréables. Je vous donnerai une pommade à utiliser après chaque prise de vues. Il faudra aussi éviter de vous exposer au soleil.

— Dites donc! grognai-je, ça n'a pas l'air inoffensif, votre truc!

Il haussa les épaules.

— Ça l'est tant qu'on n'en abuse pas, c'est tout. Deux heures par jour, c'est la limite. C'est pour ça que les grands studios ont refusé de les utiliser, ça limitait le temps de prise de vues. Mais ils ont beau dire, aucun de leurs maquilleurs n'est jamais parvenu à ce degré d'illusion, ne prétendez pas le contraire!

Il avait raison. La texture du masque reproduisait à merveille celle de la peau humaine. Elle semblait vivante. C'était la première fois qu'il m'était donné d'admirer un tel tour de force.

Il me libéra enfin. De retour dans mon antre, je m'empressai de me barbouiller de pommade magique. Au fond de mon esprit, une voix murmurait : « Tu joues avec le feu! Ce type est un apprenti sorcier, tu n'as pas idée des poisons qui composent ses mixtures! Demain tu te réveilleras couverte de furoncles! »

M'évertuant au calme, je travaillai jusqu'au soir. Dès qu'une démangeaison me traversait la joue, je lâchais mon crayon pour courir m'examiner dans le miroir de la salle de bains. Les fausses alertes se succédèrent jusqu'au soir.

Quand la crampe du dessinateur s'empara de mes trapèzes, je décrochai le téléphone pour former le numéro de Morton Clark. J'avais besoin de parler à quelqu'un. Or le scénariste me semblait le seul pensionnaire du domaine à jouir encore de ses facultés mentales. Il fallait en profiter. Nous convînmes de nous retrouver vers 23 heures, à la cafétéria.

Je m'étendis pour soulager mon dos et m'assoupis un moment. Quand j'ouvris les yeux il était 22 heures. J'allai prendre une douche, puis essayai de retaper le brushing élaboré par Angela et Tracy. Le résultat ne fut guère convaincant. Je n'avais jamais été très douée dans le maniement de la laque et du fer à friser. La plupart du temps, je nouais mes cheveux en queue-de-cheval, voilà tout.

À peu près présentable, je quittai le studio. Dans les couloirs, la lumière avait été réduite de moitié, ainsi que le stipulait le règlement à partir de 22 heures. Cela décuplait l'étrangeté des lieux.

La cafétéria était elle aussi plongée dans une pénombre « intime » mais que je jugeai un poil oppressante. Çà et là, quelques vieillards chuchotaient entre eux, ou s'absorbaient dans une partie d'échecs. D'autres feuilletaient les gros albums écornés où ils avaient soigneusement collé toutes les coupures de presse les concernant. Ils relisaient ces papiers jaunis en bougeant les lèvres. J'eus la conviction qu'ils les connaissaient par cœur.

J'allai demander une tasse de déca au comptoir. Les consommations étaient gratuites mais la serveuse ignorait ce que le mot « sourire » signifie. Je choisis une table à l'écart, loin des éclairages, et m'y installai. Morton ne tarda pas à paraître, vêtu d'un jean élimé et d'une chemise blanche largement déboutonnée qui soulignaient sa sveltesse.

C'était un vieillard séduisant. Il alla se chercher un scotch et vint me rejoindre. Comme je souhaitais à tout prix éviter de m'enliser dans le badinage qu'implique d'ordinaire ce type de rendez-vous, j'attaquai bille en tête :

— Je vous ai vu, cet après-midi, murmurai-je. Vous vous disputiez avec Conrad.

— Exact, admit-il en faisant tinter les glaçons dans son verre. Jusqu'à présent on a toujours tourné en *bottle-show*, je ne comprends pas pourquoi ils veulent tout à coup jouer en extérieur. Le paysage ne colle pas du tout. Il y a beaucoup de vent ici, on va avoir des problèmes avec les perruques. Le soleil va chauffer les masques, les comédiens vont rapidement avoir l'impression qu'on leur a tartiné la figure de boue brûlante... Bref, ça me semble débile, mais Conrad ne veut rien entendre. Il se prend pour un metteur en scène génial. Bon, c'est la routine, je ne vais pas vous ennuyer avec ça. Enfin, vous êtes quand même un peu concernée, quand vous construirez les décors, songez aux bourrasques. S'ils sont trop légers, le santana les couchera au sol.

Je lui parlai de la « proposition » de Peggy McFloyd. Il haussa les sourcils de manière théâtrale pour témoigner de sa stupeur.

— Elle vous a engagée pour tenir le rôle de la première dame? souffla-t-il. Sacrée nouvelle. Je croyais qu'elle détestait les femmes de moins de soixante ans.

Il but deux gorgées d'alcool pour se donner le temps de réfléchir et masquer son trouble. Il semblait soucieux.

— Je n'aime pas trop ça, avoua-t-il enfin. C'est bizarre, tellement contraire aux foutues règles du domaine.

Nous restâmes une longue minute à nous regarder en chiens de faïence. Une certaine tension s'était installée, faite d'angoisse et d'attirance sexuelle. Ce fut Morton qui baissa les yeux en premier.

— Je ne voudrais pas vous affoler, chuchota-t-il, mais à votre place je ficherais le camp sans attendre. Vous n'avez rien à faire ici. Ne mettez pas le doigt dans l'engrenage. Vous valez mieux que ce ramassis de vieux paumés mégalos, dont je fais partie. Votre présence est illogique, inquiétante. Pourquoi vous? Ce que nous bricolons ne nécessite pas l'engagement d'une décoratrice de haut niveau. Bon sang! *First Lady*, c'est du spectacle de patronage tourné dans des décors en carton-pâte.

Il avait parlé trop fort. Les joueurs d'échecs protestèrent, dérangés dans l'élaboration du gambit letton, de la défense Alekhine ou de la contre-attaque Traxler.

Je réalisai que Morton avait cessé de sourire. Il ne badinait plus. Avec pas mal de réticence, il commença :

— Il existe une légende, ici... vous en avez peut-être déjà entendu parler. Elle est absurde, bien sûr, mais les gens de spectacle sont superstitieux. Ils croient aux talismans, aux mots tabous qu'il ne faut prononcer à aucun prix sous peine de déclencher une catastrophe.

— Conrad m'en a parlé.

— Tel que je connais Conrad, il a dû vous servir la version édulcorée.

— Et quelle est la version réservée aux adultes ?

— Je vais vous la faire courte mais ne m'interrompez pas. Il y a ici un personnage mystérieux qu'on appelle « le producteur ». On ne le voit jamais. Il vit au dernier sous-sol, celui auquel personne n'a accès parce que l'ascenseur ordinaire ne descend pas aussi bas. Il vit là, installé dans une salle de projection privée où il fume le cigare en visionnant chaque nouvel épisode de *First Lady* d'un œil critique. Ce producteur a des pouvoirs considérables... *surnaturels*. C'est avec lui que Peggy a conclu un pacte en arrivant à Esteranza.

— Attendez ! Vous n'allez pas me dire que ce producteur c'est le...

— Mais si. C'est le Diable, ou du moins un de ses représentants, un démon, ou je ne sais quoi, peu importe. Le contenu du contrat est, lui, plus intéressant. Le producteur a promis la vie éternelle à Peggy, ainsi qu'à tous les pensionnaires du domaine. Attention, je ne dis pas « la jeunesse éternelle », mais la vie... rien d'autre. Hélas, en contrepartie, nous sommes tenus de respecter un certain nombre d'engagements. D'abord sa protection ne s'étend pas au-delà des limites de la propriété, ce qui signifie que chaque fois que nous quittons Esteranza, le temps et la vieillesse reprennent leurs droits sur nous. Nous recommençons à vieillir, les maladies qui nous accablaient empirent, se développent, nous rongent. Hors de la parenthèse du domaine, nous ne sommes plus protégés, nous redevenons de simples humains.

— C'est dingue ! dis-je bêtement.

— Je ne prétends pas adhérer à cette fable, insista Morton, mais je sais que certains y croient. Ou plutôt qu'ils veulent y croire de toutes leurs dernières forces. Il en est même qui se prétendent guéris ! Mais cela a un prix. Il faut, pour que le miracle perdure, que le producteur soit content. Que les nouveaux épisodes de la série l'amusent. Car il s'ennuie tout seul dans sa salle de projection. S'il est déçu, il punit les fautifs. Tel acteur est trop mauvais ? Paf ! son contrat est résilié, et le pauvre bougre décède du jour au lendemain. Le décor est jugé trop sommaire, mal foutu ? Bing ! le décorateur avale son extrait de naissance. On n'a pas le droit à l'erreur. Tous les pensionnaires sont embarqués dans la même galère. Ils doivent faire de leur mieux.

— Et Peggy, là-dedans ?

— Elle n'a aucun pouvoir, elle est juste là pour coordonner les choses, décider du recrutement. Le producteur se repose sur elle, mais elle est aussi menacée que tous les autres. Ces dernières années, elle a subi deux crises cardiaques qui auraient normalement dû la tuer. Elle n'a survécu que parce que le producteur en a décidé ainsi. Il aime la série. Il veut que *First Lady* continue. Mais s'il s'en lasse un jour, le pacte sera rompu, et le temps nous présentera la note à payer.

— Qui a inventé une fable aussi stupide ?

— Elle était déjà enracinée à Esteranza avant l'arrivée de Peggy. Penelope Ronnette, la première propriétaire du domaine, se vantait de devoir son succès à un pacte diabolique. Wilcox-Wilcox, le cascadeur qui a racheté la propriété, lorsqu'il était ivre mort, racontait volontiers qu'il ne survivait aux cascades les plus dangereuses que parce qu'il était protégé par un mystérieux « producteur ». Un homme qu'il avait installé chez lui, dans son abri anti-bombardement. La légende s'adapte à chaque propriétaire. Elle est toujours liée au cinéma. Je suppose que Penelope Ronnette a fini par lasser le fameux producteur, comme Wilcox-Wilcox. Leurs contrats ont donc été résiliés. Ils sont morts aussitôt.

— Bien évidemment, personne n'a jamais vu ce démon cinéphile ?

— Selon la rumeur, il viendrait parfois rendre visite à Peggy, pour lui communiquer ses envies, ses remontrances. Sa présence est trahie par l'odeur de son cigare qui évoque le bois des bûchers où l'on brûlait les sorcières. Si vous reniflez ce parfum, c'est qu'il vient juste de sortir de la pièce. Toujours selon la rumeur, Peggy disposerait d'un ascenseur spécial, reliant ses appartements à la salle de projection enfouie dans les entrailles de la colline.

— C'est tout ?

— En gros, oui. Ici, personne ne rigole avec ça. Même les plus incrédules. Moi-même, il ne me viendrait pas à l'idée de la critiquer, je ne tiens pas à être foutu dehors... ou bien à ce qu'on m'étouffe avec un oreiller pendant la nuit.

— Vous pensez que ça pourrait aller jusque-là ? Mais qui se chargerait de l'affaire ?

— Pourquoi pas Peeterson ? Il est cinglé. Vous savez que c'est un ancien prédicateur ? Il a dissous précipitamment son église quand la police a commencé à s'y intéresser d'un peu trop près. Il traîne de sacrées casseroles. Un illuminé. Il aurait pratiqué la prostitution religieuse, comme cela se faisait dans l'Antiquité, pour collecter des fonds. Il mettait des adolescentes sur le trottoir. Je le crois capable de tout. Il aime la discipline, les punitions. Surtout les punitions. Au Moyen Âge, il aurait été exorciste.

— Vous insinuez qu'il a liquidé Stavros et... j'ai oublié son nom... vos deux scénaristes ? Et Wilbur, le décorateur que je remplace... et la femme qui jouait le rôle de la première dame ?

— Pourquoi non ? Au domaine, il est aisé de trucider n'importe qui en toute impunité. Songez un peu : qui va s'étonner que des vieillards usés jusqu'à la trame passent l'arme à gauche, hein ? En outre, nous disposons de notre propre toubib, qui signe sans un froncement de sourcils tous les permis d'inhumer que lui réclame Peeterson. Vous croyez réellement que les flics dressent l'oreille quand on leur annonce qu'un type de soixante-dix-huit ans souffrant de problèmes cardiaques aggravés a rendu le dernier soupir?

Je ne savais que penser. Devant ce genre de fable, quand on est une fille, on redoute toujours d'être victime d'un bizutage. Les hommes adorent nous faire passer pour des idiotes, ça les rassure. Valerie Solanas vous aurait expliqué ça mieux que moi. Je devais garder à l'esprit que ceux qui m'entouraient étaient des professionnels du faux-semblant, de la comédie. Ils avaient exercé ce boulot pendant trente ou quarante ans, ils en possédaient les ficelles. Pour eux, j'étais une proie facile, tellement tentante. Et puis, sans compter qu'une bonne farce, ça vient rompre la monotonie.

— Je suis désolé, soupira Morton, j'ai cassé l'ambiance. Je voulais simplement vous dire de ne pas prendre ça à la légère. C'est sans doute moins innocent que ça n'en a l'air. Depuis un moment je songe à ficher le camp.
— Qu'est-ce qui vous en empêche?
— Ma belle enfant, vous êtes délicieusement naïve. Je ne dispose d'aucun point de chute à l'extérieur et je n'ai pas un sou en poche. Voilà tout.

Nous nous séparâmes un quart d'heure plus tard, l'un et l'autre mal à l'aise. Je regagnai mon studio, lui le sien.
Dès que j'eus poussé la porte du logement je sus que quelqu'un s'y était introduit en mon absence. Il y flottait une odeur âcre de bois brûlé. En m'approchant de la table à dessin je vis des traces de cendre sur mes esquisses. Quelqu'un, le cigare au bec, s'était penché pour les examiner.

7

Je restai un long moment dans mon fauteuil, à fixer la poignée de la porte; m'attendant à ce qu'elle se mette soudain à tourner. J'avais examiné la serrure; son efficacité était plus symbolique que réelle. Le genre de truc qu'on ouvre avec une carte de crédit, comme dans les films. Je ne pouvais m'interdire de songer au « producteur ». Était-ce dans ses habitudes d'émerger des entrailles de la terre à la nuit tombée pour parcourir les couloirs de la résidence? J'imaginai également une poignée de vieux farceurs, regroupés dans la pièce attenante, se bidonnant comme des baleines à l'idée d'avoir foutu la trouille à la « môme ». Et Morton n'était pas celui qui riait le moins.

Il fallait éviter de tomber dans le panneau.

Je décidai de me coucher.

J'étais en train de m'endormir quand le téléphone sonna. Je crus qu'il s'agissait dudit Morton qui revenait à la charge, aussi fus-je surprise en identifiant la voix de Peeterson.

— Je sors à l'instant d'une réunion de coordination, lâcha-t-il d'un ton empreint de nervosité. C'est décidé, on procédera aux premiers essais demain matin. Soyez au maquillage à 5 heures, Conrad veut profiter de la lumière.

— Mais on ne m'a même pas communiqué les dialogues! protestai-je.

— Ne vous en faites pas, ce seront surtout des essais d'éclairage et de champ pour régler les caméras. Vous n'aurez rien à dire. On vous montrera comment bouger dans les marques.

Il raccrocha.

Voilà qui ruinait mes dernières chances de trouver le sommeil!

À l'heure prévue, l'estomac noué, je descendis chez Otto. J'étais moi-même étonnée d'éprouver une telle appréhension. Ma vie n'était pas en jeu, que diable! Pas davantage que ma réputation, puisque je n'étais pas actrice. Je ne me prêtais à cette mascarade que pour faire plaisir à Peggy McFloyd. Mais les confidences de Morton m'avaient malgré tout impressionnée. Certes, je ne croyais pas à Satan, mais il n'était pas impossible que quelqu'un, à Esteranza, se soit attribué une fonction analogue. Il n'y avait pas de démon, mais cela n'excluait pas pour autant la présence d'un psychopathe se croyant tout permis.

Angela et Tracy me sautèrent dessus dès que j'eus passé le seuil du laboratoire. En vingt minutes elles me métamorphosèrent en un clone de Jackie Kennedy, tailleur, gants et tout ce qui s'ensuit. Puis on m'enveloppa dans une blouse pour la séance de maquillage proprement dite, et Otto appliqua le masque sur mon visage. Je dois lui rendre cette justice qu'il ne lambinait pas.

— Il faut faire vite, m'expliqua-t-il, tous les autres vous attendent. Je vous rappelle qu'il est préférable de ne pas rester masquée plus de deux heures. Allez, c'est prêt, filez!

Étourdie, je me laissai guider par Angela qui m'avait pris la main. Pour arranger le tout, je devais porter d'énormes lunettes noires très sixties, si bien que mon champ de vision s'en trouvait limité.

L'équipe se tenait à peu de distance d'un bosquet.

On avait installé, ici et là, des statues en stuc que le vent faisait frissonner. Le président Flower-Hall, en tenue de jardinier, m'attendait, un sécateur dans une main, une rose factice dans l'autre. Je vis qu'il portait un masque à l'effigie de Lawrence Brickstone – surnommé par la critique « le grimacier » –, le premier acteur ayant interprété le personnage.

Un silence pesant planait sur le plateau. Tous les regards étaient fixés sur moi. Mais, bizarrement, dès que j'amorçais un pas en direction de quelqu'un, je voyais celui-ci reculer en hâte, comme s'il fuyait mon approche. Avait-on décidé de me boycotter ? Estimait-on que j'avais volé ce rôle à une actrice dans le besoin, la privant ainsi d'un moyen de subsistance ? J'en conçus de l'irritation. Mince ! Après tout je n'avais pas demandé à figurer dans cette farce de patronage !

Afin de donner plus de poids à la scène, on avait recruté les gorilles officiant d'ordinaire à la grille d'accès. Ils se tenaient en retrait, sur le qui-vive, jouant leur personnage avec conviction.

Angela me guida vers mes marques et me demanda de n'en plus bouger. Le président Flower-Hall marqua un recul instinctif à mon approche. Il agitait son sécateur et sa rose à la façon d'une marionnette du *Muppets show*.

— Eh ! lui chuchotai-je, arrêtez ça, vous allez finir par m'éborgner.

Conrad claqua dans ses paumes, invitant tout le monde à se concentrer. À mon avis c'était inutile, car ils avaient tous l'air prêts à exploser de nervosité. Saisissant un antique posemètre, il s'approcha de nous pour mesurer la lumière et corriger la disposition des panneaux réflecteurs. Il paraissait étrangement gauche.

Je compris soudain qu'ils avaient honte de s'exhiber ainsi accoutrés sous un regard neuf, le regard d'une étrangère qui les jugeait ridicules. Jusqu'à présent, ils avaient tourné entre eux, et la routine des prises de vues avait fini par estomper le côté pathétique de la comédie. Ma présence remettait tout en question. Tels des enfants absorbés dans un jeu, et que surprend l'arrivée inopinée d'un adulte dont la soudaine présence rompt la magie du moment, ils se figeaient, bras ballants, se jetant des coups d'œil égarés. J'étais prête à parier qu'ils pensaient tous la même chose : « Comment ai-je pu tomber si bas ? »

Cela me peina, et je me pris à regretter d'avoir cédé au caprice de Peggy McFloyd. L'absurdité de cette farce confinait au tragique, j'aurais donné n'importe quoi pour être ailleurs.

Mais je n'eus pas le temps d'y réfléchir. Les choses basculèrent en une fraction de seconde. Du coin de l'œil, j'entraperçus une masse, tombant du ciel, et qui menaçait de me percuter en plein visage. Un signal d'alarme retentit dans ma tête, et les réflexes inculqués par mon père jouèrent au quart de tour. Je pivotai sur une hanche, comme un toréador évitant *in extremis* les cornes du taureau. La masse jaunâtre me frôla, m'éclaboussant, avant de s'écraser sur le sol. Dès que ma veste de tailleur se mit à fumer, je compris qu'on venait de me jeter au visage un récipient rempli de vitriol...

Tout le monde, à l'évidence, était arrivé à la même conclusion car le flacon n'avait pas encore touché le sol que comédiens, metteur en scène et techniciens s'étaient débandés comme si un tigre venait de bondir sur le plateau. Pour des vieillards, ils jouissaient d'une capacité de réaction digne d'un membre de la Delta force ! Seul Morton se jeta sur moi pour m'arracher le masque et les vêtements souillés d'acide qui fumaient en répandant une odeur épouvantable. Avant même d'avoir compris ce qui m'arrivait, je me retrouvai en slip et soutien-gorge sur le plateau. Morton m'enveloppa dans un peignoir, et m'entraîna à l'écart. Dans l'herbe, une grosse bouteille de plastique translucide achevait de répandre un liquide huileux qui bouillonnait furieusement, telle la lave d'un minuscule volcan en éruption.

— Retiens ta respiration! me souffla Morton. Le vent est en train de vaporiser cette saloperie autour de nous!

Du coin de l'œil, j'entraperçus les gorilles qui galopaient en direction des arbres, essayant de poursuivre quelqu'un. Hélas, ils étaient vieux, et l'arthrose réduisait leurs performances d'anciens sergents instructeurs de Biloxi. Il me sembla qu'une silhouette habillée d'une combinaison de motard en cuir noir disparaissait dans les fourrés.

Je n'eus pas le temps d'en voir davantage car Morton me poussa dans le bungalow des costumières, en direction de la cabine de douche. Il ouvrit le jet à fond et m'aspergea de la tête aux pieds.

— Ça va aller, répétait-il, ça va aller.

Il me savonna avec une vigueur de garçon de bain turc.

Sous l'effet du savon, des douleurs s'éveillèrent à la hauteur de ma clavicule et de ma hanche gauches.

— Des éclaboussures, commenta Morton, ça ne semble pas grave, l'acide n'a pas eu le temps de creuser la chair. Tu l'as échappé belle.

Je songeai « Merci Papa! », l'entraînement de cinglé auquel il m'avait soumise durant mon adolescence venait une fois de plus de me tirer d'un mauvais pas.

C'est lui, également, qui m'avait tout appris sur le vitriol (*Vitri Oleum*, en latin du Moyen Âge), et cela parce qu'il entrait dans la composition de nombreux explosifs comme le T.N.T. et la fameuse nitroglycérine. Je savais ainsi que cet acide n'existait pas à l'état naturel sur notre planète mais qu'on pouvait en récolter sur Vénus. Sa masse moléculaire est de 98.1, et son niveau de dangerosité de classe 8. Tout en fabriquant des bombes, Papa aimait bien jouer les instituteurs. Il répétait souvent : « Écoute bien, moi ce que je t'apprends, ça te servira vraiment dans la vie. »

Une façon comme une autre d'envisager l'existence.

Je coupai l'arrivée d'eau car Morton était sur le point de me noyer. Je le repoussai. Il se décida à me lâcher et s'empressa de me tendre un peignoir d'éponge rose. Les brûlures m'élançaient au point de me faire serrer les dents.

Je m'enveloppai les cheveux dans une serviette.

— Le masque t'a protégée, murmura Morton. Sans lui tu aurais eu le visage aspergé. J'ai vu les gouttelettes rouler sur ta joue, c'est pour ça que je l'ai arraché.

— Merci, soufflai-je. On peut dire que tu as de sacrés réflexes.

« Ou alors, pensai-je cédant à une bouffée de paranoïa, *tu savais ce qui allait arriver...* »

J'étais sur la défensive, taraudée par le sentiment d'avoir été manipulée. Une foule de détails bizarres me revenait tout à coup à l'esprit : la tension inexplicable qui régnait sur le plateau, les comédiens qui semblaient terrifiés par ma présence et reculaient au fur et à mesure que je m'approchais d'eux...

Me tournant vers Morton, je grondai :

— Merde, foutu salaud ! Vous saviez tous ce qui allait se passer. C'était prévu d'avance. Vous m'avez utilisée comme appât ! J'ai joué le rôle de la chèvre !

J'aurais voulu le gifler mais j'avais trop mal. La douleur devenait insupportable. Je poussai un gémissement.

— Viens, dit-il, je t'emmène chez le toubib, tu ne peux pas rester comme ça.

Je n'étais pas en état de refuser. La souffrance me vrillait la poitrine et la hanche. Je n'osais imaginer ce que j'aurais enduré si l'acide avait traversé le masque.

— Otto a fait pour le mieux, bredouilla Morton. Le masque et les gants étaient conçus pour résister au vitriol pendant deux minutes. C'est aussi pour ça qu'on t'a forcée à porter des lunettes noires. Il fallait protéger tes yeux. Les vêtements étaient doublés d'un film protecteur, mais le vitriol s'est infiltré par le décolleté, ce n'était pas prévu.

— Vous êtes une foutue bande de cinglés! crachai-je.

— Les gorilles devaient intercepter l'agresseur avant qu'il passe à l'action... c'était prévu comme ça. Ces connards se sont laissé surprendre.

Je n'eus pas le temps de l'injurier de nouveau, un homme en blouse blanche porteur d'une sacoche Gladstone venait d'entrer en trombe.

— Ah! Doc, soupira Morton, vous voilà enfin. Elle a été brûlée. Elle souffre.

— Nous allons examiner ça, fit le médecin du ton du gars qui n'en a rien à foutre.

Dans la seconde qui suivit, une seringue jaillit au creux de sa paume. Sans me demander mon avis, il me planta l'aiguille dans la cuisse et pressa le piston.

Je perdis conscience avant d'avoir eu le loisir d'émettre une protestation.

8

Quand j'émergeai des limbes, j'étais couchée sur un lit d'infirmerie, des pansements collés ici et là. Peeterson se tenait à mon chevet, l'air constipé.

— Vous l'avez attrapé, au moins ? lançai-je d'une voix pâteuse.

Il baissa les yeux, penaud.

— Non, avoua-t-il, votre agresseur nous a filé entre les doigts. Les gardes n'ont pas réussi à l'intercepter. Il s'est éclipsé par une brèche de la clôture. Il avait planqué sa moto de l'autre côté, sous une bâche de camouflage.

Je me redressai sur un coude. Sous les bandages, la douleur restait diffuse, grâce aux calmants. Je n'avais pas les idées claires. Ma colère amortie, je découvris que j'étais incapable de lui donner toute la puissance voulue.

— Vous saviez ce qui allait arriver, n'est-ce pas ? me forçai-je à gronder. Foutus salopards ! Vous m'avez exposée en première ligne pour essayer de piéger le vitrioleur... C'était bien ça, votre plan, hein ?

Peeterson s'agita avec gêne.

— Oui, il fallait lui agiter un appât sous le nez... Mais nous étions convaincus d'avoir pris les précautions nécessaires. Otto a renforcé la texture du masque et des gants, même chose en ce qui concerne les vêtements.

On vous avait enveloppée dans une véritable armure. Je vais vous dire les choses franchement : Peggy ne vous a pas choisie au hasard. Nous avons un dossier sur vous, nous connaissons vos… « capacités ». Nous savions que votre père vous a fait subir un entraînement spécial et que vos réflexes joueraient au quart de tour au moment voulu. La rumeur prétend que vous pourriez en remontrer aux gars du SWAT. Et cela s'est vérifié tout à l'heure. Une autre que vous n'aurait rien vu venir, elle aurait pris le bidon de vitriol en pleine figure.

— Vous êtes complètement cinglés ! Vous m'avez fait courir un énorme risque.

— Pourquoi croyez-vous que nous avons loué vos services aussi cher ? Pour dessiner des motifs de papier peint ? Vous plaisantez ! Si vous avez été aussi grassement rétribuée, c'est pour courir des risques.

Il s'énervait. Il avait l'air de juger malséant que j'ose me plaindre. Il se redressa.

— Je préfère que Peggy vous expose elle-même les tenants et les aboutissants de l'affaire, déclara-t-il. C'est un dossier délicat. Habillez-vous, je vous attends dans le couloir. Vos brûlures n'ont aucun caractère de gravité, une petite intervention de chirurgie plastique effacera les cicatrices. Nous réglerons la note.

Il sortit, drapé dans sa dignité. Quand je posai le pied sur le carrelage, j'eus un bref vertige, mais les choses rentrèrent vite dans l'ordre. J'attrapai les vêtements propres posés sur une chaise et entrepris de me vêtir. Je contemplai une seconde la carafe d'eau, trônant sur la table de chevet, me demandant si j'allais m'en saisir pour l'écraser sur le crâne de Peeterson. Je renonçai, cela m'aurait réclamé trop d'effort.

Je le suivis dans l'ascenseur privé qui desservait les appartements de Peggy McFloyd. Cette fois, Peeterson ne franchit pas les limites de l'antichambre.

— Continuez sans moi, marmonna-t-il, il s'agit d'une entrevue secrète entre Peggy et vous. Ce qu'elle vous dira ne devra être répété à personne. Je vous invite à la plus haute discrétion.

Je haussai les épaules. Une erreur de ma part, car le mouvement titilla mes brûlures.

Je poursuivis donc mon chemin toute seule et passai, pour la seconde fois, devant l'horrible chat aux yeux jaunes coincé sous son globe de verre.

En arrivant dans le salon, je fus étonnée de trouver Tracy, l'une de mes deux habilleuses, confortablement installée dans un fauteuil, en train de fumer une Natural American Spirit. Un coffret à cigarettes et un lourd briquet de salon en or massif étaient posés devant elle, non loin d'une bouteille de petrus 1972 à six cents dollars. Je faillis lui lancer : « Angela n'est pas là ? »

Dans mon esprit, elles étaient inséparables, mais je préférais nettement Angela, plus joviale, à Tracy qui restait sur son quant-à-soi.

La vieille dame me décocha un regard moqueur. D'un geste souverain, elle me signifia de prendre place en face d'elle. Je serrai les mâchoires car je venais de comprendre, qu'une fois de plus, j'avais été manipulée.

— D'accord, soupirai-je, je vois ce que c'est. Vous ne vous appelez pas Tracy et vous n'êtes pas costumière. En réalité vous êtes Peggy McFloyd.

— Exact, fit-elle en soufflant un nuage bleu.

— Vous n'avez pas la même voix que lors de notre précédente entrevue, fis-je remarquer, lorsque vous étiez obèse et infirme.

— Je suis une actrice, mon chou, fit-elle avec une pointe de condescendance. Je sais changer de voix et d'apparence selon les rôles que je dois jouer. C'est la base du métier. Vous croyez que Marlene Dietrich parlait dans la vie courante avec la voix de femme fatale qu'elle adoptait dans *L'Ange Bleu* ? Quand on faisait partie du cheptel de Dynamite Langford, notre maître après Dieu, il fallait être capable de changer de rôle au premier claquement de doigts. Ingénue, putain, nonne, espionne perverse... La métamorphose, avec lui, c'était la base du travail.

Je réfrénai la colère qui montait en moi. Je n'appréciais guère d'avoir été à ce point roulée dans la farine.

— Donc vous n'êtes ni obèse, ni infirme?

— Non, simplement vieille. Le reste, c'est un écran de fumée, un déguisement fabriqué par notre cher Otto. Un corps en latex que j'enfile au besoin, quand j'apparais à mon balcon. Il est capital qu'on se fasse une fausse image de moi, il y va de ma survie. Les événements de ce matin en sont la preuve. De temps à autre, Peeterson pousse mon fauteuil roulant à travers les couloirs de la résidence, pour m'exhiber, et je salue mes pensionnaires de loin, comme la reine d'Angleterre dans son carrosse. Personne n'ose m'approcher, on m'ovationne. Ce qui importe c'est que les gens de l'extérieur soient persuadés de ma déchéance physique.

— Vous cherchez à tromper l'ennemi, d'accord... Mais, justement, ce matin, ça n'a pas fonctionné.

— Oui, et j'en suis désolée. Mais l'agresseur est manifestement persuadé qu'en dépit des années je continue à jouer le rôle de la première dame, et que je cache mes rides sous un masque de caoutchouc. Ce n'est pas vous qu'il voulait vitrioler, *c'est moi*. Les subterfuges que j'ai déployés n'ont pas réussi à le convaincre que j'étais obèse, donc incapable de jouer les présidentes, même affublée d'un masque censé me rajeunir.

Je scrutai son visage. Je n'y décelai aucune trace de cicatrice. Elle eut un sourire triste et se caressa la joue du bout de l'index.

— Oh! fit-elle, ne vous fatiguez pas, ça a été très bien réparé, et les années ont fait le reste. Au début c'était plutôt mal parti, c'est vrai, mais les greffes ont fini par prendre. J'ai beaucoup souffert. À cause des analgésiques j'ai développé une accoutumance à la morphine. Quand je suis sortie de la clinique, j'étais en pleine addiction. Il a fallu me désintoxiquer. Ça a été une sale période. Je n'ai pas envie d'en parler. Il m'arrive encore d'en rêver la nuit. Les cicatrices rétractiles ont disparu, les rides les ont remplacées, et les taches de vieillesse. Difficile aujourd'hui de reconnaître en moi l'ex-petite fiancée de l'Amérique, n'est-ce pas? La « frimousse » tant célébrée par *Variety* n'est plus qu'un lointain souvenir.

— Pourquoi jouez-vous les habilleuses?

— Parce que la claustration me rendait dingue. Il me fallait sortir, me mêler aux autres, avoir une activité... J'ai imaginé de devenir Tracy, une vieille costumière qui pourrait bavarder d'égale à égale avec sa copine Angela. Je ne voulais plus qu'on me vénère, qu'on me baise les mains. Un jour, j'ai lu un conte arabe où il était question d'un sultan qui se déguise en savetier pour se mêler au peuple et savoir ce qu'on pense réellement de lui. Ça m'a donné l'idée de l'imiter.

Elle se contenta d'exhaler de la fumée pendant une minute, comme si elle essayait d'ordonner ses pensées. Avec ses cheveux gris, raides, sa blouse blanche de costumière, elle paraissait déplacée dans ce décor au luxe imposant. On eût dit une femme de ménage qui profite de sa pause pour griller une cigarette.

— Le coup de folie de Rhonda Bozman, dit-elle en se touchant une nouvelle fois la joue, a été tout à la fois un terrible malheur et une chance inouïe. Une sorte de farce du destin. Il s'est produit à une époque où ma carrière battait de l'aile. J'allais sur mes trente-six ans. En ce temps-là, c'était déjà le grand âge pour une actrice spécialisée dans les rôles d'ingénue. Le public se détachait de moi, on ricanait. Les gens ont de l'indulgence pour une jolie cruche de dix-huit ans, mais à près de quarante ans on passe pour une foutue connasse. Le drame a changé leur façon de voir. Ils ont commencé par me plaindre, puis je suis devenue une sorte d'héroïne triomphant de l'adversité. Une icône, comme on dit aujourd'hui. À ma sortie de clinique, les producteurs se sont rués chez moi, des contrats plein les poches. Désormais il n'était plus question de me fourguer des rôles de cruche, j'étais considérée comme une sorte d'Ava Gardner dans *La Comtesse aux pieds nus*. On me proposait des emplois de tragédienne, de femme marquée par le destin, mais triomphant finalement de l'adversité.

Elle éclata d'un rire amer et s'écria :

— Vous savez ce que ces salauds de producteurs ont eu le culot de me proposer ?

— Non.

— Ils trouvaient que mes brûlures avaient été trop bien « réparées », et qu'il aurait été beaucoup plus commercial d'en laisser apparaître des séquelles. De menues cicatrices rappelant le drame. Ils disaient : « Ça ne pourrait qu'émouvoir le public, vous savez ! Ce serait bon pour vous ! » Ils avaient même convoqué un maquilleur spécialiste des films d'épouvante pour procéder à un essai. Je lui ai jeté ses fards au visage en le traitant de tous les noms. Le pauvre gars bredouillait : « Mais j'ai maquillé Boris Karloff, madame... » Vous réalisez ? Ils voulaient faire croire que les greffes se dégradaient, tout cela pour flatter le voyeurisme des spectateurs. Ce sont les studios qui ont alimenté la rumeur selon laquelle j'étais en train de me changer en fiancée de Frankenstein. Foutus salauds ! Prêts à tout pour engranger davantage de fric. Même Dynamite Langford n'était pas aussi avide ! Et pourtant, je puis vous assurer qu'il aimait le fric. Il lui en fallait pour entretenir son petit ami, Lawrence Brickstone, le roi de la grimace, le plus mauvais comédien à avoir interprété le rôle du président Flower-Hall.

La cigarette tremblait entre ses doigts. Elle l'écrasa rageusement dans le cendrier de cristal.

— Excusez-moi, fit-elle en se reprenant. Je suis une vieille dame, je radote, je m'égare. Vous n'êtes pas là pour écouter mes jérémiades.

Elle inspira une grande goulée d'air et feuilleta une liasse de pages dactylographiées empilées près du coffret à cigarettes.

— Je sais qui vous êtes, dit-elle d'une voix apaisée. Le métier de décoratrice n'est qu'une couverture. Vous avez été mêlée à des affaires troubles, qui ont été en grande partie étouffées. D'abord cette histoire d'abri atomique dans le désert; ensuite ce massacre au Montana, ce truc bizarre à propos d'une mine engloutie... Vous avez d'extraordinaires capacités de survie. J'ai besoin de quelqu'un qui agisse en marge des lois, dans le plus grand secret, et qui soit d'une loyauté absolue... Une sorte de ninja, si vous préférez. Je n'ai aucune confiance dans les détectives; la plupart sont d'anciens flics qui ne connaissent que la routine, or dans le cas qui nous occupe, ce type d'investigation ne mènerait à rien.

Je m'agitai sur ma chaise, qui était dure et me meurtrissait les fesses.

— Si vous en veniez au fait? proposai-je insolemment. Pour le moment, j'ai surtout envie de vous flanquer ma démission et de déchirer votre chèque. Voyons si vous arrivez à me faire changer d'avis.

Je sentis qu'elle se crispait. Sans doute n'avait-elle pas l'habitude qu'on lui parle ainsi.

— Je suis menacée, dit-elle d'une voix sourde. Depuis deux ans quelqu'un a juré (je cite) de « réussir là où Rhonda Bozman a échoué », c'est-à-dire de me vitrioler. J'ai commencé à recevoir des colis, des lettres. Les colis contenaient des bustes en terre cuite représentant mon visage détruit, les lettres étaient bourrées de photographies prises à l'époque où j'étais à la clinique. Sans doute l'expéditeur les a-t-il volées dans les archives du centre chirurgical... Tout cela était accompagné de message, du style : « Prépare-toi, voilà ce qui t'attend. Tu dois payer pour tes crimes. » Au début nous n'y avons pas réellement prêté attention. Peeterson a relevé le niveau de sécurité du domaine, demandé aux gardes

155

de se montrer plus vigilants, voilà tout. Les acteurs ont l'habitude de recevoir des lettres de cinglés, obscènes ou menaçantes. J'ai bien connu ça. Je m'estimais en sécurité, ici... et puis, un matin, on a découvert des graffitis sur la façade. Des inscriptions qui reprenaient les menaces des lettres anonymes : « Prépare-toi ! »... Certaines statues du parc avaient été aspergées d'acide pendant la nuit, elles n'avaient plus de visage. Là, j'ai commencé à avoir peur. Cela signifiait que mon agresseur potentiel avait pu franchir sans difficulté la clôture de la propriété et se promener sous mes fenêtres.

— Vous ne disposez d'aucun système d'alarme ?

— Si, mais le domaine est vaste, il couvre toute la colline. En outre, il est coupé de ravines, et on dit qu'on peut y accéder en empruntant les tunnels creusés par les prospecteurs au temps de la Ruée vers l'or. Au début, les gardes sortaient dix fois par nuit, à cause des coyotes qui pullulent dans la région et qui ne cessent de forcer la clôture. C'est la raison pour laquelle on a fini par débrancher les sirènes qui réveillaient tout le monde. C'était invivable. Ce n'est pas Fort Knox, ici. Vous savez bien qu'il est presque impossible d'assurer la sécurité d'une propriété aussi vaste, cela nécessiterait une armée, des patrouilles incessantes. Je ne suis pas assez riche pour ça.

— Avez-vous une idée quant à l'identité éventuelle de celui qui vous menace ? Pourquoi pas Rhonda Bozman ?

Peggy prit le temps d'allumer une nouvelle cigarette.

— Non pas elle, répondit-elle d'un ton ferme. Depuis quarante ans je lui verse une rente mensuelle pour qu'elle me laisse en paix. Une rente plutôt coquette et qui finira par me ruiner. Pour elle, je suis la poule aux œufs d'or, elle n'aurait aucun intérêt à remettre ça.

— Elle vous fait chanter ? insistai-je.

Peggy haussa les épaules.

— Disons que nous sommes parvenues à un arrangement. J'ai fini par céder – trop tard hélas ! – à son petit racket.

Ainsi Paddy avait vu juste! Le féminisme n'avait été qu'un prétexte pour Rhonda. Il avait toujours été question d'extorsion de fonds, et de rien d'autre.

— Il y a quarante ans, elle vous menaçait déjà, n'est-ce pas? insistai-je. Elle vous a défigurée parce que vous refusiez de payer et qu'il fallait faire un exemple.

— Oui. J'ai été idiote, je l'avoue. D'autant plus qu'elle ne réclamait pas une fortune. J'aurais pu faire passer ça dans les frais généraux, mais je me suis entêtée. Et puis je n'y croyais pas, c'était trop mélodramatique. À ma décharge, je dois dire que j'avais déjà reçu d'autres menaces similaires restées sans suite. J'ai eu tort, je l'ai appris à mes dépens.

— Quand vous êtes allée la voir en prison, c'était pour lui dire que vous acceptiez de payer?

— Oui. J'ai compris que c'était une vraie sociopathe. Elle se foutait du féminisme comme de sa première culotte, ce n'était qu'un prétexte pour se faire mousser. La presse a donné dans le panneau, comme toujours. Je me rappelle qu'au parloir, elle m'a dit : « Je suis moche, je suis grosse, tout le monde me déteste, alors je n'ai rien à perdre. Faut que vous pigiez ça, si vous ne payez pas, je recommencerai, je déteste les filles comme vous. »

Sa voix avait chevroté à ce souvenir.

— Alors j'ai payé, murmura-t-elle. Je continue à payer. Elle m'envoie régulièrement ses factures. Elle conserve son travail au magasin de moquette, mais ce n'est qu'un boulot à mi-temps, une façade destinée à berner les gens du fisc. Pendant son temps libre, elle mène la grande vie. J'espérais que ses excès de nourriture la tueraient, mais elle est incroyablement résistante, la garce!

— Si ce n'est pas elle, qui alors? Soupçonnez-vous quelqu'un en particulier?

— Non... ce qui m'inquiète c'est que cette fois on ne m'a pas réclamé d'argent. Cela ferait plutôt penser à une affaire de jalousie, de haine... Une vengeance tardive.

— Pourquoi une vengeance? Et pourquoi tardive?

Peggy McFloyd caressa une fois de plus sa joue reconstituée. Elle n'avait manifestement pas conscience de ce tic contracté après sa sortie de clinique. Sans doute y sacrifiait-elle cent fois par jour, à son insu.

— On ne fait pas carrière dans l'industrie du spectacle sans s'attirer mille jalousies, soupira-t-elle. Des tas de gens que vous ne connaissez même pas vous détestent. Au premier rang, on trouve toutes les filles qui ont participé aux mêmes castings que vous, mais ont été éliminées alors qu'on vous a sélectionnée. Généralement, elles vous en veulent jusqu'à leur dernier soupir. Elles rêvent de se venger. Parfois elles passent à l'action, parfois aussi, elles n'en ont pas l'occasion. Dans le cas présent, je me dis qu'il se pourrait que...

Elle hésita. Je la pressai de poursuivre.

— Je me demande si, parmi les pensionnaires du domaine, il ne se trouverait pas, par hasard, quelqu'un qui me déteste assez pour souhaiter se venger. Vous comprenez? *Il est peut-être déjà parmi nous!* Il s'est arrangé pour faire partie de notre petite troupe... et nous n'en savons rien.

Ça n'avait rien d'impossible. Je le lui dis. Elle grimaça.

— Vous rappelez-vous avoir lésé l'un de vos pensionnaires? insistai-je. Après tout, vous avez travaillé avec la plupart d'entre eux sur la série.

Elle écrasa sa deuxième cigarette.

— Je n'en sais rien, fit-elle sèchement. C'est possible. Sur un plateau, tout le monde est à cran, alors on s'engueule, on dit des choses qui dépassent votre pensée. J'ai dû m'en prendre à des maquilleuses, des costumières, des techniciens... J'ai peut-être humilié quelqu'un d'hypersensible... l'un de ces écorchés vifs qui vous font une dépression nerveuse à la moindre remontrance.

— Ou encore vous lui avez fait perdre son boulot, ajoutai-je.

— Possible. Allez savoir ! C'est si vieux.

— En tout cas, ça représente beaucoup de suspects. Vous hébergez une cinquantaine de personnes, non ?

— Je crois. C'est Peeterson qui s'occupe de ça.

Je pris le temps de réfléchir.

— Je pense à un truc, fis-je. Si je comprends bien, jusqu'à une date récente c'est vous qui interprétiez le rôle de la première dame dans les tournages de Conrad ?

— Oui. Une coquetterie idiote, mais qui me donnait l'illusion d'être encore vivante. J'enfilais le masque et, comme par magie, j'avais de nouveau vingt ans. Ça me grisait.

— Otto et Conrad connaissent-ils votre véritable identité ?

— Non. Pour eux je suis Tracy. Une ancienne actrice devenue habilleuse. Il n'y a que Peeterson qui sache qui je suis réellement... et vous, à présent. Pour les autres je suis la vieille Tracy. J'ai joué la première dame un moment, puis j'ai renoncé sous le prétexte officiel que Peggy McFloyd me jugeait mauvaise. Alors j'ai été remplacée par une autre.

— Quand avez-vous décidé de passer le relais à quelqu'un d'autre ?

— Quand les menaces se sont précisées. J'ai pris peur. Peeterson m'a conseillé de ne pas m'exposer plus longtemps. Il craignait que le « vitrioleur » ne s'en prenne symboliquement à la première dame pour prouver qu'il ne plaisantait pas. Et puis, il est possible que ce type soit fou, et qu'il n'ait toujours pas compris que les acteurs jouent masqués. Il s'imagine peut-être que c'est la vraie Peggy McFloyd qui tient le rôle-titre. Une Peggy McFloyd dont la jeunesse a été préservée grâce à la chirurgie esthétique. Tout est possible dès lors qu'on a affaire à un cinglé.

— Bref, d'autres actrices ont repris le rôle sous le masque. Combien ?

— Trois. Nous avions renforcé la sécurité sur le plateau, c'était une erreur. Il y a eu des fuites. Très vite, une rumeur d'attentat a commencé à circuler. Les pensionnaires chuchotaient que Rhonda Bozman se préparait à récidiver. La femme qui jouait la première dame a donné sa démission, elle a quitté le domaine pour s'en retourner chez sa fille. La seconde actrice n'a tenu que trois épisodes. Elle a viré hystérique et piqué une crise de nerfs. Elle s'est débinée elle aussi. La troisième, la mère Delgado, était si stressée qu'elle a succombé à une crise cardiaque en plein tournage. Pour éviter la panique générale, Conrad a raconté qu'elle avait été victime d'un coma diabétique. Après ça, plus personne n'a voulu du rôle. Nous avons commencé à prendre du retard sur le planning.

— Qui a eu l'idée de ce traquenard en plein air ? sifflai-je.

Son regard devint fuyant.

— Peeterson, avoua-t-elle enfin, mais ça partait d'une bonne idée. Le but c'était, en s'exhibant au beau milieu du parc, d'attirer le vitrioleur dans un piège. Nous pensions qu'il sauterait sur l'occasion pour passer à l'action. Peeterson m'a affirmé que les gardes le plaqueraient au sol dès qu'il commettrait l'erreur de pointer le bout de son nez.

— J'ai vu ça ! ricanai-je. Quelle efficacité !

— Nous vous devons tous des excuses, je le concède, grogna Peggy. Ce type est plus fort que prévu. En outre, il ne s'est pas approché du plateau, il a projeté le récipient d'acide au moyen d'une espèce de fronde. Le temps que nos gardes réagissent, il avait déjà une avance considérable.

— Il est évident que Rhonda Bozman n'aurait pu

galoper à cette vitesse, marmonnai-je avant d'ajouter :
Morton Clark était-il au courant de ce traquenard ?

— Nous l'en avons informé à la dernière minute,
murmura la vieille femme. Il n'a guère apprécié qu'on
vous fasse courir un tel risque. C'est un bon auteur
mais il n'a pas l'esprit « maison ». Je ne suis pas certaine
qu'il reste avec nous très longtemps. En ce qui vous
concerne, il a fait un foin de tous les diables. Peeterson
a eu beaucoup de mal à lui faire entendre raison. Vous
avez là un vrai chevalier servant, ma chère.

Il y avait de l'aigreur dans la remarque.

Je me levai.

— Bon, fis-je, j'en sais assez pour l'instant. J'aurai
besoin de voir les lettres de menace et les statues.

— Vous acceptez de vous charger de l'affaire ? haleta
Peggy McFloyd, pleine d'espoir.

— Je dois encore réfléchir, lâchai-je en lui tournant
le dos. Pour le moment, à part Rhonda, vous ne me
proposez aucune piste valable.

J'étais assez satisfaite de la faire lanterner. Dans
l'antichambre je retrouvai Peeterson qui m'ouvrit la
porte de la cabine sans proférer un mot. Une fois dans
l'ascenseur, je fus assaillie par un doute soudain :

*Comment pouvais-je être certaine d'avoir rencontré la
vraie Peggy McFloyd ?*

N'avais-je pas plutôt discuté avec Tracy, l'habilleuse,
jouant le rôle de Peggy ? Je devais garder présent à l'esprit que j'avais affaire à des comédiens ! Je ne pouvais
me fier à aucun d'entre eux.

Arrivée au rez-de-chaussée, j'exigeai de Peeterson
qu'il me montre les fameuses pièces à conviction. Il
obtempéra à regret et me conduisit dans une pièce sans
fenêtre que défendait une porte blindée à combinaison.

— Les archives d'Esteranza, dit-il en manière d'explication.

Sur une table métallique, il vida le contenu d'un

tiroir d'acier. Les photographies s'éparpillèrent. Leur contraste, trop élevé, prouvait qu'il s'agissait de copies d'originaux. Elles étaient atroces, constellées d'annotations médicales mystérieuses. Les ravages causés par le vitriol étaient indéniables, ils s'étendaient du menton à la tempe gauche. Au dos de chaque épreuve de courtes phrases s'étalaient, tracées au feutre rouge :

Ça se rapproche !
Prépare-toi !
Comment aimes-tu ta viande ? Bien cuite ?
Salope ! Tu vas payer !

Et ainsi de suite.

Sur le seul cliché qui présentait Peggy de face, elle avait les yeux clos parce qu'on l'avait placée sous sédatif. Le contraste entre la moitié intacte de son visage et celle ravagée par l'acide sulfurique donnait la nausée.

— D'où sortent ces photos ? demandai-je.

— Des archives du docteur Olcroft, répondit Peeterson. Le médecin qui s'est occupé de Peggy après l'attentat. Il est mort depuis des années, c'était un génie de la chirurgie plastique. Il avait entièrement refait le visage d'un célèbre coureur automobile de l'époque.

— Sa clinique existe encore ?

— Non, à sa mort les locaux ont été achetés par une chaîne de fitness. Je suppose que les archives ont été détruites.

— Pas toutes, visiblement. Quelqu'un s'est servi dans les dossiers. Quelqu'un qui est en possession des originaux... ces épreuves ne sont que des copies. Ça se devine au grain, aux noirs trop noirs, aux blancs trop blancs.

Ouvrant un placard, Peeterson me fit ensuite voir les bustes vandalisés. Il y en avait trois, en pierre calcaire. L'acide n'en avait fait qu'une bouchée. Les faces rongées étaient hideuses.

— Ces bustes représentaient Peggy, commenta Peeterson. Des cadeaux émanant d'un club de fans.

Comme on ne savait qu'en faire, on les avait dispersés dans le parc.

Je le remerciai et le plantai là pour aller m'aérer dans le parc. La tête me tournait et je n'avais pas les idées claires. Je vis qu'on avait démonté le plateau de tournage et rentré les caméras. Seule demeurait, sur la pelouse, la tache pelée dessinée par le vitriol s'écoulant du récipient.

J'eus un frisson.

Il s'en était fallu d'un poil.

Désireuse de faire les choses à fond, je marchai jusqu'à la clôture. Une vraie passoire. Les séismes, si fréquents à L.A., l'avaient disloquée, ouvrant des brèches tous les cinquante mètres. Il n'était guère compliqué de s'y glisser. Du poil de coyote s'accrochait au fil de fer.

Abrutie par les calmants, je décidai de rentrer à la résidence. On verrait ça demain.

9

Le lendemain, lorsque je débarquai au réfectoire, j'y trouvai Morton attablé devant une tasse de café froid. Visiblement, il m'attendait depuis le lever du soleil. À peine fus-je assise qu'il se mit à parler en avalant les syllabes. Il clama son innocence, m'assurant qu'on ne l'avait informé qu'à l'ultime seconde, alors qu'il était déjà trop tard, et que les sbires de Peeterson l'avaient empêché d'accéder au plateau pour me prévenir.

Ça n'avait rien d'improbable, mais j'avais décidé de me méfier de tout le monde, appliquant en cette occasion l'un des principes fondamentaux enseignés par mon père. En outre, Morton Clark était trop séduisant pour qu'on lui fasse crédit les yeux fermés. On devinait sans mal, qu'au cours de sa carrière, il avait beaucoup misé sur son regard bleu glacier et son sourire pour s'élever dans la hiérarchie des studios.

— Avez-vous vu l'agresseur ? demandai-je.

Il esquissa un geste d'embarras.

— Oui et non, soupira-t-il. Il se déplaçait à contre-jour. Je l'ai repéré quand il a émergé du buisson où il se tenait caché. Il a ramené le bras en arrière, dans la position classique du lanceur de grenade... Tout de suite après il a tourné les talons et s'est mis à courir vers la clôture du parc. Je conserve l'image d'un type vêtu d'une combinaison noire en latex, un casque de motard sur la tête, visière rabattue. L'uniforme idéal pour se protéger d'éventuelles éclaboussures acides.

— Il se déplaçait comment? Je veux dire : avait-il l'air jeune?

— Je ne sais pas. Dès que j'ai compris ce qui se passait, je me suis précipité vers vous... Pour vous répondre, oui, il m'a semblé qu'il se déplaçait vite. Mais ça ne veut rien dire, je connais un ancien sergent des marines qui, à soixante-cinq ans, vous battrait à la course. Certains vieillards sont dans une forme exceptionnelle. N'oubliez pas que nous sommes en Californie, le pays de l'éternelle jeunesse.

— Cela ne m'avance pas à grand-chose, maugréai-je. De toute façon, il est possible de décupler ses performances physiques en ayant recours à la « xeu »; les soldats des commandos le savent bien.

— À la quoi? glapit Morton.

— La « xeu »... la MDA? Ça ne vous dit rien? Dans la série *Les Experts*, je suppose qu'on dirait la 1-(1,3-benzodioxol-5-yl)-N-methylpropan-2-amine... Ou encore 3,4-methylenedioxymethamphetamine.

— Ah! oui, *ça*... Vous voyez, quand vous vous donnez la peine de parler clairement je comprends tout.

Le seul embryon de piste dont je disposais se résumait en un mot : Rhonda. Quelqu'un avait décidé de l'imiter. Un *copycat*, comme disent les flics dans les séries télé. Quelqu'un l'avait prise pour modèle, pour mentor, ignorant qu'en réalité elle n'avait jamais eu d'autre intention que de pratiquer sur ses proies un chantage à la beauté.

Je décidai d'exposer mon plan de bataille à Morton.

— Je vais aller la voir, dis-je. Vous m'accompagnerez, j'ai besoin d'un assistant pour surveiller mes arrières. Il est possible que Rhonda Bozman ait été contactée par notre agresseur. C'est un fait avéré : les imitateurs essayent toujours d'entrer en contact avec leur idole, pour être adoubés. Il lui a sans doute écrit, téléphoné. Il a dû lui tourner autour. À mon avis, elle l'a éconduit, mais elle sait peut-être quelque chose d'utile sur lui. L'immatriculation de sa moto, ou je ne sais quoi…

Morton hocha la tête, il semblait excité à l'idée d'avoir un bon prétexte pour échapper à l'enfer feutré d'Esteranza.

Une demi-heure plus tard j'entrai dans le bungalow des habilleuses pour récupérer mes vêtements « civils », car il était hors de question que je débarque *downtown* déguisée en *sorcière bien-aimée*. Angela et Tracy m'accueillirent chaleureusement et se firent un devoir de me satisfaire. Je ne pus détecter aucune expression de connivence dans le regard de Tracy. Elle semblait être devenue quelqu'un d'autre. Je lui tirais mon chapeau, c'était une rude comédienne.

Ayant récupéré les clefs de ma voiture, je pressai Morton de me rejoindre. Il ne s'était pas changé, mais sa chemise et son jean entrant dans la catégorie des vêtements intemporels, il ne risquait pas d'attiser la curiosité des foules.

Dès que nous fûmes sortis du domaine, il s'écria :

— Vous ne pouvez pas savoir combien ça me fait plaisir de retourner à la civilisation !

« La civilisation »… il avait de ces expressions ! On voyait bien qu'il vivait à l'écart de L.A. depuis longtemps.

Tandis que nous serpentions à travers les montagnes de Santa Monica, j'en profitai pour l'interroger au sujet des dégradations commises dans les jardins de la propriété. Avait-il vu les graffitis, les statues défigurées ?

— Oui, répondit-il. Tout le monde les a vus, même si Peeterson s'est empressé de les cacher. Les bustes vitriolés ont fait mauvaise impression. C'étaient des modelages en terre cuite, peu ressemblants, soit, mais on savait qu'ils représentaient Peggy. Ça avait quelque chose de maléfique, vous voyez? La menace était évidente. C'était l'annonce d'une catastrophe imminente. Un augure néfaste.

— Les pensionnaires étaient inquiets?

— Pire que ça, terrifiés. Ils savent tous qu'à la mort de Peggy le domaine sera vendu, qu'on les chassera. À son âge, et dans son état de santé, Peggy ne supporterait pas une nouvelle intervention chirurgicale. Tout le monde s'est mis à paniquer. Les vieux perdent vite les pédales, vous savez. Ils se font une montagne d'un rien, alors ça...

— Et vous, ça vous a inquiété?

— Moi, je suis *persona non grata* au domaine, je ne nourris aucune illusion. Je sais qu'on finira par me virer. Je suis trop individualiste, trop critique, pas assez déférent, et surtout, je ne tiens pas Peggy McFloyd pour la huitième merveille du monde. Ça, c'est impardonnable. Il y a longtemps que je me suis habitué à l'idée de quitter Esteranza. Pour couronner le tout, notre ancien imprésario, Dynamite Langford, ne m'aimait pas beaucoup. C'est une tache infamante dans mon dossier. Je suis le mouton noir de la famille.

Comme nous prenions la direction du Watts, je réalisai que j'éprouvais une certaine nervosité à l'idée de rencontrer Rhonda Bozman. Le seul moyen de pression dont je disposais pour la contraindre à collaborer consistait en une éventuelle dénonciation à l'IRS. Si les agents du fisc mettaient leur gros nez dans ses affaires, elle irait au-devant d'ennuis considérables. Mais elle avait probablement prévu cela, et je la sentais capable d'incendier sa maison pour faire disparaître en un clin d'œil les preuves de ses combines.

Durant le reste du trajet, Morton me posa mille questions pour tenter de se faire une image de cette redoutable bonne femme.

— On va passer au magasin de moquette, décidai-je.

En public elle sera forcée de se tenir, on risque moins qu'elle nous saute à la gorge. Avec sa carrure de catcheuse, elle nous aplatirait sans difficulté. À part un fusil à éléphant chargé à la 600 Nitro Express, je ne vois pas ce qui pourrait l'arrêter.

Je me garai sur le parking pouilleux du magasin d'usine. Le gardien, affublé d'un tricot de corps douteux, patrouillait, une batte de base-ball coincée sous l'aisselle gauche.

— Ouah! fit Morton d'une voix étranglée. J'avais oublié que des endroits pareils existaient. Je ferais bien de me remettre à niveau car je pourrais, sous peu, me retrouver en train de faire le même boulot que ce gars.

Je faillis rétorquer : « Vous n'êtes ni assez costaud ni assez méchant pour ça! » mais ç'aurait été cruel.

Nous entrâmes dans le magasin. Rhonda n'était pas là. Je me rappelai qu'elle travaillait à mi-temps. Son collègue – le garçon speedé qui m'avait abordée lors de ma première visite – vint à ma rencontre.

— Je vous reconnais! lança-t-il d'un ton qui laissait supposer que nous nous trouvions à bord du *Titanic* et qu'un iceberg se dessinait à l'horizon. Vous cherchez Rhonda?

J'acquiesçai.

— Elle est pas venue, balbutia-t-il. Y a deux jours qu'elle vient pas. Elle a pas téléphoné, le patron est pas content. C'est un ancien taulard, comme nous tous. Il nous mène à la dure.

Sans doute s'imaginait-il que je représentais les services sociaux ou l'inspection du travail.

— Quand l'avez-vous vue pour la dernière fois? demandai-je.

— Il y a trois jours. Je m'en rappelle bien parce que c'est la fois où elle s'est engueulée avec son neveu, sur le parking.

— Son neveu?

— Ouais. Enfin c'est ce qu'elle m'a dit. Un type en combinaison de motard, le casque sur la tête. Il pilotait une vieille Harley. Une Panhead FLH Glide 1200 de 1955. Une bécane qui à l'argus, vaut dans les vingt mille dollars. Mais mal entretenue, une vraie misère! À coup sûr le gars n'est pas inscrit au H.O.G. et il ne doit pas exhiber sa machine à Sturgis ou au Daytona Bike Week. Un vrai vandale, quoi! Ça devrait pas être permis. C'est une insulte à la beauté! Une bécane comme ça, c'est un trésor national!

Il devenait véhément.

— Son neveu, répétai-je. Vous connaissez son nom?

— Rhonda, c'est pas le genre à raconter sa vie! Elle était en rogne, ça, c'est sûr. Mais ça chauffait dur sur le parking. Le gars s'est emporté, il a gueulé d'une voix grave, couverte; une voix de gros fumeur. À un moment, il l'a même empoignée par sa blouse. Ici, personne oserait un truc pareil. Rhonda serait capable de le balafrer au cutter! Ça l'a contrariée, ce truc. Probable que le mec lui réclamait du fric, je sais pas. Elle l'a chassé, il a tourné les talons. Il lui a adressé un drôle de geste.

— Quel genre de geste? Obscène?

— Non... il a fait un truc avec sa main à la hauteur de son visage, comme s'il se débarbouillait... vous voyez? Comme s'il effaçait quelque chose. J'ai pas trop pigé.

Je l'interrogeai encore pendant deux minutes mais il ne savait rien. La moto mal entretenue avait focalisé son attention. Nous battîmes en retraite. Sur le parking, nous tentâmes d'interroger le gardien en stimulant sa mémoire au moyen de quelques dollars. Lui aussi se rappelait la Panhead de 55 car il avait été membre, dans sa jeunesse, d'un groupe de bikers. Le manque de soin apporté à la machine l'avait révolté. «Les jeunes, grogna-t-il, ça n'a aucun respect. Ils ne savent pas ce qui est beau!»

Il ne nous restait plus qu'à nous propulser au

domicile de Rhonda Bozman, et cela ne m'enthousiasmait guère. Les choses risquaient de s'envenimer dès qu'elle comprendrait que je n'étais plus dupe de son numéro de pécheresse repentie.

Il faisait chaud et le smog installait son brouillard jaunâtre sur la ville. Nous longeâmes la rue pour gagner la masure de la « vitrioleuse ».

— Mince! souffla Morton en apercevant la bâtisse, c'est la maison de Norman Bates, non? On a dû la récupérer sur le plateau de *Psychose*!

Je poussai la barrière et posai le pied dans le jardin encombré de détritus. Aucune ombre ne se dessina derrière les fenêtres du rez-de-chaussée.

Un chat squelettique s'enfuit à notre approche. Au cours d'une bagarre de rue, il avait été amputé d'une oreille.

À peine eus-je effleuré la porte d'entrée qu'elle s'entrebâilla. Je reculai. Dans ce genre de quartier, ce n'est jamais bon signe. Morton grimaça et se pencha pour ramasser, à tout hasard, une barre de fer rouillée qui traînait sur le sol.

Je poussai le battant avec la pointe de ma chaussure. L'odeur nous sauta au visage. Rhonda Bozman gisait sur le dos, au milieu de cette salle aux allures monastiques qu'elle feignait d'habiter. Le manche en bambou d'un *yanagiba* (couteau à sushi) de trente-cinq centimètres dépassait de son sein gauche. Le sang avait caillé sous son corps, en grande flaque noire.

— Qu'est-ce qu'on fait? s'enquit Morton. On se tire? On appelle les flics?

— Non, grognai-je, pas les flics. On entre, on jette un coup d'œil, puis on s'évapore après avoir effacé nos empreintes.

— Et si quelqu'un nous a vus?

— Dans ce quartier tout le monde est aveugle, par définition. Chacun s'occupe de ses affaires.

Morton hocha la tête. Curieusement, il ne semblait pas aussi déstabilisé qu'on aurait pu s'y attendre.

— Ne vous en faites pas, murmura-t-il, ça ira. Ce n'est pas la première fois que je découvre un cadavre. Si vous saviez le nombre de starlettes que j'ai trouvées mortes d'overdose au cours de ma carrière...

Je franchis prudemment le seuil de la salle. La chaleur ayant accéléré la putréfaction, l'odeur était insupportable. En m'approchant du corps, je vis que Rhonda n'avait plus de visage. *On l'avait vitriolée.* L'acide sulfurique avait rongé peau et muscles avant de s'attaquer aux os du crâne. Le H_2SO_4 adore les matières organiques. Même les dents avaient fondu. Celle qui avait été Rhonda Bozman reposait, les bras en croix, les jambes écartées, masse inerte aux allures d'éléphant mort.

— Elle ne s'est pas défendue, observa Morton. Il n'y a pas de traces de lutte ; aucune griffure sur les mains ou les bras... J'ai appris ça d'un ancien flic, alors que j'écrivais des séries policières particulièrement idiotes.

— Vous êtes mignon mais vous retardez, soupirai-je. Aujourd'hui, même les gosses de six ans savent ça. Ils apprennent à parler en regardant *Les Experts*, il y en a même pour estimer que Grissom est leur véritable papa.

Je pris soin de ne toucher à rien. Je réalisai soudain que la porte, au sommet de l'escalier intérieur, était ouverte. Je posai le pied sur la première marche, m'attendant à ce qu'elle s'effrite sous ma semelle, mais les termites n'avaient existé que dans les mensonges de Rhonda. Le bois était sain. Je grimpai lentement et m'immobilisai sur le palier, stupéfaite.

Là, commençait un autre monde qui n'avait plus rien à voir avec le dénuement et la décrépitude du rez-de-chaussée. Tout n'était, comme dit le poète, qu'harmonie, luxe et volupté. On se serait cru chez un *trader* pour qui la Bourse se serait montrée généreuse. Canapés et fauteuils en cuir d'autruche, téléviseur de trois mètres sur deux, bar garni d'alcools haut de gamme... Couvert d'étagères en loupe d'orme, l'un des murs supportait une collection d'environ trois mille DVD. Des comédies sentimentales pour la plupart, le péché mignon de Rhonda. Une boîte de chocolats traînait sur la table basse, ainsi qu'un verre de vin dont le contenu avait commencé à s'évaporer. L'assassin n'avait rien dérangé, rien volé. Il était venu tuer Rhonda et avait tourné les talons sans perdre une minute. Nous étions bel et bien en présence d'une exécution.

Je battis en retraite ; il aurait été malsain de s'attarder.

— On fiche le camp, murmurai-je. Vous n'avez rien touché, j'espère ?

— Non, j'ai même essuyé la porte d'entrée.

Nous sortîmes, la tête penchée, dérobant nos physionomies à la curiosité d'un éventuel passant. Je refermai en manipulant la poignée à travers un mouchoir. Nous traversâmes le jardinet pour nous engouffrer dans la première ruelle qui s'offrait à nous. Au terme d'un trajet compliqué nous revînmes au parking récupérer l'Impala.

— Les flics vont enquêter sur son lieu de travail, fit observer Morton.

— Pas de panique, fis-je. Nous sommes invisibles. Les gens qui bossent au magasin de moquettes sont d'anciens taulards. Ils ne veulent pas d'histoires. La prison a modifié leur ADN de manière à les rendre aveugles et amnésiques. Dès qu'ils comprendront qu'il s'agit d'un crime, ils s'empresseront d'effacer le disque dur de leur cerveau.

Je mis le contact.

Un peu plus tard, alors que nous poireautions à un feu rouge, j'ajoutai :

— Quand la police découvrira le mobilier de luxe stocké à l'étage, elle conclura à un règlement de comptes entre trafiquants et ne cherchera pas plus loin. On n'est pas dans l'une de vos séries policières où des détectives surmotivés s'acharnent nuit et jour à découvrir la vérité. On est dans la réalité, et la réalité est remplie de fonctionnaires sous-payés, débordés de boulot, mal aimés et qui en ont ras le bol. Ils ne gaspilleront pas une minute de sommeil pour une ancienne détenue exécutée par ses complices.

J'en rajoutai, bien sûr, mais Morton me faisait de la peine. En vieux macho, il essayait de me la jouer décontracté, néanmoins je voyais qu'il balisait.

— Vous avez raison, soupira-t-il, sans compter que si on me fiche à la porte d'Esteranza je serai toujours mieux en prison qu'à dormir sous un carton au coin d'une rue.

En abordant Sunset je me garai à proximité d'un bar car nous avions l'un et l'autre besoin d'un remontant. Alors que nous sirotions chacun notre poison favori, Morton murmura :

— Si ce type était un fan de Rhonda Bozman, pourquoi l'a-t-il tuée ? Je ne pige pas.

— À mon avis il a été déçu par son idole, répondis-je. Sans doute voyait-il en elle une activiste pure et dure, il rêvait de l'égaler, de reprendre le flambeau... Rhonda a dû chercher à l'en dissuader, elle ne tenait pas à ce que ce cinglé aille tuer la poule aux œufs d'or. Je pense que c'est la raison de la querelle qui a éclaté sur le parking. Elle en a eu marre de l'avoir dans les pattes. On peut imaginer que le gars, bien décidé à ne pas renoncer, est allé l'attendre chez elle... C'est alors qu'il a découvert le véritable appartement de Rhonda, son palace secret au deuxième étage. Peut-être avait-elle oublié d'en fermer la porte, peut-être l'a-t-il forcée, je n'en sais rien... Une chose est sûre, il a mal réagi.

— D'accord, il a compris que Rhonda se contentait de vivre aux crochets de Peggy.

— Oui, pour lui, c'était une traîtrise inacceptable. Il l'a tuée, et l'a punie en la défigurant. C'est pourquoi il n'a rien volé. La maison de Rhonda lui faisait l'effet d'un lieu impur, voué à la compromission.

Morton but une autre gorgée.

— Ça tient debout, fit-il, mais il y a tout de même un truc qui me chiffonne. Pourquoi ce mec veut-il s'en prendre à Peggy McFloyd ? C'est une vieille actrice, elle n'est plus dans le coup. En tant que « symbole de la femme à la fois victime et complice de la domination machiste », il y a cent fois pire aujourd'hui. Peggy n'est plus une icône. Les plus jeunes de ses fans ont tout de même cinquante ans !

Il avait mis le doigt sur un problème qui, moi aussi, me tracassait depuis le début.

— Je ne sais pas, avouai-je. L'assassin a peut-être subi un traumatisme auquel l'image de Peggy reste liée. Je vais dire un truc bête, mais imaginez que son père ait étranglé sa mère pendant que lui, enfant, regardait une rediffusion de *First Lady* sur le poste du salon...

— Vous avez raison, c'est très bête. Il n'y a qu'à la télé qu'on ose pondre des choses pareilles.

Vexée, je commandai un autre verre.

— Il y a encore quelque chose, insista Morton. Cette moto... Un vrai trésor ! Une Harley de 1955, une pièce de collection qui vaut dans les vingt mille dollars... et ce gars ne l'entretient même pas. Il la laisse rouiller, s'abîmer. Je ne peux pas comprendre ça, pas de la part d'un mec normal. C'est du blasphème.

Je haussai les épaules. Moi, ça ne me choquait guère, je n'aime pas les motocyclettes en général ; elles sont bruyantes et leurs trépidations, loin de m'exciter sexuellement, me démantibulent les lombaires. Par ailleurs elles véhiculent une image machiste déplorable : *Hell's Angels* et tout ce fourbi pseudo-contestataire dégoulinant de testostérone. Cela dit, il avait peut-être raison.

— Il existe un moyen de savoir d'où elle vient, dit-il enfin. Généralement, les fans de ce genre de motos sont inscrits au H.O.G... le *Harley Owner's Guild*. S'il y avait moyen d'accéder à leurs fichiers pour recenser tous ceux qui ont un jour possédé une Panhead FLH Glide 1200 de 1955, cela nous fournirait un début de piste. Cette bécane sort bien de quelque part. Si l'on arrivait à savoir entre les mains de qui elle est passée au cours des dernières années...

— Nous ne jouissons d'aucun pouvoir légal d'investigation, rappelai-je. Et je doute que les motards acceptent de gaieté de cœur qu'on fouine dans leurs fichiers... mais il y a peut-être une solution. Mon patron, qui est un personnage peu recommandable, emploie des hackers. Je pourrais lui demander de se pencher là-dessus. Cela dit, si le fichier nous apprend qu'il en existe trois cents modèles en Californie, il nous sera impossible de les passer en revue cas par cas.

— On peut demander à Peggy d'engager des détectives. Ils feront du porte-à-porte, procéderont par élimination et nous communiqueront les résultats.

L'alcool le rendait optimiste. J'étais loin d'être aussi confiante.

Une impression vague me trottait dans la tête sans que je parvienne à l'identifier. J'avais l'intuition d'être en train de négliger une donnée essentielle. Cela m'irritait. Faute d'avoir avalé mes cachets, les douleurs de mes brûlures se réveillaient, me tiraillant les nerfs. Le choc causé par la découverte du cadavre de Rhonda me rattrapait à retardement.

— Écoutez, dis-je, je ne vais pas rentrer tout de suite au domaine. Il faut que je réfléchisse et que je passe à l'agence. Je vous propose de camper chez moi pour cette nuit. Cette affaire prend une sale tournure. Je me demande s'il est bien sage de creuser dans ce merdier. Peggy serait sans doute plus avisée de s'adresser à la police.

Je réglai la note et nous prîmes la route de Venice. Là, je déposai Morton chez moi puis filai au siège de l'Agence 13. Devereaux, à qui j'exposai les tenants et les aboutissants du problème, décréta tout de go qu'il était hors de question de déchirer le chèque de Peggy McFloyd. À l'entendre, nous étions dans le rouge, et cet apport de liquide nous sauvait la peau. Il me promit de contacter son hacker pour « tracer » l'origine de la fameuse moto.

— Je suis sûr que vous allez très bien vous débrouiller! ricana-t-il en me congédiant.

Morose, je regagnai mon appartement. J'y trouvai Morton, enfoncé dans mon fauteuil préféré, qui lisait l'intégrale de Mark Twain en souriant aux anges.

— Je vais me reposer, annonçai-je en me réfugiant dans ma chambre. Ces foutues brûlures me font un mal de chien. Laissez-moi dormir une heure, nous aviserons ensuite.

J'avalai deux Anacin et m'étendis sur le lit. Je sombrai dans un sommeil confus et rêvai qu'un type chevauchant une moto rouge sang tournait autour de la maison. Soudain il s'arrêtait et relevait la visière opaque de son casque, je réalisai alors que son visage n'avait rien d'humain, c'était celui du chat aux yeux jaunes. Il poussait un miaulement déchirant, puis esquissait un geste circulaire, avec sa patte, à la hauteur de son museau, comme pour se débarbouiller. En réalité, il me signifiait qu'il allait bientôt s'occuper de moi... et me vitrioler, comme Rhonda Bozman.

Je m'éveillai en sursaut, couverte de sueur; le climatiseur était tombé en panne. Le calme qui régnait dans l'appartement m'effraya. Durant une seconde j'imaginai qu'en ouvrant la porte de la chambre j'allais découvrir le cadavre de Morton, effondré en travers du tapis. En dépit de la voix qui, au fond de ma tête, me hurlait de me lever sans plus tarder, je ne parvins pas à bouger. J'étais clouée sur le lit, paralysée par une angoisse inhibitrice. Il me semblait que quelqu'un rôdait derrière la cloison, l'homme à tête de chat sans doute...

Je parvins enfin à émerger de ma torpeur hallucinée et enfilai un peignoir. Le mélange d'alcool et de calmants n'avait pas été un succès.

Dans le salon, Morton, assommé par ses trois verres de Wild Turkey, dormait sur le canapé. Je décidai de faire ma toilette sans asperger les pansements collés sur mon torse et mon ventre. Quand je revins, à peu près propre, Morton était réveillé.

— Ça me fait tout drôle de me retrouver dans une vraie maison, déclara-t-il avec un sourire gêné. Au domaine, on a plutôt l'impression de vivre dans une caserne.

Je fis décongeler une pizza. Je me sentais faible et nauséeuse. Je jetai un coup d'œil par la fenêtre pour m'assurer qu'aucune moto ne tournait au ralenti autour du pâté de maisons. Nous avions été imprudents. En fuyant le lieu du crime nous avions omis de vérifier que personne ne nous prenait en filature. L'assassin nous avait peut-être suivis tout au long de nos déambulations. *Il connaissait mon adresse.*

Tout à coup, alors que je me préparais à découper la pizza, une illumination me traversa et je mis enfin le doigt sur l'évidence qui n'avait cessé de se dérober à moi depuis le début de la journée. C'était en relation avec une phrase de Peeterson, quelque chose à propos des statues saccagées :

C'étaient des bustes représentant Peggy. Des cadeaux émanant d'un club de fans. Comme on ne savait qu'en faire, on les a dispersés dans le parc.

S'agissait-il d'un présent du *Roaring sixties memories fans club*, l'association présidée par Julia Hoodcock?

À ma connaissance personne ne s'était soucié de prévenir cette brave dame qu'un détraqué avait déclaré la guerre à Peggy McFloyd. Or, un tel club, vivant dans l'idolâtrie de l'actrice, ne pouvait qu'exciter la haine de notre psychopathe.

J'abandonnai la pizza pour sauter sur le téléphone. Hélas, je n'avais pas noté le numéro de Julia. Sur le moment, cela m'avait paru sans importance; je m'en mordais les doigts.

Comme j'attrapais mon sac et mes clefs de voiture, Morton déclara :

— Si je comprends bien, on ne mange pas ?

— *Up your ass!* grognai-je (parodiant Valerie Solanas). J'ai l'intuition que nous allons au-devant d'une mauvaise surprise.

10

Je conservais de Julia Hoodcock le souvenir d'une femme fragilisée par la vie, ayant choisi de se réfugier dans l'univers trompeur des séries télévisées. De toute évidence, elle voyait en Peggy McFloyd, phénix ressuscité de ses cendres, un modèle auquel elle s'efforçait de coller.

La circulation était atroce, nous progressions à la vitesse d'un escargot. J'en profitai pour brosser à Morton le portrait rapide de la présidente du club.

— Je connais bien ce genre de femmes, soupira-t-il. Elles finissent par confondre fiction et réalité. Elles écrivent au studio pour donner des conseils aux personnages des séries, les avertir des complots qui se trament contre eux. C'est pathétique. Au début, on trouve ça marrant, après, ça fout la trouille.

Julia habitait dans une zone pavillonnaire où ma voiture « customisée » risquait de ne pas passer inaperçue. Je décidai de la garer loin de sa villa et de continuer à pied.

— Essayons de faire profil bas, murmurai-je en coupant le contact. On n'a aucune idée de ce qui nous attend. J'espère qu'elle ne va pas devenir hystérique quand nous lui apprendrons qu'elle est peut-être en danger.

J'eus un peu de mal à m'orienter car je n'avais pas conservé un souvenir précis des lieux.

C'était un quartier calme, une banlieue proprette où

tout le monde se connaissait. La communauté typiquement américaine où il est mal vu de fermer sa porte à clef, où les voisins déboulent dans votre cuisine sans prévenir pour vous piquer du café ou de la farine. Ces gens-là avaient probablement formé un comité de vigilance, ils publiaient à leurs frais un « journal » recensant les événements de la rue et invitant, mine de rien, les mauvais citoyens à surveiller leur chien ou à tondre leur pelouse plus régulièrement. Je connaissais ça, j'avais goûté au truc, un temps ; je l'avais trouvé insupportable. Sous couvert de solidarité, tout le monde s'espionnait à longueur de journée. On ne faisait semblant de surveiller d'éventuels cambrioleurs que pour mieux épier les agissements de la voisine qui « recevait des hommes en l'absence de son mari ».

En remontant la rue, entre deux rangées de pelouses verdoyantes, je me sentais dans mes petits souliers car je savais que, derrière chaque fenêtre, des yeux avides de curiosité nous scrutaient. À tout hasard, je récupérai un foulard dans mon sac et m'en enveloppai la tête. Les lunettes noires dissimulaient mon visage. J'essayais de me rassurer en me répétant que les ménagères esseulées devaient, en cette seconde, fixer Morton en écarquillant les yeux, persuadées que le fantôme de Paul Newman venait de se matérialiser dans leur rue. En cas de malheur, cela rendrait leur témoignage d'autant moins crédible. Dès qu'on leur parle d'une vedette réincarnée, les flics cessent d'écouter.

Au terme d'une trop longue déambulation, je localisai la villa. La grille était ouverte, j'entrai dans le jardin tropical où les arroseuses cliquetaient telles des pendules en folie.

— Eh ! C'est la jungle ici ! souffla mon compagnon.

Je ne répondis pas. Quelque chose allait de travers... Tous les bustes de Peggy McFloyd qui, lors de ma précédente visite, trônaient dans la végétation, avaient disparu. Ne subsistaient que des piédestaux vides.

— Ce n'est pas normal, chuchotai-je à l'adresse de Morton. Regardez ça... les statues ont été enlevées.

— Il y en avait beaucoup?

— Une véritable armée, oui! Trente ou quarante.

J'hésitai. J'avais d'ores et déjà la certitude que nous arrivions trop tard. La pelouse était détrempée, une véritable éponge, cela tendait à prouver que personne n'avait coupé l'arrosage pendant la nuit.

— Il est venu... soufflai-je. Merde! j'aurais dû y penser plus tôt, quand Peeterson m'a montré les bustes, à Esteranza. Je n'ai pas fait la relation. Je n'ai pas pigé qu'il s'agissait d'un cadeau de Julia Hoodcock.

— Ça n'a rien d'étonnant, fit Morton d'un ton apaisant, vous étiez encore sous le choc de l'agression.

Il fallait se décider. Prudemment, j'utilisai un mouchoir pour actionner la poignée de la porte.

Tout d'abord je fus incapable de donner un sens à ce que je voyais. Au milieu de la grande salle d'exposition consacrée aux souvenirs de Peggy McFloyd, les statues ramenées du jardin avaient été entassées sur une grande planche posée sur le sol. Planche qui, je m'en rendis compte, était en réalité une porte d'appartement dégondée.

— Bordel! hoqueta Morton en s'agenouillant, il y a quelqu'un là-dessous...

— Quoi?

— Sous la planche... il y a une femme, ligotée.

Je me penchai. Je reconnus Julia Hoodcock. Elle avait été bâillonnée. L'asphyxie avait cyanosé son visage, lui donnant une coloration bleuâtre irréelle. Elle était morte depuis un bon moment.

— Les sorcières... bredouilla Morton.

— Qu'est-ce que vous racontez? grognai-je.

— C'est de cette manière que les puritains, jadis, exécutaient les sorcières... Vous savez bien, à l'époque de la grande hystérie de Salem... On couchait les pauvres filles sous une porte de grange, puis on entassait des pierres sur les planches. Le poids de la caillasse leur comprimait la cage thoracique et les étouffait... quand il ne leur faisait pas tout bonnement craquer les côtes.

Je regardai les bustes de pierre et de bronze amassés au-dessus du cadavre de Julia. Quel poids cela représentait-il ? Deux cents kilos ?

C'est alors qu'une inscription en lettres rouges, grossièrement peintes sur le mur, attira mon attention :

Tu ne te prosterneras pas devant les idoles, et tu ne seras point leur serviteur, car moi, ton Dieu, je suis un Dieu jaloux.

— C'est une traduction approximative du Livre de l'Exode, murmura Morton. Chapitre 20... Mon oncle était prédicateur ; quand j'étais gosse il n'arrêtait pas de me seriner ce verset parce que j'adorais le cinéma. Je connais ce truc par cœur.

J'hésitais sur la conduite à adopter. Foutre le camp ? Prévenir les flics ? Avec mes antécédents je n'avais pas intérêt à tomber entre les pattes du LAPD. Je m'efforçai de juguler la panique qui montait en moi et dis :

— D'accord, on inspecte rapidement la maison et on s'évapore.

Morton paraissait sonné. Il se redressa péniblement, j'entendis ses articulations craquer.

— Merde, fit-il, je suis trop vieux pour des trucs aussi glauques. D'habitude je me contente de les écrire !

L'abandonnant près du cadavre, j'examinai ce qui m'entourait. Apparemment on n'avait rien détruit, rien volé... Non ! *je me trompais*, on avait vidé le fichier contenant les coordonnées des membres du club !

Et cela ne pouvait signifier qu'une chose : soit le nom de l'assassin y figurait, soit ce dernier avait l'intention de retrouver l'un des adhérents du *Roaring sixties memories fans club*. L'homme à la moto avait aussi vandalisé l'ordinateur de l'association, emportant le disque dur. À voir le désordre qui régnait dans le bureau, je compris qu'il avait récupéré tout ce qui pouvait recéler l'adresse qu'il cherchait.

— Fichons le camp! supplia Morton. On ne trouvera rien et on risque de se faire surprendre par un voisin.

Il avait raison.

Toutefois, en traversant le jardin, la vue de l'un des piédestaux vides éveilla mon attention. C'était celui sur lequel avait trôné l'unique œuvre d'art de cette lamentable exposition. Une sculpture atroce, qu'on ne pouvait fixer plus de dix secondes sans être gagné par la nausée, mais qui témoignait d'un réel talent. Je venais de réaliser que ce buste reproduisait dans le moindre détail l'une des photographies médicales exhibées par Peeterson. L'une des photographies récupérées par le tueur dans les archives de la clinique de chirurgie plastique! Se pouvait-il que l'artiste ait eu accès aux mêmes fichiers?

Ignorant les protestations angoissées de Morton, je m'approchai du piédestal pour déchiffrer l'inscription figurant sur la plaque de cuivre. Je lus : *Juste avant la « renaissance ». Œuvre de Geena Mellow. 1975. Bronze d'après cire perdue.*

Morton me saisit par le poignet, m'obligeant à le suivre. Nous quittâmes la villa en rasant les murs. Par chance, à cette heure, tout le monde était déjà à table car les Américains dînent tôt. La télévision devait retenir leur attention, les détournant du spectacle de la rue.

Sitôt dans la voiture je démarrai, tournant le dos à cette charmante banlieue de cadres moyens.

— Pourquoi avez-vous examiné ce piédestal? demanda Morton d'une voix où perçait l'exaspération. Vous aimez jouer avec le feu?

— Du calme! lâchai-je. Une évidence m'a sauté aux yeux. Vous ne le savez pas, mais le buste qui se trouvait là, jadis, était la copie exacte des clichés chirurgicaux que l'assassin a expédiés à Esteranza. Pas une approximation, non... Une reproduction parfaite des plaies, des brûlures. Vous voyez où je veux en venir?

— Vous pensez que l'artiste et l'assassin pourraient ne faire qu'un ?

Le voilà qui s'exprimait comme dans un roman policier...

— Possible, soupirai-je. Je n'en sais foutre rien. Ce n'est qu'une hypothèse de travail. Une piste. Mais une chose est sûre : quelqu'un a récupéré les archives de la clinique à la mort d'Olcroft, le chirurgien, et il serait intéressant de savoir qui.

Je pris la route de Venice. Mes mains tremblaient sur le volant. J'avais peur de voir la police débarquer chez moi. Deux cadavres dans la même journée, ça faisait beaucoup.

— Qu'est-ce qu'on fait, maintenant ? s'enquit Morton.

Je sentis qu'il commençait à regretter d'avoir quitté le domaine pour se retrouver dans une histoire qui le dépassait.

— J'ai le nom de l'artiste, répondis-je. Une certaine Geena Mellow. Je vais lancer une recherche sur Internet. Elle a sûrement laissé une trace quelque part. Elle a du talent, il serait surprenant qu'elle n'ait pas cherché à exposer ses œuvres. Elle a peut-être son site perso...

— Ouais, grommela Morton. En ce qui me concerne je ne pige pas grand-chose à ces histoires d'informatique, j'en suis resté au bon vieux Rolodex.

Lorsque nous franchîmes le seuil de l'appartement, j'étais épuisée. La tension nerveuse et la transpiration avivaient la cuisson de mes brûlures. Sans perdre une minute, je m'installai devant mon écran et pianotai sur le clavier. La réponse ne tarda guère. Elle était succincte. Geena Mellow avait fait, il y avait de cela une dizaine d'années, cinq expositions. Ne trouvant aucun galeriste pour la représenter, elle avait organisé ces « performances » à ses frais. Ces initiatives s'étaient chaque fois soldées par un échec cuisant et une levée de boucliers de la critique. On avait reproché à ses œuvres leur caractère morbide. Aucune n'avait trouvé d'acheteur. Elle avait notamment fait scandale en exposant un *James Dean après l'accident*, une *Marilyn Monroe après autopsie* et une *Peggy McFloyd, une heure après l'attentat au vitriol*. À chaque fois, les acteurs étaient représentés à taille réelle, sans aucune pudeur. Une ligue de vertu avait saccagé la salle d'exposition.

Geena Mellow avait créé un site affichant les clichés de ses sculptures, toutes d'un réalisme photographique confinant à l'insoutenable, et d'un prix ridiculement élevé. On pouvait les commander et payer en ligne. Si un éventuel acheteur souhaitait les examiner *de visu*, il lui était possible de se rendre chez l'artiste, à condition de prendre rendez-vous. Suivaient une adresse et un numéro de téléphone. Je m'empressai de les noter.

— Cette bonne femme est dingue! grogna Morton qui regardait l'écran par-dessus mon épaule. Qui pourrait avoir envie d'exposer de telles horreurs dans son appartement?

D'un clic, je consultai le courrier que les internautes avaient laissé sur le site. Il se résumait à un chapelet d'insultes, toutefois une chose attira mon attention, *la réponse la plus récente datait de dix ans*.

— C'est un site fantôme, diagnostiquai-je. Il n'a jamais été remis à jour et plus personne ne le consulte depuis des années.

— Qu'est-ce que ça signifie?

— Que Geena Mellow a cessé de s'en occuper... ou qu'elle est morte.

Je demeurai songeuse. Tout semblait tourner autour des archives du docteur Olcroft. Archives, qu'à sa mort, quelqu'un avait récupérées.

Comme la soirée n'était pas encore trop avancée, je décrochai le téléphone et formai le numéro figurant sur la page d'accueil du site. Il me fallut attendre longtemps avant qu'on ne décroche. Enfin, à l'autre bout du fil, une voix résonna, féminine, plutôt jeune et mal assurée. Lorsque je lui demandai si elle était Geena Mellow, je l'entendis aspirer violemment l'air, comme si le souffle lui manquait.

— C'était ma mère, murmura-t-elle enfin. Si c'était pour l'insulter, vous pouvez raccrocher, elle est morte il y a dix ans.

Je me dépêchai de la détromper, mais la convaincre de me rencontrer ne fut pas chose facile. Je dus lui laisser entendre que quelqu'un de malintentionné risquait sous peu de s'intéresser aux œuvres de sa mère. J'avais conscience d'avancer à l'aveuglette, j'improvisais, m'accrochant à son filet de voix ténu.

Après un moment de silence, elle dit :

— Oh... je me doutais que ça se produirait un jour... Ces sales sculptures, je les ai toujours détestées. Quand Maman les exposait, j'avais honte. Je n'ai jamais osé m'en débarrasser, elles sont cachées sous une bâche, au fond du garage. Vous pouvez les prendre si vous voulez, ce sera un soulagement.

Je finis par lui arracher un rendez-vous pour le lendemain, à 10 heures. Je lui recommandai d'être prudente, de n'ouvrir à personne, et d'appeler la police au moindre signe suspect.

— J'ai le revolver de Papa, dit-elle sur un ton de défi. Il m'a appris à m'en servir. Il m'emmenait tuer les coyotes pour m'entraîner, dans les collines. Et j'ai encore des tas de munitions dans un tiroir.

Elle s'appelait Barbara. Elle habitait au diable Vauvert, au fond d'un canyon désolé.

J'étais en sueur quand je raccrochai.

— Charmante nature, bougonna Morton. Espérons qu'elle ne nous flinguera pas quand nous sonnerons à sa porte.

— Moi, soupirai-je, j'espère qu'elle sera encore en vie quand nous sonnerons à cette foutue porte. J'en ai marre d'être accueillie par des cadavres.

11

Il nous fallut faire deux heures de route pour parvenir à destination.

Barbara Mellow habitait l'un de ces canyons pelés où la proximité du désert se fait cruellement sentir. Une seule très belle maison occupait le fond de cette impasse naturelle. Une demeure de style géorgien, équipée d'un fronton à colonnades, qui semblait sortie d'*Autant en emporte le Vent*.

C'était *Tara*, en réduction, mais dans la version décrépite d'après la défaite sudiste.

Barbara nous attendait au sommet de l'escalier, encadrée de ses deux chiens, des dobermans couleur feu qu'elle retenait par le collier. C'était une jeune femme maigre et grise, dans le genre petite souris. Très pâle, très rousse, les cheveux tirés en arrière en une coiffure qui ne l'arrangeait guère. Elle était vêtue d'une jupe plissée écossaise et d'un cardigan gris. Ainsi affublée, elle avait l'air d'une collégienne qui aurait enfilé les vêtements de sa mère pour se vieillir. Je m'avouai incapable de lui donner un âge. Les chiens grognaient en montrant les crocs. Elle les réprimanda, ils se calmèrent instantanément, comme si elle était, à leurs yeux, investie d'une autorité divine.

Elle nous invita à entrer dans un grand salon de

réception magnifiquement décoré mais que la poussière du désert avait envahi, recouvrant chaque objet d'une farine jaunâtre. Personne n'avait fait le ménage ici depuis des lustres. Sur une vaste table en palissandre, une théière d'argent massif fumait, exhalant un parfum de lapsang souchong. Sans nous demander notre avis, Barbara Mellow emplit deux tasses qu'elle posa devant nous, puis se cala entre les accoudoirs d'un immense fauteuil, les chiens couchés à ses pieds. Je remarquai qu'on ne leur avait coupé ni la queue ni les oreilles, dérogeant ainsi à la règle stupide qui veut qu'on mutile cette race pour obéir à on ne sait quel critère barbare.

Comme notre hôtesse demeurait silencieuse, j'entrepris de lui expliquer la raison de notre visite. Sans entrer dans les détails, j'essayais de lui faire comprendre qu'elle était peut-être en danger ; un maniaque s'attaquait à tous ceux qui, de près ou de loin, avaient entretenu un lien avec l'actrice Peggy McFloyd. Assez curieusement, elle ne parut guère surprise et continua à vider sa tasse à petites gorgées. De temps en temps, elle nous adressait un sourire poli, exhibant une denture affreusement noircie par l'abus du thé. À une époque où tout le monde se fait blanchir les dents à outrance, cette indifférence aux modes me parut révélatrice d'une personnalité hors norme.

— Quelqu'un m'a téléphoné, hier, dit-elle enfin. Il cherchait à rencontrer ma mère. Je vous en ai déjà parlé. Il semblait croire qu'elle était toujours en vie. Il m'a paru bizarre.

— Un homme, une femme ? Vieux, jeune ?

— Un homme. Une voix grave de gros fumeur, très nerveuse. Impatiente. J'ignore comment il a obtenu cette adresse. Il a dit quelque chose d'obscur à propos d'une idole... Une fausse idole, je n'ai pas compris. Je lui ai raccroché au nez. S'il ose se présenter à la grille, je lâcherai les chiens, ils le mettront en pièces. Je ne suis pas inquiète.

Il t'a retrouvée grâce au fichier de Julia, pensai-je. Reste à savoir ce qu'il cherche...

Barbara dardait sur nous un œil acéré. Elle poussa un soupir et finit par déclarer :

— Je m'attendais à votre visite. J'ai toujours su qu'un jour, des gens comme vous viendraient me poser des questions incompréhensibles. En fait, je vous attends depuis bientôt dix ans.

— Et pourquoi cela ? demandai-je.

— Vous n'êtes pas de la police, c'est évident, dit-elle avec une sorte d'étrange indifférence. Vous cherchez à réparer le préjudice que ma mère a causé à quelqu'un. J'ignore de quoi il s'agit, mais j'ai toujours su que Maman manigançait des choses, en secret. C'est pour cette raison que je me suis éloignée d'elle dès que cela m'a été possible. Je ne voulais pas devenir sa complice, profiter de ses rapines.

Elle prit le temps de boire une nouvelle gorgée de thé. À ses pieds, les grands chiens frémissaient dès qu'elle esquissait un geste. Il lui aurait suffi de claquer des doigts pour qu'ils se jettent sur nous.

— Ne vous y trompez pas, reprit-elle, je ne suis pas vraiment riche, et je n'ai pas toujours habité ici. Mon père était simple éclairagiste aux studios de la Paramount. Je l'aimais beaucoup. Il avait voulu être acteur, dans sa jeunesse, mais le talent lui avait fait défaut. Il ne faisait qu'imiter les vedettes du moment. Il avait eu l'intelligence de le comprendre et de renoncer avant de se fourvoyer. Il continuait à les imiter, pour moi, pour me faire rire... Il était excellent. On s'y serait cru ! Il aurait pu monter un numéro de cabaret, mais ça ne le tentait pas. Il méprisait les imitateurs. Il est mort l'année de mes treize ans, dans un accident de voiture sur Mulholland Drive. Des petits connards d'étudiants bourrés de drogue jusqu'aux yeux se sont « amusés » à le faire sortir de la route. Il est tombé dans un précipice, son camion a pris feu. Ça a été la fin de la seule période heureuse de mon existence.

« Après cela, j'ai dû me résoudre à vivre avec ma mère. Ça s'est révélé difficile, nous avions peu de choses en commun et ne nous supportions pas. Elle travaillait la nuit, le jour elle dormait, ça m'obligeait à ne faire aucun bruit, à ne jamais allumer la télé ou la radio. Elle m'interdisait d'écouter de la musique. Lorsque j'allais aux cabinets, je n'avais pas le droit d'actionner la chasse d'eau. C'était quelqu'un de tourmenté, d'éternellement insatisfait. Elle avait rêvé de mener une vie d'artiste, d'être célèbre, d'exposer dans les musées.

— Quel était son métier ?

— Elle était infirmière de nuit à la clinique du docteur Olcroft, un médecin spécialisé en chirurgie plastique. Très célèbre dans les années 60. En ce temps-là il passait pour un génie, aujourd'hui on ne le laisserait même pas rectifier un nez.

Une brusque excitation s'empara de moi, j'essayai de n'en rien laisser paraître. Olcroft ! Le plasticien qui avait soigné Peggy McFloyd au lendemain de l'attentat !

— Il régnait une atmosphère bizarre dans cet établissement, reprit Barbara. On n'y soignait pas de vrais malades, si vous voyez ce que je veux dire… Les gens qui venaient là appartenaient au show-biz, c'étaient de grosses vedettes. Ils voulaient se faire rectifier. Avoir un plus beau nez, de plus gros seins… Ma mère disait que certains exigeaient même qu'on leur rallonge le pénis. C'était absurde mais ils étaient riches, alors le docteur obtempérait à tous leurs caprices. À l'époque, les techniques de chirurgie esthétique n'étaient pas ce qu'elles sont aujourd'hui, alors, parfois, les résultats laissaient à désirer… ou ne duraient pas longtemps. Ma mère haïssait ces gens. Ils étaient beaux, ils étaient riches, mais ça ne leur suffisait pas, ils voulaient toujours plus.

Certains la traitaient comme une esclave. D'autres lui réclamaient des services sexuels, des fellations, des branlettes, vous voyez le genre.

Le naturel avec lequel cette petite souris débitait ces horreurs me désarçonnait.

— Comme ils étaient puissants, il leur aurait suffi d'un mot pour la faire renvoyer, alors elle leur obéissait. Elle devenait leur putain. Ça n'a pas arrangé son caractère.

— Pourquoi ne démissionnait-elle pas?

— C'était très bien payé. Dans aucun hôpital ma mère n'aurait pu espérer toucher un tel salaire. En réalité, le docteur Olcroft achetait son silence. Il voulait s'assurer qu'elle ne raconterait rien de ce qu'elle voyait aux journalistes des feuilles à scandale. C'est vrai qu'il s'y passait des choses honteuses. Des vedettes mondialement connues qui débarquaient avec un hamster coincé dans le vagin, ce genre de saloperies. Pour tenir le coup, Maman prenait des pilules. Elle vivait sur les nerfs, me balançait une paire de gifles pour une peccadille. Ma présence lui était insupportable. Et puis, un jour il s'est passé quelque chose, et notre vie a changé.

— Oui?

— Oh! il m'est impossible de vous répondre car je n'en sais fichtre rien. Simplement, un beau matin, Maman est entrée dans ma chambre, un grand sourire lui fendait la figure. Elle m'a annoncé qu'elle avait donné sa démission et que tout, désormais, allait marcher sur des roulettes, que nous allions mener une vie de rêve. J'ai cru qu'elle avait perdu la tête. Mais deux semaines plus tard nous déménagions pour nous installer ici, dans cette baraque que nous « prêtait » le docteur Olcroft.

— Carrément? fis-je en haussant les sourcils. Quelle générosité!

— Oui, ça ne tenait pas debout, bien sûr. Le médecin

des stars ne pouvait prêter une telle demeure à une simple infirmière. Il y avait du louche là-dessous.

— Votre mère s'en est-elle expliquée? demanda Morton.

— Non, jamais, répondit doucement Barbara. Quand j'insistais, elle prétendait que l'argent provenait de la vente de ses œuvres d'art.

— Parce qu'elle sculptait déjà?

— Oui, je l'ai toujours vue en train de travailler l'argile, même du vivant de mon père. Elle modelait de petites choses, assez jolies. Des animaux. Elle s'avouait très influencée par les artistes animaliers français du XIXᵉ siècle : Antoine-Louis Barye, Emmanuel Frémiet, Jacquemart... Elle n'était pas dénuée de talent. Mais après son départ de la clinique, elle a changé de style. C'est là qu'elle est entrée dans sa période « autopsies ». Les cadavres de vedettes, ce genre d'horreurs. C'était assez horrible mais, pendant une courte période, les snobs de New York se sont intéressés à son travail. Un type du *Village Voice* est descendu ici pour visiter son atelier. Maman était très excitée, mais il n'y a eu aucune retombée financière. De temps à autre on l'invitait à exposer dans des « performances » *underground*, mais ça n'allait pas plus loin. Elle n'a jamais réussi à vendre une seule statue. Et pourtant nous ne manquions pas d'argent.

— Allons, fis-je, vous avez bien une idée sur la provenance de cette manne !

— Oui, je ne suis pas sotte. Je pense qu'elle avait surpris un secret, à la clinique, et qu'elle faisait chanter le docteur Olcroft. Quelque chose de pas propre qui aurait causé un énorme scandale et ruiné la carrière du médecin. Il la payait pour qu'elle garde le silence. Elle a même obtenu qu'il lui vende cette maison pour une bouchée de pain. Elle le menait par le bout du nez. Ça a duré jusqu'à ce qu'il soit foudroyé par une crise cardiaque. Nous avons alors connu une période de vaches

192

maigres pendant laquelle Maman s'est beaucoup démenée. Elle partait pour des voyages mystérieux, des rencontres. Un soir elle est rentrée, souriante, ramenant une valise remplie de billets de banque. « C'est arrangé, m'a-t-elle dit, j'ai trouvé un collectionneur qui va acheter toutes mes œuvres. » Elle essayait de sauver la face, mais je savais bien qu'elle faisait tout simplement chanter quelqu'un d'autre.

— Un autre médecin ? Olcroft avait un associé ?

— Je ne sais pas. Ces combines me dégoûtaient, je voulais les ignorer. Tous les mois, Maman s'absentait régulièrement pour aller chercher une nouvelle valise de fric. Le reste du temps, elle s'enfermait dans son atelier et modelait des visages dans la glaise.

— Quel genre de visages ?

— Des visages d'acteurs. Elle en faisait des *Janus bifrons*, qui les représentaient avant et après leur opération. Deux visages sur une même tête, l'un devant, l'autre derrière. Elle utilisait comme modèles les clichés de travail de la clinique dont elle avait tiré de nouvelles épreuves en secret avant de s'en aller.

— Avait-elle également photocopié les dossiers médicaux des patients ?

— Oui, de tous ceux avec qui elle avait un compte à régler. Elle disait qu'elle voulait les démasquer, dévoiler leur pourriture. Elle savait beaucoup de choses. Elle prétendait qu'ils avouaient leurs secrets quand ils étaient sous l'influence des analgésiques, que ça agissait sur eux comme un sérum de vérité. Ils parlaient, parlaient...

— Le sérum de vérité, rien que ça !

— Ne riez pas, elle croyait beaucoup au thiopental sodique. Elle disait qu'il poussait les gens à délirer, certes, mais qu'il y avait toujours quelque chose à récupérer dans le fouillis de leurs fantasmes. Dès que j'ai été en âge de quitter la maison, j'ai posé ma candidature dans une fac du New Hampshire, le plus loin possible d'ici. Ensuite, je ne suis guère revenue que pour les fêtes de Noël ou Thanksgiving. J'avoue que j'ignore qui ma mère a pu fréquenter durant les dernières années de sa vie. Elle s'obstinait à jouer les artistes reconnues, mais c'était du baratin. Je savais qu'elle faisait cadeau de ses créations à un club de fans idolâtrant une vieille actrice des années 60. C'était triste et dérisoire.

— Où viviez-vous ?

— Dans le Maine. J'étais prof de littérature anglaise dans une institution privée. Un jour, on m'a prévenue que Maman était morte.

— Puis-je vous demander comment ? fit Morton avec prévenance.

Barbara haussa les épaules.

— Ses chiens hurlaient à la mort. Le facteur a poussé la barrière, il l'a trouvée dans son atelier. Apparemment elle avait succombé à une rupture d'anévrisme. Elle a été foudroyée. Je l'ai fait incinérer.

— Mais vous n'êtes pas repartie ?

— Non, je ne sais pas pourquoi. Ça m'a tout à coup paru insurmontable.

— Comment vous débrouillez-vous pour vivre ?

— Je puise dans les réserves financières de ma mère. Toutes ces liasses de billets qu'elle a engrangées au fil du temps. Le produit de ses « ventes » comme elle disait. J'ai très peu de besoins. Quand j'aurai recouvré suffisamment d'énergie, je ferai don de ce fric à une œuvre et je m'en irai d'ici pour ne plus y revenir, jamais. Mais pour l'instant je suis trop fatiguée.

Elle avait effectivement quelque chose de maladif qui laissait soupçonner une affection cardiaque. Ses lèvres étaient cyanosées, ses yeux cernés de lunules bleuâtres.

— Je suppose que vous êtes mandatés par les gens qu'elle a fait chanter et que vous êtes venus chercher les dossiers médicaux, fit-elle avec lassitude. Ils sont dans le garage, avec les statues. Vous pouvez les emporter.

J'essaye de tirer un trait sur cette époque. Allez-vous-en, à présent. Il y a sur vous une odeur de sang et de mort; mes chiens l'ont flairée, elle les excite. Je ne pourrai plus les retenir très longtemps. Je crois qu'ils ont envie de vous déchiqueter.

C'était dit sans haine, mais je jugeai plus prudent de ne pas nous attarder. Cette jeune femme aux yeux cernés, trop calme, me fichait la trouille. Nous prîmes congé en essayant de ne pas avoir l'air de nous enfuir. Sitôt dehors, je cherchai le garage, au grand dam de Morton qui aurait préféré tailler la route sans tarder.

À l'intérieur du hangar, une antique Chrysler & DeSoto Airflow 1934 d'une tonne et demie reposait sur des buses de ciment, telle la carcasse d'un dinosaure. Un collectionneur en aurait donné une fortune.

Des bâches poussiéreuses recouvraient des formes aux contours humains, ce qui nous donnait l'impression d'évoluer dans une morgue. Elles masquaient en fait des statues. L'une d'elles représentait James Dean, sur la table du coroner, juste après qu'on avait extrait sa dépouille de la Porsche Spyder « Little Bastard » dans laquelle il avait trouvé la mort. La statue était d'un tel réalisme qu'elle donnait la nausée.

— Bordel! ragea Morton dans mon dos. Fallait qu'elle soit dingue pour sculpter des trucs pareils.

J'avais hâte de ficher le camp. Toutes les deux minutes je regardais par-dessus mon épaule pour m'assurer que les horribles cabots de Barbara ne s'étaient pas lancés à nos trousses.

Je mis enfin la main sur une dizaine de cartons bourrés de dossiers jaunis. Une rapide vérification m'apprit qu'il s'agissait des archives de la clinique Olcroft.

Sans attendre, nous les chargeâmes dans ma voiture, où ils encombrèrent bientôt le coffre et la banquette arrière.

Les dobermans dévalèrent les marches du perron au moment où je mettais le contact. Ils nous escortèrent en aboyant furieusement tout le temps qu'il nous fallut pour sortir des limites du jardin. Là, comme frappés par un interdit magique, ils se figèrent et se turent.

— Drôle de fille, non? marmonna Morton. Je pense qu'elle en sait davantage qu'elle ne veut bien le dire.

— Sans doute, fis-je, mais elle ne parlera pas.

— Vous pensez qu'elle connaît l'identité de l'assassin?

— Oui. Mais elle n'essayera pas de s'enfuir. Je serais tentée de dire qu'elle espère sa venue.

— Pourquoi?

— Sais pas. La culpabilité, peut-être. Le désir obscur d'être punie pour ce qu'elle a fait... ou plutôt ce qu'elle n'a pas fait.

Nous roulâmes en silence jusqu'à ce qu'une impression désagréable se mette à me titiller la nuque.

— Je crois que quelqu'un nous suit... murmurai-je en jetant un coup d'œil dans le rétroviseur.

— Je ne vois rien, fit Morton.

Il avait raison mais la sensation continuait à me vriller les nerfs, tel un message d'alerte transmis par un sixième sens animal.

La route traversant le canyon était désespérément vide. Aucune habitation ne se dressait de part et d'autre de son ruban poussiéreux. C'était l'endroit rêvé pour une embuscade. En l'absence de patrouille de la CHP, il aurait pu nous arriver n'importe quoi. Je ralentis, essayant de détecter le bruit caractéristique d'une Harley-Davidson, ce « boum... boum-boum » ternaire qui a fait leur célébrité.

— Vous pensez que le type à la moto nous a pris en filature? murmura Morton.

— Possible. S'il s'était embusqué aux abords de la maison de Barbara, il nous a forcément vus embarquer les dossiers.

J'accélérai. La perspective de cette route déserte me terrifiait. En cas de poursuite, mon Impala centenaire ne pourrait jamais se mesurer aux accélérations de la Harley, et notre assassin casqué n'aurait aucune difficulté à nous rattraper. Je me le représentais déjà, balançant un cocktail Molotov sur le pare-brise.

Ma nervosité avait contaminé Morton qui s'agitait lui aussi sur son siège. Il ne cessait de se tordre le cou pour scruter la route par la lunette arrière. Hélas, le brouillard de chaleur réduisait le paysage à une image tremblante dont les vibrations liquides rappelaient celles des mirages.

Les six kilomètres qui nous séparaient de la sortie du canyon furent pénibles, je l'avoue. Plus je me rapprochais de l'embranchement, plus l'attaque me semblait imminente. J'avais acquis la certitude qu'elle se produirait à la seconde même où nous nous croirions sauvés. Étonnée et soulagée de n'avoir subi aucun assaut, je rattrapai enfin la voie principale menant à Venice. À partir de là, la circulation devint intense et les patrouilles de police trop fréquentes pour qu'il se produise quelque chose. Rassérénée, je me contentai de zigzaguer entre les Kenworth et les Peterbilt aux couleurs flamboyantes.

Dès que j'eus garé la voiture devant chez moi, nous nous dépêchâmes de transborder les cartons dans le hall de l'immeuble, puis dans l'ascenseur. Aux regards que nous jetaient les passants, je compris que nous devions offrir l'image de deux camés aux traits hagards.

Une fois les boîtes d'archives entassées dans le séjour, je verrouillai la porte à double tour et m'y adossai pour souffler. J'étais en sueur. Morton ne valait guère mieux.

— Je crois que nous avons joué à nous faire peur, souffla-t-il. Il n'y avait personne derrière nous. Je vais faire du café ; on en aura besoin.

Pendant qu'il s'activait, je m'approchai de la fenêtre afin d'examiner la perspective de la rue. Aucune Harley ne rôdait à l'horizon, et pourtant le signal d'alarme refusait de s'éteindre dans ma tête.

— Je sens qu'il est là, murmurai-je. Nous aurions peut-être mieux fait de rentrer directement à Esteranza.

— Non, répondit-il, c'est trop loin... Il aurait fallu serpenter à travers les collines désertes. Dans ces coins-là, si on se fait égorger, on retrouve votre cadavre au bout de deux ans... dans le meilleur des cas. Et en admettant que les coyotes en aient laissé quelque chose.

D'un coup de manivelle je réduisis l'espacement des lamelles du store à une mince fente. J'eus un frisson. Inexplicablement, j'avais la sensation d'être assiégée.

« Il est peut-être déjà dans l'immeuble, songeai-je. Sur le toit ou dans les caves. Il attend son heure. »

L'odeur du café me sortit de l'hypnose. Je saisis la tasse que me tendait Morton et me laissai choir sur le canapé.

— Il y a douze cartons, énonça mon compagnon. J'ai un peu regardé ; il ne s'agit pas des dossiers originaux, ce sont des photocopies, parfois illisibles. Les machines de reprographie de l'époque ne valaient pas celles d'aujourd'hui. Rien n'est classé, c'est le foutoir complet, ça va prendre des heures pour dépouiller ce merdier.

Trente minutes plus tard je réalisai que « merdier » était le terme adéquat, car les fichiers du docteur Olcroft donnaient à contempler les pires aspects de nos grandes vedettes hollywoodiennes. Geena Mellow, la mère de Barbara, avait bien évidemment choisi les cas les plus scandaleux, ceux sur lesquels on pouvait asseoir un chantage aussi durable que juteux.

À la lecture des rapports médicaux détaillant par le menu les interventions chirurgicales et leur suivi, je fus saisie d'une incrédulité teintée de malaise. J'appris ainsi qu'une certaine bombe sexuelle féminine mondialement connue avait d'abord été un homme... et qu'un acteur spécialisé dans les rôles d'aventurier macho avait, lui, opté pour la transsexualité. Métamorphosé en femme, il avait refait sa vie sous une fausse identité alors que la presse et l'Amérique tout entière le croyaient mort dans un accident d'avion !

— Bordel ! grogna Morton, qui lisait par-dessus mon épaule. Il y avait eu des rumeurs, à l'époque, mais je n'y avais pas accordé crédit. C'est époustouflant.

Les noms qui défilaient sous nos yeux étaient illustres, quoique appartenant aujourd'hui à des morts.

Les modifications d'ordre sexuel étaient fréquentes, et la plupart du temps peu orthodoxes, mais je ne m'étendrai pas sur le sujet.

— Geena Mellow a eu la main sûre, marmonna Morton, elle n'a pas fait son marché au hasard. Elle tenait là de quoi créer un énorme scandale. Son patron, ce fameux docteur Olcroft, ne s'en serait pas relevé. À la fin des années 60, l'Amérique était beaucoup plus puritaine qu'aujourd'hui. Non seulement il aurait tout perdu, mais il aurait fini en prison. Refaire des nez et des nichons, c'est une chose, *mais ça* ! Non, personne ne l'aurait toléré. Vous avez vu... là ! Ce type qui voulait qu'on sculpte un deuxième vagin dans le ventre de sa femme !

Chaque dossier contenait une copie de la facture présentée à la « victime ». Les chiffres faisaient dresser les cheveux.

— Ce toubib s'était constitué un véritable trésor de guerre, souffla Morton. Bon sang ! il était richissime. Pas étonnant que la mère Geena ait choisi de le faire raquer.

— D'accord, admis-je, mais il ne faut pas s'égarer. Notre assassin ne s'intéresse qu'à Peggy McFloyd, c'est uniquement dans cette direction qu'il convient de chercher. Le reste appartient à l'histoire secrète du cinéma, ça ne nous regarde pas, et mieux vaut l'oublier.

Morton eut l'air déçu. C'est vrai qu'il y avait une réelle griserie à pénétrer dans les coulisses du Hollywood d'antan, à découvrir ce qui se cachait sous les masques, les fausses réputations... Néanmoins nous n'étions pas là pour ça.

Chaque chemise comportait près d'une centaine de feuillets, et parfois, on y découvrait des documents provenant d'un autre dossier. Ces mélanges nous contraignaient à examiner soigneusement chaque cas.

— Un carton d'archives contient en gros trente dossiers, énonça Morton. Il y en a douze, cela représente trois cent soixante rapports à se farcir dans le détail. On n'est pas au bout de nos peines !

Il avait raison. Très vite, l'excitation malsaine qui nous avait saisis au début se dissipa sous l'effet de la routine. Par ailleurs, la plupart des photocopies étaient en mauvais état, et certaines illisibles. Des paragraphes entiers avaient pâli au point d'être devenus indéchiffrables. À plusieurs reprises il nous fut impossible de déterminer quelle vedette avait fait les frais de l'intervention décrite dans le compte rendu opératoire.

En proie à la migraine, nous fîmes une pause, le temps de grignoter un sandwich au pastrami et de boire une nouvelle tasse de café. Un coup d'œil à la pendule m'apprit que les heures avaient filé avec une incroyable rapidité, le crépuscule s'étendait sur Venice. Bientôt la nuit serait là. Je n'en fus nullement rassurée.

Je contemplai la moquette du salon que recouvraient les feuillets épars des dossiers aux couvertures disloquées. J'aurais aimé n'avoir jamais mis le nez dans cette boue. L'envers du décor n'avait rien de reluisant.

— Ces gens sont pratiquement tous morts à l'heure qu'il est, grogna Morton. Certains, que j'ai personnellement connus, sont dans la misère, oubliés du public après avoir tenu des années durant le haut de l'affiche.

Je hochai la tête. Je restais, quant à moi, fascinée par ce transsexuel qui était parvenu à berner le public pendant deux décennies sous une apparence qui lui avait permis de jouer les femmes fatales dans de nombreux films demeurés célèbres, et cela sans que son secret soit percé à jour. C'était là un tour de force qui m'émerveillait. Je fis part de mon étonnement à Morton qui soupira :

— C'est vrai qu'elle était foutrement belle... Qui aurait pu imaginer que... Merde! elle a tout de même fait la page centrale de *Play-boy*!

— Ce toubib, Olcroft, était vraiment un sacré magicien, fis-je. Réussir un tel tour de force avec les techniques de l'époque.

Mais il fallait se remettre au travail, et je m'agenouillai de nouveau sur la moquette, au milieu de la paperasse à l'odeur de moisi.

Tout à coup, la sonnerie du téléphone nous fit sursauter. Je décrochai. D'abord je ne perçus que le souffle d'une respiration, puis une voix grave d'homme âgé dit :

— Tout cela c'est la faute du chat. Du chat aux yeux jaunes. C'est à cause de lui que les choses sont arrivées... Il est responsable de tout. S'il n'avait pas été là... Ne vous obstinez pas à chercher, sinon sa malédiction vous frappera, vous aussi. Arrêtez tout. N'allez pas plus avant... Les boîtes d'archives, descendez-les sur le trottoir. Je les aspergerai d'essence et j'y mettrai le feu.

Je m'étais raidie. La voix était lasse et triste. Elle semblait sortir de la bouche de ces vieux routiers mélancoliques qui s'assoupissent au comptoir des *diners*, au bord des grands axes sillonnés par les *trucks*.

J'imaginai un homme plutôt gros, essoufflé, chauve, la barbe grise, un anneau dans l'oreille et, sur le biceps, un tatouage à demi effacé proclamant : *No better friend, no worse ennemy*, la devise de la 1re Division de Marines. Mais je délirais probablement.

— Vous brûlerez vraiment tout? sifflai-je. Même le dossier McFloyd? Permettez-moi d'en douter!

— *N'ouvrez pas le dossier McFloyd!* gronda la voix

avec une rage qui me fit frissonner. Il ne vous appartient pas. Écoutez mon conseil, restez dans l'ignorance... Ne pas savoir, c'est ce qui vous protégera. Le dossier McFloyd est à moi.

— Il me semble qu'il appartient plutôt à Peggy, non?

— Non! hurla mon interlocuteur. *Il est à moi!* Petite salope! Ne te mêle pas de ça ou j'arroserai ton visage de vitriol! Je t'en remplirai les yeux, le nez, la bouche jusqu'à ce que ta figure fonde... C'est comme ça que j'ai procédé avec la grosse Bozman. C'est ce que tu veux? Quand elle a compris ce que j'allais lui faire, elle s'est mise à genoux pour me supplier de la tuer avant de commencer! Fallait voir pleurnicher cette baleine. C'était d'un drôle!

Il se mit à imiter des couinements de truie ponctués de supplications chevrotantes. Ses grognements prirent vite une répugnante connotation sexuelle.

Interrompant son numéro, il conclut :

— Les dossiers, sur le trottoir, dans dix minutes... ou bien je flanque le feu à l'immeuble.

Puis il raccrocha.

Morton, qui avait suivi la conversation grâce au haut-parleur du poste téléphonique, était devenu tout pâle.

— Il va tenir parole, balbutia-t-il, c'est un dingue. Il faut faire ce qu'il dit.

— Non, lâchai-je. Il ne prendra pas le risque de brûler le dossier McFloyd. Il y tient trop, c'est évident.

— Mais pourquoi?

— Aucune idée... *À moins que...*

— Oui?

— À moins qu'il n'ait l'intention de le vendre à la presse, de faire éclater un scandale! Mais oui, c'est cela même! Ce dossier est tout aussi compromettant que ceux que nous venons de passer en revue. Il constitue une preuve accablante, c'est pour cette raison qu'il veut s'en emparer.

Je bondis vers la fenêtre, mais la nuit s'installait et,

dans cette rue mal éclairée, il était impossible de repérer une silhouette embusquée. De toute manière, il était là, de cela j'avais la certitude. Il attendait que nous obéissions à son ultimatum. Comment réagirait-il si nous passions outre?

J'étais beaucoup moins sûre de moi que je le laissais paraître. Il ne mettrait sans doute pas le feu à l'immeuble, soit, mais rien ne l'empêchait de défoncer la porte de mon appartement et de nous abattre en deux décharges de shot-gun.

— On est mal! souffla Morton dans mon dos. Il peut grimper sur le toit et balancer une grenade dans la cheminée!

— Arrêtez de délirer, lançai-je. Trouvons plutôt le dossier, de cette manière nous disposerons d'un moyen de pression.

— Vous savez qu'on peut acheter des grenades MK II Highly Explosive au nitrate d'ammonium sur Internet? insista Morton.

Je haussai les épaules et repris ma place au milieu des boîtes de carton défoncées. Je piochai fébrilement dans les papiers, à la recherche du mystérieux dossier McFloyd. À force de manipuler ces minces feuillets, j'avais les doigts striés de fines entailles, comme si la paperasse avait entrepris de développer une stratégie de défense sournoise pour s'opposer à mes incursions. Morton restait planté au coin de la fenêtre, à se ronger l'ongle du pouce. Je devinais qu'il mourait d'envie d'appeler la police. Notre petite escapade allait trop loin à son goût.

Une crampe pénible me vrillait les trapèzes mais je m'obstinai. Hélas, trois cent soixante comptes rendus opératoires, ça faisait beaucoup, et j'eus bientôt l'impression de m'embourber dans les sables mouvants.

Au bout d'une heure, je dus faire une nouvelle pause. Ma vue se brouillait et j'avais de plus en plus de mal à déchiffrer le texte à demi effacé des rapports.

Alors que j'avalais deux aspirines avec un gobelet de café froid, Morton chuchota :

— *Il y a quelqu'un derrière la porte...*

Je frissonnai en jetant un bref coup d'œil dans le vestibule. La porte était blindée, soit, mais j'avais vu les gars du SWAT défoncer des battants autrement costauds avec un simple bélier d'acier. Il suffisait pour cela de taper au bon endroit. En outre, grâce au procédé de l'aluminothermie, il est possible de faire fondre des gonds en cinq secondes... Tout cela n'était pas rassurant, je le concède.

— Avez-vous une arme ? murmura Morton.

Évidemment que non ! Quel âne ! En tant qu'ex-taularde je ne pouvais me permettre ce luxe. En cas de perquisition, c'était un coup à se retrouver au placard *illico presto*. Pour la plupart des flics, j'étais une criminelle qui avait eu la chance de passer au travers des mailles du filet, rien d'autre, et certains détectives du LAPD n'attendaient que l'occasion de me tomber dessus.

Nous demeurâmes statufiés, à regarder bêtement la porte comme si elle allait tout à coup devenir transparente et nous laisser voir notre futur assassin.

Quelque chose frôla le battant, sur le palier, et la poignée bougea. Puis une odeur piquante nous saisit à la gorge en même temps que la moquette se mettait à grésiller. Un liquide huileux s'insinuait sous la porte, au ras du sol, provoquant la destruction immédiate de tout ce qu'il touchait. De l'acide sulfurique !

— C'est ce qui vous attend ! gronda la voix du fou. Mettez le dossier McFloyd dans un sac et jetez-le par la fenêtre. Je le récupérerai en bas et vous n'entendrez plus parler de moi. Vous êtes encore étrangers à cette affaire, restez-le et vous serez épargnés. L'ignorance vous sauvera. Ces papiers ne doivent pas parvenir entre les mains de Peggy. Vous comprenez ? Ils sont à moi, à moi !

Cédant à une impulsion, je criai :

— Fichez le camp ou je le dirai au chat aux yeux jaunes. Il ne sera pas content, et vous devrez vous expliquer avec lui !

Un gémissement s'éleva derrière la porte, aussitôt suivi d'une cavalcade. Notre meurtrier dévalait l'escalier quatre à quatre ! Incrédule, je me tournai vers Morton.

— Ça a marché ! balbutia-t-il. Vous lui avez flanqué une trouille de tous les diables ! Bon sang ! il est vraiment dingue.

Les vapeurs acides nous firent battre en retraite. J'entendis, au loin, une moto qui démarrait. Notre persécuteur désertait le champ de bataille. Morton se hâta de remplir deux verres de whisky. La sueur faisait luire son visage. Je ne devais pas valoir beaucoup mieux.

— Vous avez été géniale ! souffla-t-il. Le coup du chat… où êtes-vous allée pêcher ça ?

— Je ne sais pas, avouai-je. Mais depuis un moment j'ai l'impression que toute l'affaire tourne autour de ce foutu matou. Vous savez, le chat pelé que Peggy conserve sous une cloche de verre dans ses appartements…

Morton esquissa une grimace d'ignorance.

— Je n'ai pas eu l'honneur d'être admis dans le saint des saints, fit-il avec une amertume non dissimulée. Je ne suis pas assez important. Je ne vois pas à quoi vous faites allusion.

Pourquoi eus-je, à cet instant, la certitude qu'il mentait ?

Je me laissai tomber dans un fauteuil en attendant que l'alcool fasse effet.

— Nous avons gagné un sursis, dis-je, il faut en profiter. Dès que ce psychopathe se sera calmé, il reviendra à l'assaut. Mieux vaudrait être loin à ce moment-là. Je vous propose de retrouver ce foutu dossier et d'aller le remettre à Peggy, au domaine. À Esteranza nous serons davantage en sécurité qu'ici. J'appellerai Peeterson. Il nous enverra ses gorilles pour nous escorter.

En réalité je n'aurais pas misé un dollar sur l'efficacité d'une telle protection, mais je tenais à rassurer Morton dont le visage gris semblait l'annonce d'un infarctus imminent.

En me remettant à farfouiller dans la masse de feuillets, je me demandai à quel scandale Peggy avait été mêlée. Que s'était-il passé pendant son séjour à la clinique Olcroft ? Quel ennemi surgi des brumes du passé la poursuivait donc aujourd'hui ? Et pourquoi avoir attendu quarante ans pour le faire ? La vengeance est certes un plat qui se mange froid, mais là, c'était carrément du surgelé.

La solution du mystère se trouvait dans les comptes rendus des interventions qu'elle avait subies.

— Cherchez un dossier plus épais que les autres ! lançai-je à Morton. J'aurais dû y penser dès le début ! Peggy détient le record de la patiente la plus charcutée par le docteur Olcroft.

Morton s'exécuta, en vain.

— Il n'y a pas de gros dossier, grommela-t-il. Ils sont tous pareils.

— Je ne comprends pas, grognai-je. Julie Hoodcock disait qu'elle avait été opérée trente-sept fois.

— Elle a menti, soupira Morton avec lassitude. Ou elle a pris pour argent comptant les affabulations des journalistes. C'était une fan, ne l'oubliez pas, et les fans adorent le sensationnel.

Enfin, alors que j'étais en train de perdre courage, je mis la main sur le dossier tant recherché. Il était en mauvais état parce qu'on l'avait beaucoup manipulé. Les photocopies avaient pâti d'une exposition prolongée au soleil californien, et certaines étaient illisibles. Mais il n'y avait pas à hésiter, les horribles clichés préopératoires confirmaient qu'il s'agissait bien du dossier de Peggy McFloyd. Morton s'agenouilla à côté de moi, électrisé par ma découverte. Les sourcils froncés, il entreprit de déchiffrer le compte rendu d'hospitalisation.

Je l'imitai. Hélas, le jargon médical constituait un obstacle non négligeable pour un non-initié, et certaines phrases nous paraissaient aussi hermétiques qu'un cartouche de hiéroglyphes sur une tombe du Bas-Empire.

— D'après ce que je comprends, fit Morton, le médecin qui a rédigé ce rapport n'avait pas l'air très optimiste quant aux chances de guérison de la patiente. Je lis ici qu'il estimait les probabilités de restauration plastique à peu près nulles en raison de la profondeur des lésions. Selon lui, Peggy n'aurait eu aucune chance de recouvrer, un jour, un visage normal...

C'était ce que j'avais cru comprendre. Le médecin de garde semblait même mettre en doute le pronostic vital de Peggy McFloyd. La douleur, insupportable, ayant entraîné un début de crise cardiaque et la nécessité de recourir à une défibrillation dont les résultats semblaient encore instables à l'heure où le compte rendu clinique avait été établi.

— Elle était vraiment mal en point, murmura Morton d'une voix altérée.

Suivait une longue et insupportable description des lésions faciales. L'œil gauche ayant été brûlé par l'acide, on prévoyait de l'énucléer pour le remplacer par une prothèse de verre.

— Peggy a un œil de verre? m'étonnai-je. Je ne l'ai jamais remarqué. Ça ne se voit dans aucun de ses films, même sur les gros plans.

Je savais qu'aujourd'hui, de telles prothèses peuvent être raccordées aux muscles de manière à accompagner les mouvements de l'œil valide, ce qui rend leur présence indécelable, mais qu'en était-il à l'époque?

J'essayai de me rappeler si le regard de Tracy, la fausse habilleuse, m'avait paru étrange... Force me fut d'admettre que je n'avais rien noté d'anormal. Toutefois cela ne prouvait rien, Peggy ayant pu se faire greffer une prothèse d'un modèle élaboré au cours des dernières années.

Les mains moites, je parcourus les rapports d'interventions. Elles s'étaient succédé sur une période de huit mois, se soldant chaque fois par des échecs. Les greffes n'avaient pas tenu. Au fil des écrits, Olcroft ne cherchait pas à masquer son pessimisme. Selon lui, la patiente resterait défigurée à vie. Il n'entrevoyait aucune solution satisfaisante, le phénomène de rejet interdisait tout espoir d'amélioration.

J'éprouvai le besoin de boire un verre d'eau. Une telle lecture avait de quoi retourner les estomacs les plus endurcis. Les clichés donnaient envie de s'enfuir en courant.

— Ce n'était pas la première fois que Peggy consultait Olcroft, intervint Morton en brandissant un nouveau dossier, plus mince. Elle avait déjà eu recours à lui pour des rectifications banales. C'est détaillé là... On lui avait corrigé le nez, les pommettes, le menton. De petites opérations sans conséquences néfastes. Tout s'était bien passé.

Je haussai les épaules.

— C'était une star spécialisée dans les rôles de jeune première, fis-je. Je suppose qu'elle essayait de lutter contre le vieillissement. Des travaux d'entretien, sans plus.

— Sans doute, lâcha Morton.

Je cessai de l'écouter pour reprendre mon étude du dossier. Plus je progressais dans ma lecture, plus la perplexité me gagnait. L'histoire qui s'y trouvait consignée différait par trop de celle communément répandue par les médias. Olcroft y décrivait une Peggy McFloyd irrémédiablement défigurée, à laquelle les soins n'apportaient aucune amélioration.

Les derniers clichés, pris après un an de traitements divers, montraient un visage aux blessures cicatrisées, certes, mais ravagé. Une « gueule cassée » selon l'expression mise à la mode au lendemain de la Première Guerre mondiale. La bouche, le nez, l'oreille, toute la moitié gauche de la tête avait été saccagée, et cela jusqu'au sommet du crâne où les cheveux ne repoussaient plus. L'effet général était atroce. Je ne pus m'empêcher de songer à certaines photos des victimes du bombardement d'Hiroshima.

Cela ne tenait pas debout. Il était impossible qu'une femme à ce point disgraciée ait pu, au sortir de la clinique, reprendre sa place dans l'industrie cinématographique.

Mais le problème ne s'arrêtait pas là, car, dans la suite des rapports médicaux, Olcroft ne tardait pas à laisser transparaître ses craintes quant à l'équilibre mental de sa patiente. Selon lui, la jeune femme ne parvenait pas à surmonter le traumatisme de l'attentat. Son humeur se dégradait, alternant des phases de prostration et de violence. Au cours d'une crise, elle s'était jetée sur l'infirmière de nuit, Geena Mellow, pour tenter de lui arracher les yeux. Alors qu'on la maîtrisait, elle aurait hurlé à plusieurs reprises : « Prenez la peau de son visage, et son œil, j'en ai besoin ! Je suis une vedette, j'ai des droits, des droits ! » Il avait fallu la placer sous sédatif et l'attacher sur son lit.

Je suspendis ma lecture pour faire part de mes doutes à Morton. Me prenant le dossier des mains, il se mit à étudier les dates figurant sur les documents.

— Elle a quitté la clinique moins d'un mois après cet incident, conclut-il. Il y avait un an qu'elle s'y trouvait enfermée.

— C'est impossible ! protestai-je. Julia Hoodcock, la directrice de son fan-club, était présente lors de sa sortie qui s'est effectuée sous l'œil des caméras et de la foule. Elle m'a raconté que Peggy était plus belle que jamais. Qu'elle leur avait crié : « Je suis toujours là, et je vous aime ! »

Morton esquissa un geste d'impuissance.

— Je ne sais quoi répondre, soupira-t-il. Mais il est matériellement impossible que Peggy ait pu recouvrer sa beauté en moins de trois semaines. Olcroft était peut-être doué, mais ce n'était pas un magicien. Il n'a pas pu faire disparaître ce fouillis de cicatrices d'un coup de baguette magique. Merde! regardez les photos... Après un an de greffes elle était à peine moins horrible que le jour de son admission!

C'était terrible à dire, mais c'était hélas la vérité.

— Je n'y pige rien, capitulai-je. C'est incohérent.

— Je ne vous le fais pas dire. J'ai l'impression que quelqu'un s'est lancé dans un magnifique tour de prestidigitation à l'usage des foules. C'est ce truc qu'a découvert Geena Mellow. Ce secret lui a permis de faire chanter Olcroft des années durant. Elle avait soigné Peggy, elle savait la vérité. C'était une professionnelle de la santé, personne ne pouvait l'amener à croire qu'une patiente dans cet état avait recouvré la beauté au terme d'une opération de la dernière chance, aussi prodigieuse qu'improbable.

L'excitation nous gagnait, l'angoisse également... La peur d'avoir découvert une dangereuse vérité.

— Il faut tout reprendre depuis le début, décida Morton. La réponse est sûrement dans ces foutus papiers. Relisons-les... Vous avez une loupe? Il faudrait essayer de déchiffrer les passages qui sont presque effacés.

La nuit pesait sur la ville et nous chuchotions, comme si l'assassin se tenait toujours embusqué derrière la porte de mon appartement. La nervosité se mêlait à la fatigue en un cocktail étrange qui me flanquait le vertige. J'avais la certitude que nous frôlions la vérité, que la révélation se cachait là, au détour de l'un de ces paragraphes aux allures de hiéroglyphes mangés par le temps.

Soudain, Morton laissa échapper un formidable juron.

— C'est là! haleta-t-il. Ça nous crevait les yeux et nous ne l'avons pas vu. Regardez! La fiche d'admission... relisez-la!

J'obéis. Je lus : *Nom : McFloyd... Prénom : ...*

Ce fut à mon tour de pousser un cri.

Il y avait écrit : *Prénom : Sheila-Ann.*

Sheila-Ann... pas *Margaret.*

Sheila-Ann McFloyd, pas Margaret (Peggy) McFloyd.

— Ce n'est pas Peggy qui a été vitriolée, balbutiai-je, c'est sa sœur!

— Exact! triompha Morton. Sa petite sœur. Une fille plus jeune qu'elle d'une bonne dizaine d'années. Voilà pourquoi, tout à l'heure, je suis tombé sur ce dossier de « retouches » : nez, pommettes, menton... Ces modifications n'ont pas été faites sur Peggy; elles étaient destinées à Sheila, sa jeune sœur.

— Mais oui, haletai-je. La gosse lui ressemblait un peu mais pas assez pour faire illusion à l'écran. Alors elle l'a fait charcuter par Olcroft pour parfaire l'illusion. Peggy voulait en faire sa doublure... une doublure plus jeune qui pouvait endosser les rôles que l'âge ne lui permettait plus de tenir. Peggy a passé le relais à Sheila pour sauvegarder son train de vie; mais aucune des deux n'avait prévu que Rhonda Bozman passerait un jour à l'action!

— C'est cela même, ricana Morton. Une belle combine. Je suppose que Sheila fêtait ses dix-huit ans quand Peggy, elle, entrait dans la trentaine. Une sœur cadette, un vague air de famille, une ressemblance qu'il a fallu améliorer. Olcroft s'y est employé. Les deux sœurs se sont arrangées pour continuer à tenir le haut de l'affiche et engranger les contrats en or massif. Il suffisait d'y penser. Au lieu de prendre sa retraite, Peggy McFloyd rempilait grâce à sa doublure... Mais l'attentat a flanqué ce joli plan par terre.

Je me mordis nerveusement la lèvre. On y était

presque, mais des zones d'ombre subsistaient encore, des incohérences...

— Pourquoi n'ont-ils pas mis le nom de Peggy sur la fiche d'admission? soulignai-je en fronçant les sourcils. Ç'aurait été plus discret.

— Parce qu'ils étaient persuadés qu'elle allait mourir d'une crise cardiaque, rétorqua Morton. C'est écrit noir sur blanc. Ils n'ont pas voulu courir le risque de se retrouver avec un cadavre affublé d'une fausse identité sur les bras. Ils ont paniqué. C'était trop dangereux. Ils ont tenu à faire les choses dans les règles, à bétonner l'aspect légal de l'admission. Après, lorsqu'ils ont vu que Sheila tenait le coup, ils ont joué la comédie, en prenant soin, toutefois, de retirer le dossier de la circulation. Même défigurée, Sheila-Ann a continué à servir de doublure à sa sœur.

— Mais Geena Mellow a fini par mettre la main sur ce fichu document, c'est là qu'elle a imaginé de faire chanter Peggy McFloyd et le docteur Olcroft.

Je me suis tue, à bout de souffle. Oppressée.

— Mais qui a tué Rhonda Bozman et Julia Hoodcock? repris-je après avoir rassemblé mes pensées. Qui est ce type qui, après quarante ans de silence, décide soudain de harceler Peggy?

— Aucune idée, avoua Morton. L'ex-petit ami de Sheila-Ann, peut-être? Son compagnon? Son mari?

— Mais pourquoi avoir attendu si longtemps, où était-il?

— Peut-être à l'étranger... ou en prison? Ou bien il vient d'apprendre qu'il va bientôt mourir et a décidé d'apurer ses comptes avant de rendre l'âme?

Je fis la grimace. Ces hypothèses, bien qu'envisageables, me semblaient relever du *soap opera*.

— La vraie question, murmurai-je, c'est : *qu'est devenue Sheila-Ann*? Il est maintenant évident que ce n'est pas elle qui a quitté la clinique en souriant aux caméras et à ses fans. Peggy, la vraie Peggy, a pris sa place. Nous connaissons la suite. Le mythe du phénix renaissant de ses cendres. C'est ainsi qu'on forge les légendes. Mais qu'est devenue la petite sœur défigurée, celle qu'il n'était plus question d'exhiber en public ?

— Je crois qu'il faudra poser la question à Peggy McFloyd en personne, soupira Morton. Elle seule connaît la réponse.

12

Nous continuâmes à élaborer hypothèses et supputations jusqu'à 2 heures du matin sans jamais arriver à un résultat satisfaisant. En fait, cette discussion nous servait de prétexte pour retarder le plus possible le moment où il nous faudrait dormir. Nous étions terrifiés à l'idée que l'homme à la voix grave en profite pour s'introduire dans l'appartement. Le logement n'avait rien d'une forteresse, quant à la porte blindée – d'un modèle bas de gamme – elle ne résisterait pas aux efforts d'un spécialiste en effraction. Hélas, la fatigue nous rattrapait. Nous décidâmes qu'une veille alternée d'une heure devrait permettre à chacun de prendre suffisamment de repos sans sacrifier notre sécurité. Morton, comme il se doit, se proposa pour la première garde. Je n'eus pas le courage de refuser bien que ma confiance dans ses capacités de veille ait été limitée. Il avait pas mal bu au cours des dernières heures, et je craignais qu'il ne pique du nez dès que je cesserais de le surveiller.

— N'ayez pas peur, fit-il avec un brin d'agacement, les vieux messieurs n'ont pas besoin de beaucoup de sommeil. En outre, j'ai toujours été insomniaque.

Je m'allongeai sur le canapé et fermai les yeux. Je m'endormis presque aussitôt. Je m'éveillai deux heures plus tard, en sursaut, pour découvrir Morton effondré dans un fauteuil, ronflant comme un bienheureux. Je décidai de le laisser dormir et d'assurer seule la garde, un couteau à découper à portée de la main.

Je me sentais à peu près en forme. J'attendis le lever du soleil en sirotant du café froid, sursautant au plus léger craquement, vérifiant toutes les trente minutes que les fenêtres étaient bien fermées. J'habitais au deuxième étage, un grimpeur moyen pouvait sans mal prendre pied sur la corniche après avoir escaladé le tuyau de descente.

Dès l'aurore, j'appelai Peeterson. Il décrocha à la huitième sonnerie en grommelant d'une voix ensommeillée. Je lui résumai la situation et réclamai l'assistance de ses gorilles.

— Si nous nous déplaçons en convoi, insistai-je, l'homme à la moto n'osera sans doute pas nous attaquer. Prévenez vos gars de ce qui les attend. Ce type est fou à lier, il peut tenter n'importe quoi.

Un long silence suivit mes dernières paroles. Je me demandai si Peeterson s'était rendormi ou s'il réfléchissait. J'eus l'impression qu'il caressait l'idée de nous abandonner à notre sort. Finalement, il capitula.

— Les gars seront au bas de chez vous dans une heure, lâcha-t-il. À cette heure-ci, la circulation est encore fluide.

Je m'étais attendue à davantage d'enthousiasme de sa part. Il ne m'avait guère paru emballé quand je lui avais annoncé que nous avions récupéré le dossier médical de la clinique Olcroft. J'en déduisis qu'il était au courant du subterfuge mis en place par Peggy et Sheila-Ann.

— À votre tête, marmonna Morton entre deux bâillements, je suppose que Peeterson n'a pas sauté de joie ?

— Non, pas vraiment.

— Il a la trouille. Il sait désormais que nous détenons un dossier compromettant, la preuve d'une triste magouille qui nous permettrait de ternir l'image de son idole, Peggy McFloyd. Il doit se demander si nous allons la faire chanter.

Il n'avait pas tort, et l'idée m'avait effleurée. Cédant à une bouffée de paranoïa, je me laissai aller à imaginer que les gorilles nous confisquaient le document avant de nous assommer et de jeter notre véhicule dans l'un des ravins bordant la route menant à Esteranza.

Non, je délirais, Peeterson n'irait pas jusque-là… du moins je l'espérais.

Je pris une douche et tentai de me rendre présentable. Je n'avais pas de rasoir à proposer à Morton, mais il ne s'en formalisa pas.

— Le *five o'clock shadow* vous va très bien, lui lançai-je, on dirait Paul Newman dans *L'Arnaqueur*, à la fin du film, lorsqu'il perd la partie de billard.

Quand je fus prête, je retournai dans le salon et déclarai, en désignant les boîtes d'archives encombrant le tapis :

— Il faudra passer tout ça au broyeur. Inutile que ces secrets tombent entre les mains de journalistes malintentionnés. Je sais que ces gens sont presque tous morts à l'heure qu'il est, mais leur image reste intacte dans l'esprit de ceux qui les ont aimés, pas la peine de la salir.

— D'accord, soupira Morton. On s'en occupera au retour. Mais vous aurez intérêt à emprunter un broyeur industriel.

Le chef des gardes du corps nous appela depuis sa voiture pour nous prévenir que « le contact s'établirait dans trois minutes », il s'exprimait comme s'il s'apprêtait à envahir le Koweït.

— Ils seront bientôt en bas, annonçai-je. Il va falloir déverrouiller la porte.

Je glissai le dossier médical dans un sac que j'assujettis sur mon épaule, puis j'empoignai le plus imposant de mes couteaux à découper. Je m'attendais à tout. Je ne pouvais exclure l'éventualité que l'assassin se trouvât embusqué sur le palier, une fiole de vitriol à la main, guettant le moment où je pointerais le nez dans l'entre-bâillement de la porte.

— Demandez aux gars de Peeterson de sécuriser le périmètre, souffla Morton. Qu'ils vérifient la cage d'escalier...

— Ils sont vieux, soupirai-je, nous n'avons pas affaire à des jeunes recrues des Forces Spéciales, rappelez-vous.

— L'assassin aussi, est vieux, riposta mon compagnon, ça devrait équilibrer la balance.

Il semblait à cran.

De la fenêtre, je vis deux breaks noirs à vitres fumées se garer de part et d'autre de ma Chevy Impala. Le plus costaud des gorilles en sortit, un téléphone portable collé à l'oreille. Le mien se mit à sonner. Je pris la communication.

— Nous sommes là, madame, fit le garde planté sur le trottoir. Ne sortez pas tant que nous n'aurons pas visité les environs. Quand je sonnerai chez vous, je prononcerai la phrase suivante : « La couleur du smog est rouge aujourd'hui. » Si je ne dis pas ces mots, n'ouvrez pas, c'est que j'agirai sous la contrainte. C'est compris ?

J'acquiesçai. Ces précautions me rendaient nerveuse.

Dix minutes s'écoulèrent avant que le garde ne frappe à la porte en récitant la phrase convenue. Le visage impénétrable, il m'affirma s'appeler Ben d'un ton qui sous-entendait que je n'avais pas à en savoir plus.

— Ne craignez rien, madame, dit-il, tout est propre, nous avons le secteur bien en main.

Je sortis, Morton sur mes talons. Je vis que l'acide déversé par le fou avait dévoré mon tapis-brosse et entamé les dalles du palier. J'allais avoir des problèmes avec la copropriété.

Nous descendîmes l'escalier en rasant le mur de

gauche. Je notai que « Ben » brandissait un pistolet Taser.

Je traversai le trottoir comme une flèche et m'engouffrai dans l'Impala. Morton se rua sur le siège du passager. Une minute plus tard, je démarrai, encadrée par les véhicules des agents de sécurité. Nous filâmes aussi vite que possible à travers les rues encore désertes. Le smog était plus jaune que jamais.

Le trajet se déroula dans une atmosphère de tension extrême. Les mains crispées sur le volant je ne cessai de jeter des coups d'œil de droite et de gauche, redoutant une action kamikaze de notre psychopathe à la voix goudronnée. Ce fut avec un réel soulagement que je vis apparaître la grille défendant l'entrée du domaine.

Peeterson nous attendait, les traits crispés.

— Je vous emmène chez Peggy, fit-il d'une voix tendue. Elle vous attend.

Au coup d'œil qu'il lança en direction de Morton, je compris qu'il était tenté de déclarer au scénariste que cette invitation ne le concernait pas. Je l'en dissuadai en déclarant d'un ton sans réplique :

— Il m'accompagne. Il m'a secondé pendant l'enquête. Il est au courant de tout.

Peeterson prit un air pincé et se dirigea vers la maison.

Dix minutes plus tard, nous passions devant la dépouille du chat empaillé dont la vue parut plonger Morton dans la perplexité.

Tracy... ou plutôt Peggy nous attendait effectivement en tirant sur une cigarette extra-longue sans filtre ornée de son monogramme. Je me rappelai avoir lu quelque part qu'on les fabriquait à la main, à son intention, selon une technique ancienne.

Je m'assis sans attendre d'y être invitée et posai le dossier sur la table, en évidence. Je pris un quart d'heure pour résumer les événements des derniers jours. J'insistai sur les deux meurtres. Peggy ne broncha pas, témoignant d'une parfaite maîtrise de ses émotions.

— D'accord, soupira-t-elle. Inutile de finasser. Vous avez conscience d'avoir été manipulée et cela vous agace. Je puis l'admettre. Il serait sans doute utile que je vous expose la genèse du problème. Cela risque d'être long, et je m'en excuse par avance. Mais la situation est quelque peu embrouillée. Soyez donc patiente et évitez de m'interrompre à tout bout de champ ou nous n'y arriverons jamais.

« Vous l'avez compris, j'ai une sœur, Sheila-Ann, de treize ans ma cadette. Quand nos parents sont morts, je l'ai prise sous mon aile, je me suis occupée d'elle comme le ferait une mère... Ce n'était pas simple car je débutais dans la carrière d'actrice, et cela imposait une extrême disponibilité : les auditions, les dîners, les cocktails... Dynamite Langford, mon agent, exigeait que je soigne ma « visibilité »; chose qui ne facilite pas la vie de famille, vous vous en doutez.

« Je me débrouillais du mieux possible en confiant la garde de Shelly à des baby-sitters, puis, quand mes contrats sont devenus plus consistants, à des gouvernantes. C'était une gamine fantasque, exaltée, obsédée par le cinéma. Passant la plus grande partie de ses journées à plat ventre devant le téléviseur du salon. J'étais en quelque sorte son modèle. Elle répétait qu'elle voulait devenir comme moi, une vedette, qu'elle était née pour ça. À treize ans, elle apprenait mes rôles et les jouait devant le miroir de sa chambre... Elle était loin d'être mauvaise, au demeurant. Elle se croyait prédestinée. Quand il y avait de la boue dans le jardin, elle y enfonçait ses mains, pour y imprimer sa trace, comme cela se pratiquait jadis devant le Mann's Chinese Theatre, sur Hollywood Boulevard. Elle me disait : « J'aurai mon nom sur le trottoir, moi aussi, comme Lauren Bacall. »

« J'ai essayé de la mettre en garde, de ramener ses ambitions à de plus justes proportions, mais elle ne m'écoutait pas. Elle n'avait pas conscience de ce que sont réellement l'univers du cinéma, les compromissions, les coucheries, les humiliations… Elle se faisait des studios une peinture fleur bleue, irréaliste. Elle imaginait ça comme une réplique de *Singing in the rain*. Une bande de chouettes copains sympas s'épaulant les uns les autres. Elle était loin du compte !

« Je lui ai expliqué qu'être la sœur d'une vedette constituait un handicap plutôt qu'un tremplin, et qu'elle aurait intérêt à prendre un pseudo. J'ai voulu l'inscrire dans un cours d'art dramatique afin qu'elle redescende un peu sur terre ; elle a refusé tout net. Elle estimait tout savoir. Elle n'avait aucune patience, comme beaucoup de jeunes elle voulait tout tout de suite. Il n'était pas question pour elle de s'élever lentement dans la hiérarchie des acteurs à coups de petits rôles, non ! Il lui fallait devenir célèbre dès sa première apparition à l'écran. Passer de l'obscurité à la lumière en un claquement de doigts. Comme je renâclais, elle a commencé à sous-entendre que j'avais peur d'elle, que je la percevais comme une concurrente susceptible de m'éclipser. Nos rapports se sont vite dégradés. Son instabilité affective s'est aggravée. Elle avait seize ans, j'étais souvent absente, mobilisée par des tournages à l'étranger. Elle s'est mise à faire des conneries.

— Quel genre de conneries ?

— La drogue, la baise à droite à gauche, les partouzes… C'était la grande époque hippie, l'amour libre, toutes ces foutaises libertaires qui profitaient surtout aux mecs, comme toujours ! Elle est tombée enceinte trois fois. Le docteur Olcroft s'en est occupé. Il avait l'habitude de ces choses ; il avait une conception très progressiste de la médecine. Shelly refusait la contraception, elle préférait se placer sous la protection d'un cristal magnétique qui, disait-elle, ne risquait pas de lui faire prendre du poids, contrairement à la pilule… Bref, elle était difficile à contrôler. J'étais terrifiée à l'idée qu'elle se laisse embarquer dans un trafic de drogue ou qu'un quelconque gourou la persuade de se prostituer afin de financer la construction de sa nouvelle « église ».

« Ce furent des années difficiles. Parfois elle fuguait. Pendant deux semaines, un mois, deux mois, elle ne donnait plus aucune nouvelle. Elle partait vivre dans des « communautés » où elle servait en fait de jouet sexuel à des marginaux roublards défoncés jusqu'aux yeux. Et puis… je suis tombée malade. Un truc bénin mais dramatique étant donné ma profession.

« J'avais contracté une allergie aux produits de maquillage employés par les studios. Pas une simple urticaire, non, un œdème déformant. Dès qu'un pinceau chargé de blush m'effleurait, je me transformais en clone d'*elephant man*. L'horreur absolue. Ma carrière était fichue, c'était une catastrophe. J'ai consulté le docteur Olcroft sans succès, le traitement anti-inflammatoire n'a rien donné. Le verdict est tombé : il fallait désormais que je vive sans maquillage. C'était inenvisageable, surtout à la télévision où l'on est obligé de se colorer la figure à la truelle si on ne veut pas avoir l'air d'un mort-vivant. J'étais foutue. Les studios détestent ce genre de problème, si je leur compliquais la vie on se dépêcherait de me trouver une remplaçante, voilà tout !

« Je ne supportais pas cette idée. L'argent commençait tout juste à rentrer ; après des années de galère je vivais enfin une existence de star, il n'était pas question pour moi de renoncer à ces privilèges.

— C'est alors que vous avez eu l'idée d'une substitution.

— Non, en réalité c'était l'idée de Shelly. La fine mouche y a vu l'occasion rêvée de concrétiser ses fantasmes. Au lieu de démarrer à la case départ, elle allait accéder directement au statut de vedette installée. Elle m'a expliqué que, de cette manière, elle se tiendrait tranquille, et que l'argent continuerait à rentrer dans nos caisses. Plus tard, quand je serais guérie, je pourrais reprendre ma place, bla-bla-bla.

« Je n'étais pas dupe mais je n'avais pas le choix. Mes créanciers m'auraient mise en pièces. Nous aurions tout perdu. Après tant d'efforts, de sacrifices, c'était inacceptable. J'ai dit oui.

— Et Olcroft s'est chargé de modifier son visage.

— Oui, il y avait des différences évidentes. Nous n'étions pas jumelles. Il a fallu retoucher le nez, le menton, les pommettes et les oreilles. En ce qui concerne la couleur des yeux, des lentilles colorées ont résolu le problème. Mais Shelly avait à peine vingt ans, elle cicatrisait bien... et elle était prête à tout pour devenir une star.

— Personne, aux studios, n'a remarqué la substitution?

— Non. Les actrices ont souvent recours à la chirurgie esthétique, les metteurs en scène et les maquilleuses sont blasés de ce côté-là. Ils ont simplement pensé que Peggy McFloyd avait fait comme les copines, qu'elle s'était offert une cure de rajeunissement à la clinique du bon docteur Olcroft, le magicien du bistouri. Voilà pourquoi ma physionomie avait changé. J'avais l'air plus jeune, c'est tout ce qui comptait. Dans le cinéma, on est vite déclaré trop vieux.

« Je dois avouer que Shelly s'est montrée à la hauteur. Mais ça lui était facile, elle m'imitait depuis si longtemps! Elle connaissait mes tics, mes mimiques, ma façon de parler, de bouger. Elle n'ignorait rien de mes goûts. Elle avait occupé son adolescence à les contrefaire. Je n'avais rien à lui apprendre dans ce domaine.

— Elle a donc repris votre rôle dans *First Lady*?

— Oui, et comme elle était plus jeune, plus fraîche, plus dynamique, sa cote de popularité est montée en flèche. Tout le monde l'a trouvée irrésistible, « cent fois mieux que dans les précédents épisodes », je ne fais que citer les mots d'un critique de l'époque.

— En avez-vous conçu de la jalousie?

— De la tristesse plutôt. Mais pas tant que ça. Bon, je ne me faisais plus d'illusions depuis un moment déjà. Je savais que j'étais en train de passer du mauvais côté de la trentaine. Dans les sixties, c'était le début de la fin, surtout pour les rôles qu'on me confiait. Je savais qu'il ne me serait plus possible de faire illusion très longtemps. L'emploi de « petite fiancée de l'Amérique » est éphémère. Quand on vous en dépouille, vous vous retrouvez nue. Difficile de se recaser ensuite dans des rôles plus matures. Vous resterez pour toujours l'idiote qui jouait la première dame dans cette série que vous regardiez quand vous étiez gosse. Quand vous apparaissez sur l'écran, sous votre aspect actuel, le public s'exclame : « La vache! Qu'est-ce qu'elle a vieilli! » Alors vous passez à la trappe, et il ne vous reste plus qu'à ouvrir une boutique de confection ou un magasin d'antiquités. C'est ainsi que finissent beaucoup d'anciennes stars de la télé.

— Cette substitution tombait donc à pic!

— Oui, elle assurait la pérennité de nos rentrées d'argent. Grâce à Shelly, *First Lady* trouvait son second souffle.

— Et vous, que faisiez-vous pendant que votre sœur tournait?

— Je vivais cloîtrée, en essayant de soigner ma maladie de peau. Les progrès étaient lents. À l'époque, s'exhiber sans maquillage en Californie, c'était aussi inenvisageable que de s'avouer communiste. On vous collait l'étiquette de marginale, de paumée. Ou alors on vous considérait comme une morte-vivante. Le problème, c'est que j'étais célèbre, et que tout le monde me reconnaissait dès que je mettais le nez dehors. Lorsque je voulais me promener, je devais me déguiser, m'affubler d'énormes lunettes noires, de chapeaux, bref, me transformer en épouvantail. Sans compter que c'était dangereux. Un photographe pouvait me repérer, s'étonner que Peggy McFloyd soit capable de se trouver à deux endroits différents au même moment. Vous voyez?

— J'imagine, oui.

— L'inactivité m'a beaucoup pesé, je me suis mise à picoler, ce qui n'a pas amélioré mon apparence physique. Je me bourrais de sucreries, j'ai grossi. Horriblement. L'avantage de cet enlaidissement, c'est qu'il me permettait de sortir sans crainte d'être reconnue. J'étais obèse, je ne me ressemblais plus du tout! J'étais devenue quelqu'un d'autre, quelqu'un qui n'avait aucun point commun avec la première dame de la série. Peu à peu, je suis devenue philosophe, j'ai apprécié la liberté que m'offrait ce nouvel état. J'ai pris du recul par rapport à la profession d'actrice qui, d'un coup, m'est apparue comme artificielle, factice et sans nécessité réelle. J'y ai vu une sorte d'opium, de manipulation des foules, et j'ai eu honte d'avoir activement collaboré à cette mascarade. J'avais, d'un seul coup, envie de choses vraies... Je ne sais pas si vous comprenez ce que j'essaye de dire. Peut-être est-ce là un passage obligé pour les actrices arrivées au sommet de leurs possibilités?

— Je suppose que Shelly ne partageait pas votre façon de voir?

— Non, pas du tout. Elle s'éclatait grave, comme on dit aujourd'hui. Elle vivait un conte de fées. Depuis que j'étais devenue grosse, elle était gentille avec moi, sans doute parce qu'elle ne craignait plus que j'exige de reprendre ma place dans la série. En fait, je ne la voyais presque plus. Elle me rendait rarement visite, elle était surbookée : les cocktails, les amants, les fêtes à Malibu, les week-ends en mer, sur le yacht de tel ou tel producteur... J'étais heureuse pour elle mais je m'inquiétais pour l'avenir. Je savais que tout cela ne durerait pas, parce que rien ne dure dans le milieu du cinéma. Elle claquait énormément de fric en toilettes, en bijoux et sur les tapis verts, à Vegas. C'était une vraie cigale.

« Et puis, le drame s'est produit… La mère Bozman, le vitriol… D'un seul coup, tout a basculé. J'ai reçu un coup de fil affolé du docteur Olcroft. Shelly venait d'arriver en ICU, elle était très mal en point… En disant cela, Olcroft ne faisait pas seulement allusion à son visage ; ma sœur avait fait un arrêt cardiaque à peine allongée sur la table d'opération. On l'avait fait « redémarrer », mais le rythme demeurait instable. Le pronostic vital n'était pas optimiste. J'ai loué un hélicoptère pour me faire déposer sur le toit de la clinique et éviter ainsi la foule des journalistes et des fans. J'ai failli m'évanouir quand j'ai découvert le visage de Shelly. On l'avait anesthésiée pour qu'elle cesse de souffrir car elle avait beaucoup de difficulté à supporter la douleur, et l'on redoutait un nouvel arrêt cardiaque. Olcroft m'avait fait préparer une chambre. Il était persuadé que Shelly ne survivrait guère plus de quelques heures. Je l'ai senti dépassé, ce n'était pas son domaine. Il n'avait pas l'habitude d'opérer à chaud sur de telles blessures. Il répétait : « Merde ! chierie ! C'est de la chirurgie de champ de bataille, ça ! Si j'avais voulu en faire, je serais au Vietnam à l'heure qu'il est ! »

« Les jours qui ont suivi ont été difficiles à vivre. J'ai très vite compris que Shelly avait perdu la tête. Le traumatisme avait eu raison de son équilibre mental déjà fragile. À la seconde même où le vitriol l'avait éclaboussée, elle avait compris qu'elle était en train de tout perdre. Que la parenthèse enchantée se refermait, et elle ne l'avait pas supporté.

Peggy McFloyd se tut, le temps d'allumer une autre cigarette. Ses mains tremblaient. Je demeurais immobile.

— Les mois ont passé, reprit-elle. Les greffes ont succédé aux greffes sans amélioration notoire. J'ai englouti des sommes énormes dans ces interventions ratées. Au bout de six mois, j'ai compris qu'à ce train-là je serais bientôt ruinée, il fallait réagir, tenter quelque chose.

— C'est alors que vous avez décidé de revenir, de reprendre votre rôle...

— Oui. J'y étais obligée, l'argent filait en soins inutiles. J'avais dû mettre en vente ma maison de Malibu et mon appartement de Bel Air pour être en mesure de régler les factures que me présentait Olcroft. J'ai pris le taureau par les cornes. Un matin, je lui ai demandé de me faire maigrir et de me tirer la peau du visage de manière à me rajeunir d'une dizaine d'années. Il a tout de suite compris où je voulais en venir, c'était un vieux renard. En six mois, il m'a retapée. Je ne dis pas que j'en conserve un souvenir agréable, mais il s'est montré d'une redoutable efficacité.

— Et Shelly?

— Quand elle a tenté d'énucléer cette infirmière, Geena Mellow, il est devenu évident qu'elle était irrécupérable. Dangereuse pour son entourage. On ne pouvait envisager de la laisser sans surveillance. Olcroft m'a recommandé une clinique psychiatrique privée, très sélect et tenue par l'un de ses amis, à Orange County. Nous y avons transporté Shelly par hélicoptère. C'est un établissement luxueux où les stars suicidaires ou droguées viennent se faire soigner.

— Dans quel état se trouvait votre sœur?

— Les plaies de son visage étaient cicatrisées, mais elle était défigurée. On supportait mal de la regarder plus de deux secondes. Comme elle était très agitée, on l'a placée sous neuroleptique.

« En ce qui me concerne, j'ai joué la comédie de la renaissance... Je n'ai rien à vous apprendre à ce propos : *La femme détruite qui se relève des décombres de sa propre vie, bla-bla-bla*. La chance m'a souri, je suis devenue une icône. Il était temps, je n'avais plus un sou. Olcroft et ses pratiques vaudoues m'avaient ruinée.

Ensuite j'ai enchaîné film sur film. J'étais à la mode. J'ai gagné beaucoup d'argent, j'en avais besoin. Dès que j'avais un moment, j'allais rendre visite à Shelly. Un jour, elle a essayé de m'arracher les yeux et la peau du visage. Elle hurlait : « Voleuse ! Voleuse ! » Le médecin m'a demandé de ne plus venir. Chacune de mes apparitions provoquait chez ma sœur des crises de violence qui terrifiaient le personnel de la clinique. J'ai obéi. Que faire d'autre ? L'installer chez moi était impossible, il aurait fallu que je m'entoure d'une équipe médicale spécialisée, les journalistes n'auraient pas tardé à s'en étonner... et puis, elle me faisait peur. J'étais persuadée qu'elle finirait par tromper la vigilance des infirmiers et se glisserait dans ma chambre, une nuit, pour me découper la figure au rasoir.

— Elle est donc internée en secret depuis quarante ans !

— Non. Elle s'est échappée il y a cinq ans.

— Quoi ?

— Vous avez bien entendu. Elle était là depuis si longtemps que le personnel médical ne se méfiait plus d'elle. Shelly faisait partie des meubles. On la considérait comme une vieille dame schizoïde, murée dans son univers. Elle n'avait plus de crises depuis près de vingt ans. Il paraît qu'elle occupait ses journées à reconstituer des puzzles gigantesques et très compliqués. Elle se montrait polie avec tout le monde. Une pensionnaire modèle qui, chaque matin, faisait sa gymnastique dans le jardin.

— Elle jouait la comédie ?

— Je n'en sais rien. Je crois plutôt qu'elle a profité d'une occasion, d'une négligence. Elle a filé. On ignore comment. Les médecins ont essayé de me rassurer en prétendant qu'on la retrouverait vite car il en va toujours ainsi avec les internés de longue date. Une fois dehors ils ne savent où aller, et finissent assis sur un banc, dans un jardin public ou à un arrêt de bus.

— Mais on n'a pas retrouvé Shelly…

— Non. J'ai engagé des détectives, en vain. Elle s'est évaporée dans la nature. J'ai cru qu'elle s'était enfoncée dans les collines et qu'elle était tombée dans un ravin. Là encore, j'ai organisé des battues, sans résultat.

— Quel âge avait-elle lors de son évasion?

— Cinquante-huit ans, mais son visage abîmé la fait paraître plus vieille. Sur les photos qu'on m'a montrées, on croirait une septuagénaire.

— Donc, une fois dehors, elle est restée tranquille. Je pense qu'elle a été recueillie par quelqu'un. Un homme âgé. C'est lui qui a décidé de la venger. L'homme à la voix goudronnée par le tabac. C'est encore lui qui pilote la moto, c'est toujours lui qui a assassiné Rhonda Bozman et Julia Hoodcock. Je crois qu'il voulait récupérer le dossier médical de Shelly pour le rendre public. Son but, c'est de révéler la supercherie à la presse, de déshonorer celle que Shelly considère comme une usurpatrice, *c'est-à-dire vous.*

Peggy grimaça d'un air gêné. Elle leva la main pour m'interrompre et dit :

— Attendez… je me rends compte que vous n'avez pas encore compris. Il n'y a pas d'homme à la voix rauque. Cette voix, c'est celle de Shelly.

— Qu'est-ce que vous racontez?

— L'acide, en perforant la gorge de ma sœur, a abîmé ses cordes vocales. Olcroft a fait ce qu'il pouvait pour les réparer. Shelly n'est pas devenue muette, certes, mais elle a conservé cette voix épouvantable.

— Vous auriez pu nous le dire plus tôt! Cela implique que le conducteur de la Harley, c'est Shelly! C'est donc elle qui a assassiné Rhonda Bozman et Julia Hoodcock…

— Je le pense également.

— Pourquoi m'avez-vous confié cette enquête? Qu'espériez-vous?

— Je voulais que vous découvriez où ma sœur se

cache depuis cinq ans, de manière que nous puissions la récupérer en douceur. Il était hors de question d'avoir recours à la police, les flics auraient posé des questions gênantes, le scandale aurait fini par éclater. Je suis trop vieille pour supporter ça. Je comptais sur vous pour retrouver sa trace.

— Lorsque vous m'avez offert en appât, dans le jardin, c'était pour la capturer?

— Oui, mais elle nous a filé entre les doigts. Je ne pensais pas qu'elle serait en aussi bonne forme. Je l'imaginais brisée, se déplaçant difficilement... Je me suis trompée.

— D'où sort-elle cette moto?

— Je l'ignore. Vous avez raison sur un point, elle a trouvé refuge chez quelqu'un. Quelqu'un qui s'est occupé d'elle pendant trois ans, canalisant ses pulsions. Et puis, il y a deux ans, les choses se sont déréglées, car c'est à cette date que Shelly a commencé à m'expédier des lettres de menace, des photos.

— De qui tenait-elle ces clichés?

— Je suppose qu'elle les a volés à la clinique. Elle détenait les photos mais pas le dossier médical, et sans lui elle ne pouvait rien prouver. Voilà pourquoi elle voulait le récupérer. Rien de tout cela ne serait arrivé si cet imbécile d'Olcroft n'avait exigé d'enregistrer Shelly sous son véritable nom. Il paniquait, il était persuadé qu'elle allait mourir d'une minute à l'autre. Il ne voulait pas se retrouver avec un cadavre anonyme sur les bras. Il ne cessait de me répéter : « Je veux bien l'inscrire sous le nom de Peggy McFloyd, mais quand elle mourra, vous cesserez par là même d'exister pour l'état civil. Et n'espérez pas vous faire passer pour Shelly! Dans l'état où vous êtes, personne ne croira que vous avez vingt ans! Bordel! a-t-on idée de se laisser aller de la sorte! On vous donnerait quarante-cinq berges bien tassées! Je vous avais pourtant avertie que si vous vouliez un jour récupérer votre véritable identité, il fallait vous maintenir en forme. »

J'avais cessé d'écouter ses lamentations. Je me creusais la tête pour essayer d'imaginer comment Shelly avait survécu après s'être enfuie de la clinique.

— Elle a forcément été recueillie par quelqu'un, intervint Morton. Elle n'a pas pu s'en tirer autrement. Elle était démunie, sans argent, ignorant tout du monde moderne dans lequel elle reprenait pied. Je suppose qu'un automobiliste, un camionneur, l'a découverte errant au bord d'une route et l'a ramenée chez lui.

— Pourquoi pas une femme ? suggérai-je. Une femme qui a pu agir dans un élan de solidarité, émue par cette inconnue disgraciée clopinant en rase campagne.

— Possible. Une veuve sans enfant. Une femme seule, peut-être âgée.

— Ne jouons pas les profileurs de série télé, grognai-je avec impatience, ça ne sert à rien. Nous n'avons pas les moyens d'enquêter aux alentours de la clinique. Shelly a pu être ramassée par n'importe qui et hébergée hors de L.A. Quelque part au fond d'un canyon, loin de tout. C'est là qu'elle a récupéré cette moto.

— Pourquoi s'est-elle tenue tranquille pendant trois ans ? soliloqua Morton. Qu'est-ce qui l'a « réactivée » ?

— Comment savoir ? lâchai-je. Un de ses anciens films qui passe à la télé, une rediffusion de *First Lady*... Un article parlant d'elle dans un ancien numéro de *Variety* découvert au fond d'un hangar... On peut décliner les possibilités à l'infini. Le truc a agi sur elle comme une décharge électrique ; d'un seul coup, ses vieux démons se sont réveillés et elle a décidé de se venger.

— Trois ans d'hibernation, et boum ! le réveil ?

— Pourquoi pas ?

— En effet, pourquoi pas.

Il m'agaçait à jouer les experts criminologues un brin sarcastiques. J'avais l'impression qu'il me balançait les répliques écrites jadis, pendant son heure de gloire. Je me tournai vers Peggy. Elle paraissait abîmée dans ses pensées. La cigarette se consumait toute seule entre ses doigts, menaçant de la brûler.

Je m'efforçai d'éveiller son attention en lui demandant :

— À plusieurs reprises Shelly a fait allusion à un chat aux yeux jaunes... Probablement celui qui trône sur votre cheminée. Savez-vous pourquoi ?

La vieille dame s'ébroua. Les sourcils froncés, elle grommela :

— Non... je ne vois pas. Ce chat s'appelait Capitaine Spoutnik. C'était la mascotte de l'équipe... Il vivait sur le plateau. Les acteurs lui abandonnaient des débris de leurs sandwiches. Je n'ai jamais été très « chat », donc je n'ai jamais fait attention à cet animal. On m'a raconté qu'il était mort dans un incendie accidentel. Un court-circuit aurait mis le feu à l'entrepôt où il avait l'habitude de dormir. Sa dépouille empaillée m'a été offerte il y a une dizaine d'années par un ancien de la série, un technicien éclairagiste qui croyait me faire plaisir. Je ne pouvais pas refuser. J'ignorais que Shelly s'était attachée à cette bestiole. En tout cas, elle ne m'en a jamais parlé. S'il ne tenait qu'à moi, j'aurais flanqué ce truc à la poubelle depuis longtemps.

Je ne sais pourquoi, mais il me sembla que quelque chose sonnait faux dans sa déclaration, et je crus y discerner un soupçon de peur superstitieuse.

Soudain elle se leva, nous signifiant que l'entretien était terminé.

— Excusez-moi, dit-elle avec lassitude. Je dois réfléchir à tout cela. Je vous remercie pour les risques que vous avez courus. Shelly est dangereuse, c'est vrai, mais je veux à tout prix éviter que la police ne l'abatte au coin d'une rue. Mon but consiste à la retirer de la circulation, en douceur et à la transférer ici, dans un bloc sécurisé que je ferai construire. Reposez-vous. Ici, au domaine, vous êtes en sécurité.

Je ne partageai pas cette certitude mais je me gardai de la contredire. Nous quittâmes la pièce sous la houlette de Peeterson, plus solennel que jamais.

13

Peeterson nous abandonna dans le grand hall sans prendre la peine de nous saluer. Désorientés, nous prîmes le chemin de la cafétéria. Vingt vieillards y chuchotaient en adoptant des mines de conjurés. Ils se turent à notre entrée et nous dévisagèrent avec désapprobation, comme si nous apportions la peste en des lieux jusque-là préservés de la maladie. Morton alla nous chercher deux cafés, il en profita pour bavarder avec la serveuse. Tout d'abord renfrognée, elle succomba vite à son charme et se lança dans une explication à voix basse.

Morton vint me rejoindre avec les tasses fumantes.

— À quoi riment ces mines d'enterrement? lui demandai-je.

— Ils ont peur, me répondit-il en détournant les yeux. À cause de l'attentat dont vous avez failli être victime, le nouvel épisode de la série n'a pu être tourné. Cela signifie que l'échéance ne sera pas respectée... et donc que le producteur n'aura rien à se mettre sous la dent.

— Le producteur? m'étonnai-je.

— Mais oui, s'impatienta mon compagnon. Celui qui se cache dans les tréfonds de la maison, au dernier sous-sol. Vous savez bien! Le démon qui s'est engagé à nous rendre immortels à condition que *First Lady* ne s'arrête jamais.

— Oui, excusez-moi, je n'y pensais plus. Donc, cette créature serait mécontente?

— Les pensionnaires en sont convaincus. Ils estiment que le producteur a d'ores et déjà pris des sanctions contre nous. Ces derniers jours, ils ont senti leur état de santé se détériorer. Certains ont vu leurs vieux malaises revenir à l'assaut.

— Ils somatisent, c'est tout.

— Ce n'est pas l'interprétation qu'ils ont choisi de retenir. Ils pensent que le domaine est menacé, qu'une catastrophe va bientôt l'anéantir. Ils prétendent que, la nuit, le producteur va et vient au long des couloirs, d'un pas qui trahit sa mauvaise humeur, et que son cigare n'a jamais répandu une telle puanteur. Une odeur de chair brûlée.

Je pouffai d'un rire nerveux.

— Arrêtez! le suppliai-je, on se croirait dans un épisode de *The Twilight Zone*. Ne me dites pas que vous accordez un quelconque crédit à ces conneries!

— Ne parlez pas aussi fort! me réprimanda-t-il en éludant la question. Ils ne vous aiment pas. Ils pensent que vous avez amené le chaos dans nos murs. Ne soyez pas si... new-yorkaise! Ce sont des vieillards superstitieux, terrifiés à l'idée de mourir. Ils seraient prêts à signer un pacte avec le diable pour bénéficier d'une semaine d'existence en rab!

— Nous sommes tous les deux fatigués et sur les nerfs, coupai-je. Le mieux est d'en rester là. Je vous propose d'aller nous reposer avant que nous en venions aux mains.

Je me levai, abandonnant ma tasse pleine sur la table. Morton ne fit pas un geste pour me retenir, c'était tout aussi bien. J'avais hâte de boucler cette affaire et de retourner à la civilisation.

Je regagnai mon studio sans attendre. Mes talons

faisaient naître d'étranges échos dans les couloirs déserts. Je pris soudain conscience que les haut-parleurs diffusant l'habituel fond sonore étaient muets. Le silence planait sur la bâtisse qui, du coup, semblait en deuil.

Une fois ma porte refermée, je ne me sentis guère plus en sécurité. Le domaine était une passoire, sa clôture édentée... Nul besoin d'avoir suivi un stage commando pour s'y introduire!

M'approchant de la baie vitrée, je scrutai le parc. La vraie question se résumait à : *Shelly McFloyd était-elle déjà parmi nous?*

Se cachait-elle quelque part dans la végétation? Au creux d'un ravin? Attendait-elle la nuit pour passer à l'action?

Je me demandai tout à coup si nous n'avions pas commis une erreur monumentale en refusant de lui restituer son dossier médical. Qu'aurait-elle pu tenter une fois en possession de ces fichus documents? Qui l'aurait écoutée? On l'aurait prise pour une affabulatrice, et l'affaire en serait restée là. Qui se souciait encore de Peggy McFloyd? La jeune génération ignorait jusqu'à son existence. Même les tabloïds se seraient fait tirer l'oreille pour lever un lièvre à ce point mangé aux mites.

En la frustrant de son bien, nous n'avions fait que fortifier sa colère. Désormais dans l'incapacité de recourir aux médias pour obtenir réparation, elle risquait de faire justice elle-même... de s'improviser juge et bourreau.

Je décidai de prendre une douche pour me calmer les nerfs. Mais la légende du « producteur » continuait à me tarauder l'esprit. Peggy y adhérait-elle? Elle avait paru si effrayée quand je l'avais questionnée au sujet du chat empaillé.

Même Morton avait semblé gêné lorsque j'avais évoqué la bestiole.

Je n'arrivais toujours pas à déterminer dans quelle

mesure il accordait foi à la fable grotesque du « producteur ». La chose, au demeurant, n'aurait rien eu pour me surprendre car, comme on ne le dira jamais assez, les comédiens sont superstitieux. La plupart sont de grands consommateurs d'amulettes, de talismans, de formules magiques contre la guigne, de rituels infantiles censés les protéger contre le trac, le trou de mémoire, l'insuccès. Il suffit de les observer les soirs de « première » pour en être convaincu.

Je me laissai tomber dans un fauteuil, accablée par le désœuvrement. À présent que le tournage était arrêté, il devenait inutile que je retourne à ma planche à dessin. J'avais l'illusion d'être embarquée sur un paquebot à la dérive, un vaisseau fantôme peuplé d'ombres chuchotantes.

La fatigue me rattrapant, je finis par m'assoupir. Je rêvai du « producteur », il arpentait les couloirs, son cigare vissé au coin de la bouche, telle une caricature sinistre de Groucho Marx. Le chat empaillé l'accompagnait, trottinant sur le dallage. Ils formaient un couple effrayant. Une image en noir et blanc où seuls les yeux jaunes de l'animal instillaient un soupçon de couleur.

De temps à autre, le producteur s'arrêtait devant une porte et, tirant un stylo-feutre de sa poche, y traçait une croix, comme pour signifier que l'occupant de cette chambre figurait désormais sur la liste des prochains condamnés.

Je m'éveillai en sursaut à la seconde où il s'arrêtait au seuil de mon studio.

Ce n'était qu'un cauchemar stupide mais il me colla à la peau tout le reste de la journée. Si je m'étais écoutée, j'aurais cédé au besoin d'aller vérifier si la terrible croix n'avait pas été, effectivement, tracée sur ma porte.

J'avais espéré que Morton m'appellerait, mais il n'en fit rien. Peut-être – me jugeant un poil compromettante – prenait-il ses distances ?

236

Partant du principe qu'il est préférable de connaître ses ennemis, je m'appliquai à essayer d'imaginer le cheminement de Shelly McFloyd depuis son internement à l'asile psychiatrique d'Orange County.

Mon estomac se serrait à l'idée qu'elle ait pu rester emprisonnée trente-cinq ans! Autrement dit, de la jeunesse jusqu'à l'aube de la vieillesse. Elle n'était pas seule dans ce cas, si ma mémoire ne me jouait pas de tour, il me semblait que Camille Claudel avait connu un sort aussi peu enviable. Le peu de temps que j'avais passé en prison me permettait de ressentir toute l'horreur d'une telle privation de liberté.

À partir de quelle date avait-elle recouvré assez de lucidité pour comprendre qu'elle n'aurait une chance de s'échapper qu'à condition d'adopter un profil bas?

Avait-elle patiemment construit son personnage de détenue modèle dans le but de berner ses geôliers? Ça n'avait rien d'impossible, n'avait-elle pas été actrice?

À sa place, j'aurais fait la même chose.

Le désir de se venger lui avait donné la force de refouler ses démons. Tout ce temps, elle n'avait vécu que pour le moment où elle pourrait enfin faire éclater la vérité. Sa vérité.

Car – cela ne faisait aucun doute – elle estimait être la vraie *first lady*! Celle qui avait sauvé la série de la déprogrammation! Celle que le public avait plébiscitée pour sa joie de vivre, sa fraîcheur, sa jeunesse... qualités dont sa sœur, Peggy, avait été dépouillée par le vieillissement. Pour toutes ces raisons, elle ne supportait pas d'avoir été spoliée de ses privilèges, et considérait Peggy comme une usurpatrice, une fausse idole. Je comprenais maintenant le sens exact du verset biblique qu'elle avait peint sur les murs de Julia Hoodcock :

Tu ne te prosterneras pas devant les idoles, et tu ne seras point leur serviteur, car moi, ton Dieu, je suis un Dieu jaloux.

À n'en pas douter, Shelly McFloyd était une divinité

terriblement jalouse, et n'entendait partager avec personne l'adoration qui lui revenait de droit.

J'essayai de me la représenter, menant le petit train-train d'une pensionnaire d'asile psychiatrique. S'appliquant à prouver qu'elle était devenue inoffensive. *Les puzzles...* Ils l'avaient aidée à faire le vide en elle, à contenir son bouillonnement intérieur. Elle en avait fait une discipline zen de reconstruction spirituelle.

Au bout de vingt ans, elle était enfin devenue capable de se maîtriser, d'offrir aux autres une image lisse, rassurante. Elle avait cessé de hurler, d'agresser les infirmières, les médecins. Elle ne griffait plus, ne mordait plus, et ne crachait plus sa nourriture au visage des aides-soignantes. Les psys avaient dû attribuer ce changement aux « bienfaits » de la ménopause, ou une connerie du même style.

Les séances quotidiennes de gymnastique auraient dû éveiller la méfiance des infirmières, mais elles n'y avaient vu que du feu. En réalité, Shelly se maintenait en forme. La musculation, les assouplissements, n'avaient d'autre fonction que de préparer son corps à supporter les épreuves de l'évasion.

Il lui avait fallu énormément de patience et une volonté d'acier pour tenir le coup, attendre que se présente enfin l'occasion idéale. Jamais un mot plus haut que l'autre, l'obligation de sourire, de jouer la gentille zombie amortie par les médicaments. Ça avait marché ! Peu à peu, le personnel médical avait cessé de la surveiller. Elle s'était fondue dans le décor, comme une plante verte. On l'avait classée dans la catégorie des « patients stabilisés » qui ne causent plus de problèmes.

Sans doute avait-elle élaboré mille moyens de s'enfuir, les étudiant dans le détail pour y renoncer quand ils lui paraissaient incertains. Elle savait qu'elle n'avait pas droit à l'erreur. La première tentative devait être la bonne. Si on la rattrapait, elle serait de nouveau mise au secret, dans le secteur des cas dangereux, et n'aurait plus jamais l'occasion de s'évader.

Mais les années passaient, elle avait beau se maintenir en forme, bientôt ses capacités physiques déclineraient et elle ne serait plus capable d'affronter le stress corporel et mental d'une fuite à l'aveuglette.

Ce dernier point éveillait ma curiosité.

Qu'avait-elle prévu de faire une fois dehors ?

Disposait-elle d'un point de chute ou s'en était-elle uniquement remise à la chance ?

Il me semblait peu vraisemblable qu'elle ait choisi de fuir au hasard, sans idée préconçue... Ce type d'évasion a peu de chances de réussir. Cela dit, il convenait de ne point oublier qu'elle était folle, et que son idée fixe avait pu lui faire négliger les aspects pratiques d'une cavale.

Je n'y croyais pas une minute... Cela ne cadrait nullement avec le personnage. À mon sens, on l'avait aidée.

Quelqu'un de l'extérieur avait collaboré à son évasion, lui apportant toute l'aide nécessaire. *Qui ?*

C'était la grande question !

Je ne disposais d'aucune précision sur la manière dont Shelly avait pris la poudre d'escampette, mais je n'ignorais pas que ces prodiges existent, pourvu qu'on soit patient et aux aguets. J'avais vu, en prison, de tels miracles se produire. Il suffisait parfois d'une minute d'inattention des gardiens, d'un oubli dans la routine sécuritaire... La fenêtre des possibles s'entrebâillait alors l'espace de trois secondes, mais c'était suffisant pour celui qui s'y préparait de longue date. Je supposais que Shelly avait guetté ce miracle une vie durant, et qu'il avait fini par arriver. Mais qui l'attendait de l'autre côté du mur ?

Avait-elle eu un complice, ou bien s'était-elle rendue chez un ami ?

Peut-on avoir des amis quand on a été retranché du

monde réel pendant trente-cinq ans? Qui se souvient encore de vous?

J'aurais aimé savoir si, à part sa sœur, Shelly recevait des visites durant son incarcération. Pour cela, il m'aurait fallu consulter le registre des entrées, à condition, bien sûr, que le bureau d'accueil en ait tenu un, ce qui n'était pas certain. Les patients « stabilisés » sont beaucoup moins surveillés que les autres. Du moment qu'ils ne quittent pas l'enceinte du parc et qu'ils ne se livrent à nulle extravagance, on leur fout la paix.

Plus j'y réfléchissais, moins la possibilité que Shelly ait pu être secourue par un bon Samaritain la prenant en stop au bord d'une route me semblait crédible. Ce genre de coup de bol n'arrive que dans les romans. Et même, en admettant qu'une âme charitable l'ait ramassée, il me paraissait difficile d'envisager que Shelly ait pu s'installer chez son sauveur occasionnel pendant cinq ans! Car, disons les choses franchement, Shelly n'était ni jeune ni belle. C'était même tout le contraire. Elle n'avait guère le profil de la jolie captive qu'un bûcheron solitaire retient contre son gré...

Cette partie de la cavale restait bien mystérieuse...

La sonnerie de mon téléphone portable me fit sursauter. Je réalisai que Peeterson, troublé par la tournure des événements avait omis de me dépouiller de mon arsenal moderne.

Je fus surprise d'entendre la voix de Devereaux, le patron de l'Agence 13.

— Mon hacker a fouiné dans les bases de données des collectionneurs de Harley-Davidson, m'annonça-t-il. Il vient de me communiquer les résultats concernant les modèles Panhead de 1955 détenus dans l'État de Californie. Il en a dénombré cent cinquante, mais ce nombre diminue si l'on réduit le champ d'investigation à L.A. En fait, il semblerait qu'une dizaine d'amateurs possèdent le modèle qui vous intéresse. Je vous envoie par mail leurs noms et leurs coordonnées.

Je le remerciai et entrepris de recopier la liste sur mon agenda.

Cinq d'entre eux habitaient la banlieue, les autres vivaient à l'écart, dans les collines ou les canyons. La plupart des adresses correspondaient à des garages ou des tôleries, dont le patron était également collectionneur. Sans doute des bikers, organisés en meute, en clan. On ne pouvait jurer de rien, mais j'imaginais mal Shelly en leur compagnie. Et puis Morton avait raison sur un point : la moto était mal entretenue, sale, et cela impliquait qu'aucun adorateur ne la bichonnait. C'était anormal pour un modèle de ce prix. Restaient trois noms qui n'éveillaient aucun écho dans ma mémoire :

Rusty C. Flanagan
Carrington M. Bishop
Boris Michkinoff...

Tous habitaient dans les collines, au fond de canyons perdus, loin des centres urbains, dans des endroits où l'on peut brûler de la gomme sans être ralenti par les embouteillages de la banlieue ni enquiquiné par la CHP.

À tout hasard je me connectai sur Internet et tapai chacun des trois patronymes. Les deux premiers me renvoyèrent sur des sites de passionnés de motos qui ne m'apprirent pas grand-chose. Le troisième m'électrisa.

Sur l'écran, en lettres minuscules, venait de s'inscrire la mention suivante :

Boris Michkinoff : nom légal d'un acteur de télévision des années 60 plus connu sous le pseudonyme de Lawrence Brickstone et qui s'illustra dans le rôle du président Flower-Hall lors de la première saison de la série First Lady.

Lawrence Brickstone ! Le « grimacier » ! Le premier partenaire de Peggy McFloyd. Son agent, Samuel « Dynamite » Langford, que j'avais rencontré au début de cette enquête, ne m'avait-il pas affirmé que son poulain était devenu fou? Qu'il se prenait pour un espion à la solde du président des États-Unis et avait un jour disparu sans laisser de traces?

Bon sang! Il s'était bien fichu de moi! Brickstone ne s'était pas plus téléporté sur *L'Enterprise* qu'il n'avait été enterré dans le désert par les tueurs du KGB! Il possédait un ranch au fond d'un canyon, dans le désert d'Anza-Borrego, non loin de Salton Sea. C'était plutôt rassurant, non, pour un super-espion ayant survécu à la Guerre froide?

Il était temps, à mon avis, d'aller réclamer des éclaircissements à Dynamite Langford, l'agent artistique qui, durant les sixties, avait fourni mille « seconds rôles » à tout autant de nanars cinématographiques.

Puisque Morton me battait froid, je décidai de partir seule, sans prévenir personne. J'avais de plus en plus de mal à accorder ma confiance aux gens qui m'entouraient.

Je quittai le bâtiment pour sauter dans ma voiture. Avec un peu de chance j'arriverais à destination en évitant les embouteillages qui font le charme de L.A.

Je filai, le pied au plancher, passant sous l'œil médusé des gorilles qui nous avaient escortés ce matin.

Tandis que je dévalais la colline, j'appelai Dynamite Langford. Je lui rappelai notre précédente entrevue et, comme il essayait de se défiler, je tentai un coup de bluff en lui donnant à choisir entre me rencontrer ou s'expliquer avec la police. Il bougonna des choses indistinctes (et sûrement peu aimables) avant d'accepter de me recevoir séance tenante.

Je n'eus pas trop de mal à retrouver le chemin de sa villa sur pilotis. Il m'attendait, assis sur la terrasse. Il était habillé d'un slip de bain, d'une chemise hawaïenne sortie tout droit de *From here to eternity*, et d'un panama effrangé. Il ne me proposa rien à boire, alors qu'il

242

dégustait ostensiblement une citronnade glacée. Il plastronnait, mais son regard demeurait fuyant.

J'attaquai bille en tête en lui apprenant que je savais où se cachait Lawrence Brickstone.

— Tous ceux qui, de près ou de loin, ont collaboré à la série *First Lady* sont potentiellement menacés, ajoutai-je. Des événements d'une extrême gravité ont eu lieu ces derniers jours. Il est possible que votre ancien poulain soit mêlé à une affaire criminelle.

Ce discours ne parut pas l'émouvoir. Il se contenta de lever la main en grognant :

— Calmez-vous, ma jolie. Vous ne m'apprenez pas grand-chose. J'ai toujours su, qu'un jour, quelqu'un viendrait me demander des comptes à propos de cette vilaine histoire. Je suppose que ce quelqu'un, ce sera vous.

Il me fit signe de prendre place sur un transat, en face de lui. Bien qu'on fût en fin de journée, le soleil tapait dur. Je me demandai quel plaisir il trouvait à rôtir ainsi sur cette terrasse dépourvue du moindre parasol. S'entraînait-il en prévision de sa prochaine descente aux enfers ?

— Allez-y, soupira-t-il, ouvrez le feu, je vous écoute.

— Lors de notre dernière rencontre, attaquai-je, vous m'avez raconté une histoire à dormir debout au sujet de Lawrence Brickstone. À vous entendre, il était devenu fou après avoir rencontré le président des États-Unis et se prenait pour une espèce de super agent secret... Il aurait utilisé ses apparitions télévisées pour transmettre des messages codés gestuels... Vous vous êtes bien payé ma tête ! J'ai donc l'air si naïve ?

— Je l'admets, fit Langford avec une feinte désinvolture. Mais c'était ce que nous avions convenu avant de nous séparer, Lawrence et moi. Il avait beaucoup insisté sur ce point. Si quelqu'un cherchait un jour à se renseigner à son propos, je devais brosser de lui le portrait d'un cinglé. On ne fait pas mieux que la folie pour tenir les importuns à distance, ça leur fout une trouille de tous les diables. Par la suite, chaque fois qu'on m'a demandé d'évoquer le souvenir de Lawrence, je me suis conformé au plan que nous avions arrêté. Ça a fini par engendrer une rumeur, une légende qu'Internet s'est empressé de relayer et de répandre à travers le monde. Rien d'étonnant à cela, avec les internautes, plus c'est débile, plus ça fonctionne! Lawrence ne voulait pas qu'on le retrouve. Il avait tiré un trait sur sa carrière. Il souhaitait ne plus entretenir le moindre lien avec le milieu du cinéma.

— Donc, Brickstone n'était pas fou.

— Non, mais il se camait, c'est vrai. Ça commençait à se voir à l'écran. Ses tics, ses grimaces, étaient engendrés par le manque. Il avait de plus en plus de mal à cacher sa dépendance. Il était temps pour lui d'entamer une désintox. Sa prestation dans *First Lady* s'en est ressentie. Il était vraiment très, très mauvais. Il en avait conscience.

— Et l'histoire de la limousine, des gardes du corps qui le suivaient comme son ombre?

— Lawrence était un dealer, mon chou, il fournissait les pontes des studios ainsi que les acteurs, mais il avait de graves problèmes avec ses fournisseurs. Il les escroquait, certains en concevaient du ressentiment. Il était forcé de s'entourer de précautions. Il louait les gorilles à une agence de sécurité spécialisée dans la protection des stars.

— C'est encore vous qui avez inventé cette histoire de service secret...

— Oui, pour brouiller les pistes. Nos concitoyens adorent les complots, ça les fait saliver. En fait, Lawrence était grillé. Il avait doublé un trafiquant, il lui fallait s'évanouir dans la nature ou accepter d'être descendu au coin d'une rue. Il a choisi de s'évaporer, comme ça, du jour au lendemain. Tout le monde a pensé qu'on l'avait enterré dans le désert. Et c'est ce qu'il souhaitait faire croire.

— Vous saviez où il se cachait?

— Non, il n'avait rien voulu me dire. Il pensait sans doute que les gangsters allaient me torturer pour me faire avouer son adresse. Mais personne ne m'a jamais menacé, peut-être parce que j'étais célèbre à l'époque, et que ça aurait fait des vagues. Trente-cinq ans se sont écoulés avant que j'entende de nouveau parler de Lawrence. Il m'a appelé, un soir... Il y a cinq ans. Il était soucieux, il avait besoin d'aide. J'étais le seul à qui il pouvait s'adresser.

— Pourquoi avait-il besoin de vous?

— Shelly McFloyd avait débarqué chez lui à l'improviste. Elle venait de s'évader de la clinique psychiatrique où sa sœur l'avait fait boucler.

— Attendez! Brickstone savait que Shelly remplaçait Peggy? Il était au courant de la substitution?

— Oui, bien sûr. Mais laissez-moi parler. On n'y arrivera jamais si on ne prend pas les choses par ordre chronologique. Je ne sais pas ce que vous a raconté Peggy, mais je suis certain que ce sont des foutaises, et qu'elle a réécrit l'histoire à sa manière. La vérité est très différente. Beaucoup plus sale. Tous les gens dont vous venez de citer les noms étaient inscrits dans mon agence artistique. C'est grâce à mes services qu'ils pouvaient cachetonner sur les nanars de série B que les studios produisaient à la chaîne. Cela m'a amené à pénétrer certains de leurs secrets; souvent contre mon gré, croyez-moi! Il y a beaucoup de choses que j'aurais préféré ignorer; notamment tout ce qui se rapporte à l'affaire McFloyd. Au cours des quarante dernières années, je me suis évertué à effacer de ma mémoire les événements dont j'ai été témoin. Par peur, par lâcheté également...

« Sachez d'abord que Peggy n'était pas une bonne actrice, et que si la série *First Lady* périclitait, c'était en grande partie de sa faute. Ajoutez à cela qu'elle était raide dingue de Lawrence Brickstone et que celui-ci la dédaignait. Elle lui faisait un rentre-dedans éhonté, en vain. Lawrence ne voulait pas d'elle, non pas à cause de sa prétendue homosexualité, mais parce que Peggy était trop instable, capricieuse, et qu'elle avait la réputation de mener une vie d'enfer à ses amants. Tout le monde la savait affligée d'une jalousie maladive qui la poussait à des actes irrationnels. Elle avait failli éborgner un de ses petits amis, chez Spago, parce qu'il avait eu le malheur d'adresser un mot gentil à la serveuse. Un coup de fourchette en plein visage ! Le pauvre gars a manqué de perdre un œil.

« Peggy McFloyd était une fille dangereuse, bipolaire, capable de se métamorphoser en sorcière au moment où l'on s'y attendait le moins, et pour une peccadille. La célébrité lui était montée au cerveau ; c'est courant me direz-vous, mais Peggy McFloyd avait des tendances homicides. Les gens avaient peur de travailler avec elle, les acteurs surtout. Quand elle piquait sa crise, elle leur balançait au visage tout ce qui lui tombait sous la main. Malheur à vous si, lorsque ça lui prenait, elle tenait un fer à repasser !

« Bref, tout ça pour vous dire que sa carrière battait de l'aile. L'âge n'avait rien à voir là-dedans, car elle était extrêmement jolie et faisait toujours illusion, même à trente-cinq ans. Ça n'empêchait pas que tous les gens du métier la détestaient en secret.

— Elle m'a parlé d'une allergie au maquillage qui lui aurait déclenché une urticaire géante, la contraignant à s'éloigner de la scène…

— De la pure foutaise ! En réalité, elle crevait de chagrin de ne pouvoir s'envoyer Lawrence Brickstone qui interprétait le rôle du président Flower-Hall ; ça la réduisait en miettes. La vraie passion malheureuse. Le coup de foudre à sens unique. Elle aurait accepté n'importe quoi pour qu'il la baise, ne serait-ce qu'une fois.

— Beaucoup de gens estiment que Lawrence était gay... et également votre petit ami.

— Je suis gay, c'est vrai. Mais pas Lawrence. Nous étions amis, c'est tout. Si nous avons sciemment entretenu cette rumeur, c'est pour une raison que je vous expliquerai plus tard.

« Pour en revenir au chagrin d'amour de Peggy, sachez qu'elle n'a pas tardé à sombrer dans la dépression. Ça se traduisait chez elle par une boulimie effrénée. Elle picolait et se bourrait de gâteaux. En l'espace de deux mois elle avait pris vingt kilos. Faut le faire ! Même pour un Américain, c'est un tour de force. Elle est devenue méconnaissable. L'alcool lui avait couperosé le visage, un véritable gâchis.

« Sa sœur, Shelly – qui lui servait de bonne à tout faire, soit dit en passant – lui a fait remarquer qu'on ne lui confierait plus aucun rôle dans son état, et que leur compte en banque serait bientôt dans le rouge. Il faut dire que Peggy avait des goûts de luxe et qu'elle claquait le fric sans compter. Elle a été prise de panique quand elle a compris qu'elle risquait de se retrouver à la rue. Elle en avait trop bavé. Elle ne voulait surtout pas retourner à la case départ. Le fric, elle aimait ça. La peur l'a sortie de son apathie, mais il était un peu tard pour se reprendre en main. Les dégâts étaient trop importants. Il n'était pas question de les effacer en deux semaines.

« Elle s'est aussitôt fait hospitaliser chez Olcroft, le toubib des stars, pour essayer de maigrir en quatrième vitesse ; ça n'a pas marché. En six mois elle était devenue obèse et sa graisse refusait de fondre. Or le tournage de la deuxième saison n'allait plus tarder à démarrer, et elle devait retrouver une silhouette de rêve sous peine d'être remplacée par une autre actrice.

« Il fallait trouver une solution... C'est Olcroft lui-même qui a suggéré de procéder à une substitution. Il se faisait fort, au moyen de menues interventions vite cicatrisées, de transformer Shelly en sosie de Peggy. Après tout elles étaient sœurs. Sans être jumelles, elles se ressemblaient. Même ossature, même carnation. Il a fait ce qu'il fallait, usant de techniques de son invention, et ça a marché! Trop bien, même, car Shelly est devenue le double magnifié de sa sœur. En fait, elle était beaucoup mieux que Peggy. Plus jeune de quinze ans d'abord, mais aussi plus rayonnante, plus fraîche, plus gentille... sans le côté garce qui gâchait la personnalité de Peggy.

— Et le public a été dupe de ce tour de passe-passe?

— Vous voulez rire? Les gens n'y ont vu que du feu! Dans notre milieu on a l'habitude de ces charcutages; les filles l'ont félicitée pour la qualité de son lifting, et lui ont demandé combien ça lui avait coûté, c'est tout. Du jour au lendemain Shelly est devenue la coqueluche des studios. Ceux qui détestaient « l'ancienne » Peggy sont tombés amoureux d'elle! Un renversement de tendance intégral!

— Qui était au courant de la combine?

— À ce moment-là, uniquement moi, Olcroft et les sœurs McFloyd. Le secret avait été bien gardé. Le secret, c'était la spécialité d'Olcroft. La prestation de Shelly a enthousiasmé le metteur en scène et le staff de production qui étaient, six mois auparavant, sur le point d'abandonner la série. *First Lady* s'est remise en selle. L'indice Nielsen s'est révélé excellent. Tout cela, grâce à Shelly.

— Je suppose que Peggy l'a mal pris?

— Plutôt, oui. Dans un premier temps, elle a été soulagée de voir le fric renflouer son compte en banque, puis elle a réalisé que sa sœur l'avait éclipsée, comme ça, en un claquement de doigts, et elle l'a mal digéré. Mais le pire était encore à venir, car Lawrence Brickstone qui détestait Peggy, est tombé sous le charme de Shelly. Et ça s'est terminé au lit. Sachant que ça déclencherait un drame familial, les deux tourtereaux ont essayé de tenir leur liaison secrète. C'est à cette occasion que Lawrence a exigé de passer pour mon amant et qu'il a fait un faux *coming out*. Ça m'a plutôt flatté, car il était vraiment beau gosse.

— C'était un écran de fumée à l'intention de Peggy?

— Oui. Il ne fallait surtout pas qu'elle apprenne que sa petite sœur avait réussi là où elle avait échoué. Malheureusement, au cours d'une dispute avec Peggy, Shelly a fini par manger le morceau, pour lui river son clou, je suppose; vous savez comment ça se passe dans une engueulade! C'est la goutte d'eau qui a fait déborder le vase. Là, Peggy a pété les plombs. Shelly la dépouillait complètement, lui volait jusqu'à ses rêves les plus intimes. L'état de guerre s'est instauré entre les deux sœurs.

— Comment savez-vous ça?

— Shelly a tout avoué à Lawrence. Confidences sur l'oreiller, vous voyez le genre, et Lawrence, très embêté, s'est confié à moi. J'étais son agent et son ami après tout. Il avait la trouille d'avoir mis le pied dans un nid de crotales. Peggy lui faisait peur. Il la devinait capable du pire. Il craignait que Shelly n'en subisse les conséquences.

Je m'agitai sur mon siège, je commençai à subodorer une vérité déplaisante. *Très déplaisante.*

— Attendez... soufflai-je, vous n'allez pas prétendre que...

Langford me regarda bien en face, ses traits reflétaient le dégoût.

— Si, soupira-t-il. Vous avez deviné. Peggy a bel et bien payé Rhonda Bozman pour qu'elle vitriole Shelly. C'est la stricte vérité. J'ignore comment elle est entrée en contact avec cette bonne femme, mais la Bozman a accepté l'idée d'aller en taule moyennant un gros dédommagement. Auparavant elles ont toutes les deux mis au point cette histoire d'attentat féministe qui avait pour but de rameuter les populations et la presse. C'était l'époque du *Women's Lib*. Une agression de ce genre pouvait générer un buzz très « porteur »...

Je sentis la chair de poule me couvrir les bras.

— À l'origine, reprit Langford, il avait été prévu que – Peggy refusant de porter plainte – Rhonda Bozman en prendrait pour deux ans, mais le juge a eu la main lourde, et Peggy a dû sortir son porte-monnaie pour calmer la colère de la grosse dondon.

— Peggy espérait donc reprendre le rôle de la *first lady* ? m'étonnai-je. Après un tel drame, ça semblait peu plausible.

— Non, gronda Langford. Elle voyait plus loin. Elle visait plus haut. C'était un coup de poker. Elle comptait là-dessus pour donner un sérieux coup d'accélérateur à sa carrière... En fait, elle obéissait à un scénario mûrement réfléchi.

— Un scénario ?

— Ouais. Un truc vraiment tordu. Pour que vous compreniez, je dois préciser deux ou trois trucs... Pendant que Shelly filait le parfait amour avec Lawrence, Peggy, elle, se consolait dans les bras d'un petit gigolo. Un gamin arriviste qui essayait par tous les moyens de faire son chemin dans l'univers des studios.

— Un apprenti acteur ?

— Non, un scénariste débutant. Un gosse à peine sorti du collège mais avec un ego comme le mont Rushmore. Il était serveur chez un pâtissier de luxe du Triangle d'or. À L.A., comme vous le savez, chaque serveur, chaque serveuse est une future star qui attend d'être découverte. Bref, il était mignon, et Peggy en a fait son casse-croûte. Elle avait besoin d'amour, la pauvre. L'alcool la rendait bavarde... C'est comme ça qu'elle a commencé à s'épancher auprès de son amant à peine pubère : *la traîtrise de sa sœur, la monstrueuse indifférence de Brickstone… bla-bla-bla…* Alors le môme, opportuniste en diable, a rédigé une ébauche de scénario. De machination, si vous préférez. C'était son truc, il aimait inventer des intrigues de polars, des machins tordus, à la Agatha Christie. Il a raconté à Peggy qu'il avait, six mois plus tôt, réussi à se faire embaucher comme stagiaire sur le plateau de *First Lady*. Rien de glorieux, on lui demandait de courir acheter des cigarettes, des sandwiches, ou des pintes de whisky… Il faisait le grouillot, quoi. Mais ça lui avait permis d'être à l'origine d'un curieux incident.

Il s'interrompit pour avaler une gorgée de citronnade. Il transpirait beaucoup et respirait de plus en plus difficilement. L'évocation de ces événements semblait le plonger dans un état proche de l'infarctus. Je faillis lui demander d'arrêter, mais la curiosité fut la plus forte.

— Il y avait, sur le plateau de tournage, murmura-t-il, un chat errant que tout le monde détestait. Une vraie teigne qui passait son temps à faire ses griffes sur les décors et à chier partout. Il feulait, mordait et balançait des coups de pattes à ceux qui l'approchaient. Malgré ça, on s'abstenait de le tuer parce que c'était un excellent chasseur de rats, et que les studios étaient infestés par ces sales bestioles. Il avait les yeux jaunes et, réellement, tout le monde lui bottait le cul dès que l'occasion s'en présentait. Une nuit, le jeune amant de Peggy a eu l'idée de régler son compte au matou qui venait de le griffer. Il l'a arrosé d'essence et y a foutu le feu. Le problème, c'est que le chat a couru se réfugier dans une réserve à matériel, provoquant un incendie. Le gosse a dû appeler les pompiers.

« Bon, je vous la fais courte : le lendemain, dans les décombres, on a découvert le chat. État pitoyable mais toujours vivant. Shelly, bon cœur, a entrepris de le soigner. Personne n'aurait misé un dollar sur les chances de la bestiole, pourtant elle a survécu. Pelée, affreuse, mais bien vivante, elle a recommencé à hanter le plateau. C'est alors qu'il s'est produit un retournement bizarre. Ce chat, que tout le monde détestait auparavant, est devenu la mascotte de l'équipe. On s'est mis à l'aimer, à le chouchouter comme une espèce de petite idole, de porte-bonheur. Les acteurs, les techniciens, lui apportaient de la nourriture, des coussins, des jouets... On le regardait d'un œil neuf. C'était devenu un symbole. Increvable, il se relevait toujours et ne se laissait jamais abattre. Vous pigez ? Il était quasi immortel ! Il éloignait la guigne. Une petite idole devant laquelle on se prosternait, à qui on faisait des offrandes.

— Oui, mais je ne vois pas où cela nous mène.

— Cette aventure a inspiré le gosse et lui a soufflé l'idée d'une machination. Vous ne voyez pas le parallèle avec l'histoire de Peggy ? Remplacez le mot « chat » par « actrice » et réfléchissez un peu !

— Oh ! j'ai capté. Peggy était une chieuse et personne ne la supportait, elle faisait le vide autour d'elle... mais elle a été blessée, horriblement, et comme elle s'en est remise, tout le monde l'a trouvée formidable ?

— Oui. C'est exactement ce que le jeune gigolo a vendu à Peggy. La ligne directrice de la machination : si elle parvenait à faire croire au public qu'elle avait réussi à triompher de l'adversité, elle deviendrait une icône vénérée par les foules. La femme brisée, défigurée, qui se relève et dit merde au malheur... ça marche toujours ! C'est sur ce scénario qu'ils se sont appuyés pour organiser la suite des événements. L'attentat au vitriol, l'hospitalisation, la deuxième substitution... Le retour triomphant d'une Peggy soi-disant guérie. Un parfait tour de prestidigitation, un escamotage dans les règles. Le public n'a vu que ce qu'il avait envie de voir. À partir de là, la carrière de Peggy s'est envolée vers les sommets. Elle était toujours aussi mauvaise actrice mais ça n'avait plus d'importance, elle était devenue un symbole vivant, inattaquable, et personne ne se serait avisé de la critiquer. Je n'invente rien, c'est de cette manière qu'ils ont planifié les choses. Comme des généraux préparant une bataille. Ils n'ont rien laissé au hasard.

— Et quel était le nom de ce scénariste débutant? *Attendez, non!* Laissez-moi deviner... Ne s'appelait-il pas James Peeterson?

— Non, pas du tout. Son nom, c'était Clark... Morton D. Clark. Par la suite, Peggy l'a imposé comme assistant d'écriture dans presque tous ses films. Ça faisait beaucoup jaser.

J'en oubliai de respirer! C'était comme si la foudre m'avait réduite en cendres au fond de mon fauteuil. Morton! Comment avais-je pu me montrer aussi conne? On m'avait lancée dans les pattes de Morton Clark afin qu'il puisse surveiller mes faits et gestes en temps réel. Il avait joué à merveille le rôle du mal-aimé, du marginal qu'on ne va pas tarder à virer du domaine, pour m'attendrir. Je m'étais plus d'une fois apitoyée sur son sort alors qu'en réalité il était aussi pourri que sa patronne. ... *Conne! conne! conne!*

— Eh! Ça va? lança Langford, vous êtes toute pâle. Vous connaissez Morton Clark?

— Oui, un peu, balbutiai-je.

— Ne me dites pas que vous couchez avec lui! grogna le vieil homme. Non seulement il a l'âge d'être votre père mais c'est un fieffé salaud!

Je parvins à me ressaisir, et lançai :

— Encore une fois, comment savez-vous toutes ces choses? Vous disposez d'une boule de cristal?

— Non, mais Lawrence avait réussi à soudoyer une infirmière de la clinique Olcroft, une certaine Geena Mellow. Une fille vénale. Elle laissait ses oreilles traîner, et elle lui rapportait tout ce qu'elle entendait. Morton venait voir Peggy pendant qu'elle était « hospitalisée » à la clinique où elle préparait son grand *come-back* à coups de liftings et de cures d'amaigrissement. Il lui a fallu un an pour se débarrasser de ses kilos superflus. Un an de privations et d'effort physique. Ce qui la mettait dans une fureur permanente que je vous laisse imaginer.

« Pour faire accréditer la rumeur selon laquelle Peggy McFloyd subissait de multiples opérations de reconstitution faciale, l'infirmière Geena Mellow s'enveloppait la figure de pansements, style momie, et se promenait au bras d'Olcroft, dans le parc de la clinique à petits pas hésitants. Bien sûr, les paparazzis, croyant qu'il s'agissait de Peggy, n'en perdaient pas une miette et confortaient la légende en publiant leurs photos dans tous les tabloïds.

« Quand ils se croyaient seuls, Morton et Peggy parlaient de l'avancement de leurs projets. Geena Mellow – qui jouait double jeu et palpait du fric des deux côtés – les espionnait par l'entremise de l'interphone qu'elle avait trafiqué. Ensuite, elle faisait son rapport à Lawrence.

— Et Shelly dans tout ça ?

— Shelly était en train de perdre la boule, ça, c'est la seule partie véridique de l'histoire. Pensez donc ! une fille aussi belle, se transformer du jour au lendemain en fiancée du monstre de Frankenstein ! Et cela, alors qu'elle avait le vent en poupe... Il y avait de quoi griller un fusible, vous ne croyez pas ?

« Olcroft a rafistolé la petite sœur comme il a pu ; ensuite Peggy l'a fait interner à Orange County, dans une prison de luxe pour dingues de la haute. La consigne était : aucune visite, isolement total, patiente à tendances homicides. Vous connaissez la suite... Shelly est restée là-bas pendant trente-cinq ans, jusqu'à ce qu'elle réussisse à s'échapper. Sa disparition n'a pas été rendue publique. Peggy ne voulait courir aucun risque. Elle a essayé de gérer le problème à sa manière, sans y parvenir. Un beau jour, Shelly s'est volatilisée.

— Vous m'avez dit tout à l'heure qu'elle avait débarqué chez Lawrence Brickstone.

Langford grimaça.

— Oui, et ça a été une bien mauvaise surprise pour ce pauvre Lawrence.

— Brickstone n'a jamais essayé de rencontrer Shelly pendant sa détention? Il n'a pas été tenté de la faire évader?

— Vous rigolez? Allons, soyons réalistes. La Shelly dont Lawrence était amoureux n'avait rien de commun avec la folle défigurée bouclée à Orange County! Lawrence aimait les beaux petits lots, pas les gueules cassées. Quand l'attentat a eu lieu, il était déjà très accro à la dope et son jeu s'en ressentait. L'idée de se retrouver en face de Peggy le terrifiait. Il craignait qu'elle ne lui fasse subir le même sort pour le punir d'avoir couché avec sa sœur. Ce n'était pas une crainte dénuée de fondement. Comme cela s'ajoutait aux ennuis qu'il rencontrait déjà avec ses fournisseurs de poudre, il a décidé de disparaître pour de bon. Il est parti en Suisse, suivre une cure de désintox dans une clinique privée. Ensuite, il a coupé les ponts avec ses anciennes connaissances, y compris moi. Personne n'a plus jamais entendu parler de lui.

— Comment Shelly a-t-elle fait pour le retrouver après toutes ces années?

— Facile! Ce ranch, c'était leur nid d'amour secret au temps de leur folle passion. Personne ne savait où il se trouvait, pas même moi. Lawrence l'avait fait acheter sous son vrai nom par un avoué. Beaucoup l'ignorent, mais Boris Michkinoff est le patronyme d'origine de Brickstone. En arrivant aux USA il l'a changé en Brett Mossbergh, enfin, quand il est devenu acteur, il a pris le pseudonyme de Lawrence Brickstone. Personne, aux studios, n'avait entendu parler de Boris Michkinoff. Les agents artistiques connaissaient vaguement Brett

Mossbergh, mais c'est tout. Je suis étonné que vous ayez pu remonter jusque-là.

— Avec Internet tout est possible, et il ne faut jamais sous-estimer l'opiniâtreté des cinéphiles. Donc, un soir, Brickstone vous a téléphoné, disiez-vous...

— Oui. Shelly venait de débarquer chez lui. Elle était dans un état épouvantable. Elle avait fait la route à pied, dormi dans les bois... Je dois préciser que Lawrence est comme moi, un vieil homme. Il y a cinq ans, on lui a découvert une maladie dégénérative du système nerveux. Quand je l'ai eu au bout du fil, son état commençait à se dégrader. Il ne nourrissait aucune illusion. Il savait qu'il se retrouverait bientôt coincé dans un fauteuil roulant, paralysé, incapable de s'exprimer autrement qu'en grognant. Il voulait que je vienne l'aider. Il délirait.

— Il vivait seul?

— Oui, avec l'aide d'une femme de ménage mexicaine qui passait de temps à autre pour le ravitailler et laver son linge.

— Comment se débrouillait-il financièrement depuis sa fuite des studios?

— Oh! il n'était pas parti les poches vides, rassurez-vous. Ses trafics lui avaient permis d'amasser un beau trésor de guerre. Il m'a expliqué qu'il était revenu s'installer dans les collines après deux décennies passées à voyager en Europe, en Afrique, où il avait fait prospérer son magot. L'âge le rattrapant, il était rentré au pays pour vivre ses dernières années entre ses éditions rares et ses collections. Il ne s'attendait pas à voir son ancienne fiancée sonner à sa porte, ça, c'est sûr.

— Comment se sont déroulées les retrouvailles?

— Bien. Trop bien même. Shelly ne semblait pas se rendre compte que le temps avait passé. Elle se comportait comme s'ils s'étaient quittés la veille. Lawrence, lui, a été terrifié par son aspect. Il n'a pas osé la contredire, elle lui faisait peur. Il m'a confié que, la nuit, il l'entendait arpenter le salon en injuriant sa sœur Peggy. Shelly criait qu'elle se vengerait, qu'elle dénoncerait l'imposture avant d'arracher le visage de Peggy pour s'en faire un masque d'Halloween.

— Et il n'a pas prévenu la police?

— Non, il se sentait coupable de n'avoir rien fait pour venir en aide à Shelly durant toutes ces années. Mais notre dernière conversation m'a laissé une mauvaise impression. Il était à demi paralysé, coincé dans un fauteuil roulant. Shelly régentait la maison. Elle avait flanqué la femme de peine dehors et s'occupait de tout. Lawrence était désormais à sa merci. C'était il y a deux ans. Depuis, je n'ai eu aucune nouvelle.

— Vous n'avez pas été tenté de lui rendre visite puisque, enfin, vous connaissiez son adresse?

— Pour tomber entre les pattes de cette folle? Vous délirez ou quoi? Je suis presque mort, certes, mais je ne tiens pas à précipiter mon départ. Je pense que l'état de Lawrence s'est dégradé et qu'il a perdu l'usage de la parole. Shelly est donc libre de faire tout ce qu'elle veut.

Je pensais la même chose. Shelly s'était évadée cinq ans plus tôt. Pendant les trois premières années, Brickstone avait eu sur elle une influence modératrice, ce qui expliquait qu'elle n'ait pas donné signe de vie. Puis, quand l'état de son compagnon s'était dégradé, Shelly s'était retrouvée privée de tout dérivatif, et ses vieux démons s'étaient réveillés, la harcelant, lui hurlant de régler ses comptes. Voilà pourquoi elle avait déterré la hache de guerre deux ans plus tôt. Lawrence Brickstone, son ancien amant, n'était plus en mesure de juguler ses crises de violence.

— Voilà, conclut Samuel Langford, vous connaissez toute l'histoire telle que je l'ai peu à peu reconstituée. Ce n'est pas joli-joli.

— Personne n'a jamais découvert le pot aux roses? m'étonnai-je.

— Non, tous ceux qui étaient au courant ont gardé le secret. Je crois que nous avions peur de Peggy. Elle était devenue riche, puissante. Il lui aurait été facile de nous faire du mal. Vous savez qu'elle m'a proposé de m'installer au domaine, avec les autres ?

— Non ? Elle vous croyait dans le besoin ?

— Pas du tout, elle souhaitait m'avoir sous la main pour me contrôler. C'est pour cette unique raison qu'elle a rassemblé autour d'elle les anciens collaborateurs de *First Lady*... pour les dissuader de répandre des rumeurs. À son âge, elle continue à s'assurer que personne ne découvrira son secret. Elle a tout verrouillé. Le domaine n'est pas une maison de retraite, c'est bel et bien une prison.

Je décidai de le mettre au courant des meurtres commis par Shelly. Son visage se contracta.

— J'ignorais que ça avait dégénéré à ce point, avoua-t-il. Ça signifie que Lawrence ne la tient plus en laisse.

— C'est mon opinion, insistai-je. Vous comprenez bien qu'on ne peut la laisser continuer sur sa lancée.

— Vous envisagez de prévenir la police ? Maintenant que vous connaissez son point de chute, ils pourront l'attraper sans trop de difficulté.

Je le fixai dans les yeux.

— Vous ne pensez pas que ce serait un peu dégueulasse ? murmurai-je. Cette femme est une victime, elle a déjà passé toute sa vie bouclée dans une prison psychiatrique. Elle a été sacrifiée aux ambitions de sa sœur. Merde ! C'est la version féminine du « Masque de fer » ! Et maintenant vous voulez que les flics la flinguent ? Ne jouez pas les naïfs, vous savez bien qu'elle ne se laissera pas prendre vivante. Il y aura du dégât, beaucoup de dégâts. Elle est capable de foutre le feu au ranch et de se laisser brûler vive en compagnie de Brickstone. C'est ce que vous voulez ?

Il s'agita, mal à l'aise.

— Et vous, riposta-t-il aigrement, qu'est-ce que vous voulez ?

— La soustraire au pouvoir de sa sœur. La convaincre de rencontrer un médecin digne de ce nom, et pas un geôlier psy à la solde des puissants. Lui éviter la prison... lui permettre de vivre les années qui lui restent dans une relative sérénité. Ce genre de conneries, vous voyez ?

Langford crispa la bouche. Ses doigts avaient blanchi sur le pommeau de la canne.

— Et puis il y a Brickstone, fis-je sournoisement. Il vous a fait gagner pas mal d'argent à une époque. Vous n'avez pas envie de le tirer de ce pétrin ?

— Vous êtes une sacrée petite salope ! siffla-t-il. À mon âge ! Vous voulez m'expédier dans la cage aux fauves !

— Considérez que ce sera votre punition pour avoir fermé votre gueule aussi longtemps sur les magouilles de Peggy. Vous étiez au courant, vous auriez pu dénoncer la supercherie, cela aurait peut-être contribué à améliorer le sort de Shelly. En tout cas ça aurait empêché Peggy McFloyd de s'en mettre plein les poches et de profiter de son crime en toute impunité. Ce que je vous offre, c'est une chance de vous racheter. Saisissez-la. À votre âge il convient de se mettre en règle avec sa conscience.

Il marmonna une injure et détourna les yeux.

— Shelly vous connaît, martelai-je. Vous étiez l'agent de son amant. Si quelqu'un peut établir le contact avec elle, c'est vous. Elle n'a probablement aucun reproche à vous faire. Quand nous la rencontrerons, évoquez le passé. Vous avez bien une anecdote à lui raconter, non ? Quelque chose de drôle, de positif. Un souvenir heureux. Jouez la carte de la nostalgie.

Le silence s'éternisait.

— D'accord, lâcha enfin Samuel Langford. On va y aller, mais on prend ma voiture, pas la vôtre. Sortez-la du garage pendant que je m'habille. Les clefs sont pendues à un clou, au-dessus de l'établi.

Il se leva avec peine et disparut dans la maison en clopinant.

J'en profitai pour sortir de mon sac la carte de L.A. et la dépliai sur la table basse pour essayer d'établir un itinéraire. Le ranch de Brickstone était au diable Vauvert, perdu dans le cul-de-sac de ces canyons poussiéreux que les gens sensés évitent soigneusement, car ils constituent un paradis pour les coyotes et les serpents à sonnette. Cela représentait trois bonnes heures de trajet, à condition de ne pas se perdre en chemin.

Rassemblant mon courage, j'empruntai l'escalier menant au garage.

14

La voiture de Samuel Langford était une « quatre roues motrices » carrossée comme un Humvee de luxe. L'*US Army* version Beverly Hills !

Elle tenait mieux la route que ma bagnole d'occasion déglinguée, et c'était préférable vu la piste truffée de nids de poule sur laquelle nous roulions.

Nous avions tourné le dos à la zone urbanisée pour nous engager sur un territoire mal défini, mi-banlieue mi-désert, que l'approche du crépuscule rendait peu accueillant. Le paysage que nous traversions se composait d'un tissu très lâche hésitant entre la banlieue et l'habitat rural, avec des bungalows de plus en plus éloignés les uns des autres, et dans un état de décrépitude avancé. Il n'était pas rare qu'une façade fût ornée du crâne blanchi d'une Longhorn, ou qu'on nous proposât, dans une arrière-cour, une exposition de serpents venimeux. Sur les vérandas, des vieillards coiffés de Stetson décolorés, semblaient fossilisés entre les accoudoirs de leurs fauteuils à bascule. C'était un territoire de pauvreté, d'exclus qui tentaient de survivre du mieux possible dans une nature âpre, là où le sable et l'herbe se livraient une guerre sans merci. Pour un peu, on se serait cru dans ce Texas peuplé de *Red necks*, autrement dit, de pauvres Blancs.

Tout à coup, une pancarte surgit : *Attention, vous vous engagez sur une route non patrouillée!*

En clair, cela signifiait : *Ne comptez pas sur l'aide des flics, s'il vous arrive une merde, ce sera pour votre pomme! On vous avait prévenus!*

Inutile, donc, de compter sur le secours de la CHP. Les randonneurs adoraient ce genre de pistes « naturelles », sans doute parce qu'elles constituaient l'endroit idéal pour crever de déshydratation ou se faire mordre par un crotale. Ce qui est, il est vrai, une façon de mourir garantie sans additifs industriels néfastes pour la santé.

Nous entrions dans la zone d'Anza-Borrego, le paradis des monstres de Gila. De temps à autre surgissait l'un de ces campements de *trailers* peuplés de marginaux pas toujours amicaux.

Nous progressions à présent au milieu d'une rocaille parsemée de yuccas et de cactus candélabres, et je commençai à me sentir nerveuse. En dépit de l'air conditionné, mes paumes collaient au volant. Avachi à mes côtés, Samuel se donnait du courage en avalant, toutes les dix minutes, une gorgée de scotch provenant d'une gourde d'un litre et demi, en argent massif damasquiné, et sur laquelle on pouvait lire *Trousse de premiers secours*, gravé en cursive étirée.

Depuis notre départ, il n'avait ouvert la bouche que pour boire. Je craignais qu'il ne soit fin saoul lorsque nous arriverions à destination. De toute évidence, il crevait de trouille.

La nuit qui tombait n'améliorait pas l'ambiance.

— Savez-vous si Brickstone conserve des armes chez lui? demandai-je.

— Comment voulez-vous que je le sache! grogna Langford. Je ne suis jamais allé dans ce foutu ranch. Je suppose que oui. Ça m'a tout l'air de se situer dans le trou du cul du monde, alors ça doit grouiller de coyotes, de serpents et de hippies. Dans les trois cas, il est préférable de conserver une bonne Winchester .30-30 à portée de la main.

— Brickstone collectionnait les motos, vous étiez au courant?

— Lawrence collectionnait n'importe quoi. Il adorait amasser des trucs. Les livres, les voitures, les motos, les guitares de rockers, les balles de base-ball dédicacées. Je ne sais pas pourquoi, il amassait ça comme un écureuil. En fait, Lawrence n'avait qu'une seule vraie qualité : il savait conduire tout ce qui est propulsé par un moteur. Avion, camion, hors-bord, hélicoptère... Il avait coutume de dire que ça peut s'avérer très utile le jour où l'on doit prendre la fuite.

Je songeai que la Harley Panhead de 55 avait sans doute fait partie des collections de Brickstone. C'est là que Shelly l'avait récupérée. Ça expliquait pourquoi la machine n'était pas entretenue : son propriétaire, paralysé par la maladie, n'était plus en mesure de la bichonner.

Je dus m'arrêter trois fois pour faire le point car le véhicule de Langford n'était pas équipé d'un GPS. Quand je lui demandai pourquoi, il m'expliqua qu'il l'avait fait démonter parce que les ondes émises par les satellites donnaient le cancer et que, de toute manière, il ne sortait plus de chez lui.

Nous traversions à présent une zone inhabitée, et la lumière de nos phares devait se repérer à dix kilomètres à la ronde. De temps à autre, un coyote s'immobilisait dans le faisceau de lumière, et je devais freiner pour éviter de l'aplatir.

Nous nous engageâmes enfin dans le canyon qui se présentait sous la forme d'un cul-de-sac géant. Le ranch de Brickstone occupait le fond de l'impasse. D'après ce que je pouvais en distinguer, c'était une grande bâtisse de plain-pied nantie d'une piscine, d'un court de tennis, et d'une piste d'atterrissage pour héli-coptère. Bref, la version « Hollywood » d'un ranch pour vedette du show-biz.

Aucune lumière ne brillait aux fenêtres. Un portique de style western encadrait l'entrée. Une inscription gravée au fer rouge nous signala que nous étions en train de pénétrer sur le territoire du *Rancho Amarillo*, et nous souhaitait la bienvenue.

Je ralentis et éteignis les phares. Dans peu de temps les choses risquaient de se gâter. Le doute me saisit. Avais-je été bien inspirée en décidant de venir ici ?

J'arrêtai le véhicule et entrebâillai la portière. On était encore loin du ranch. Fallait-il continuer ou battre en retraite ?

— C'est débile ! s'insurgea Langford. On va se faire tirer comme des canards !

Je remis le contact et roulai au pas. La voiture n'avait pas parcouru dix mètres qu'une explosion la secoua. Les deux pneus avant venaient de crever. Je coupai le contact et posai prudemment le pied sur le sol. Je m'aperçus que la route était jalonnée de planchettes qui servaient de socle à de longs clous de charpentier fichés pointe en l'air. Ce dispositif rustique mais efficace nous avait immobilisés vingt mètres à peine après avoir franchi le portique.

— Restez dans la voiture ! ordonnai-je à Langford. Vous risquez de vous estropier. Je vais tenter une reconnaissance.

J'attrapai la lampe torche sur la banquette arrière. Si je tenais à conserver l'usage de mes pieds, il n'était pas question de partir à l'aveuglette.

Le pinceau de lumière dirigé vers le sol, j'entrepris de zigzaguer entre les planches à clous. Il y en avait des dizaines ! Shelly avait dû passer une semaine à fabriquer ces foutus pièges. Ça n'augurait rien de bon.

Les parois du canyon avaient de quoi rendre fou un claustrophobe. Une fois qu'on s'était engagé dans le goulot, on ne jouissait plus de la moindre échappée sur l'horizon. Plus j'avançais, plus il m'apparaissait que le ranch était à l'abandon. Parasols et transats, cuits par le soleil, émiettaient leurs toiles blanchies au vent. Le sable du désert avait comblé la piscine à mi-hauteur. Sur le court de tennis, constellé d'excréments, le filet s'effilochait.

Des carcasses de coyotes achevaient de pourrir ici et là. Sans doute Shelly les abattaient-elles d'un coup de fusil dès qu'ils commettaient l'erreur de venir fouiller dans ses poubelles. L'odeur était pestilentielle.

Je m'immobilisai, le souffle court, craignant d'autres pièges plus élaborés. De toute évidence, Shelly avait pris ses précautions. J'étais certaine qu'elle m'observait en ce moment même. Je n'osais faire un pas de plus. J'aurais voulu crier quelque chose d'intelligent mais je demeurais muette, en panne d'idées. Si je voulais être admise dans les lieux, mieux valait me faire accompagner par Langford. Il réussirait peut-être à établir un semblant de dialogue. Il me restait à espérer que Shelly se souvienne encore de lui !

Je décidai d'aller le chercher.

Sur le chemin du retour, je pris soin d'écarter du pied toutes les planchettes cloutées. Ainsi, le trajet serait plus facile pour le vieil homme. En dépit du vent glacé qui soufflait dans mon dos, j'étais trempée de sueur. J'avais conscience de jouer avec le feu.

J'agitai la lampe en arrivant près du Humvee afin de rassurer Samuel. J'aurais pu m'en dispenser car, affaissé sur son siège, il dormait du sommeil de l'ivresse. À n'en pas douter, le whisky l'avait foudroyé, lui faisant oublier ses angoisses. Je n'aurais jamais dû le laisser ingurgiter une telle quantité d'alcool ! J'allais devoir le porter sur mon dos jusqu'au ranch… Une fois là-bas, serait-il capable de dire quelque chose de cohérent ? Mon plan tournait à la catastrophe ! Qu'arriverait-il s'il se mettait à brailler des obscénités ?

— Samuel! lançai-je en ouvrant la portière, réveillez-vous, c'est l'heure d'entrer en scène. Il va vous falloir jouer les ambassadeurs.

Alors, seulement, je vis que sa chemise était entièrement rouge et qu'une deuxième bouche bâillait sous son menton. On l'avait égorgé.

Je n'eus même pas le temps d'avoir peur. J'encaissai un coup violent sur la nuque et basculai dans l'inconscience.

Quand je me réveillai, j'étais allongée sur le plancher d'une vaste salle de séjour, non loin d'une cheminée de pierre. J'avais mal à la tête et envie de vomir. Mes mains et mes pieds étaient attachés avec du ruban adhésif gris, très épais et tramé, à usage professionnel. On ne m'avait pas bâillonnée; ç'aurait été inutile étant donné l'isolement de la maison. Je souffrais tant que je n'osais bouger.

— Bonjour, hé ça va? claironna une voix d'homme sur ma gauche.

Je tournai la tête aussi doucement que possible. Un vieillard en robe de chambre écossaise était assis dans un fauteuil roulant, à six mètres de moi. Il empestait la crasse et l'urine. Ses cheveux et sa barbe étaient gris, hirsutes; un filet de bave s'échappait du coin de sa bouche.

— Lawrence Brickstone? murmurai-je.

— Bonjour, hé ça va? répéta-t-il mécaniquement.

Son regard vacillait comme s'il n'arrivait plus à focaliser sur un objet précis.

C'était tout ce qui subsistait du superbe play-boy qui, jadis, avait incarné le président Flower-Hall dans *First Lady*.

L'arthrite avait déformé ses pieds nus, leur donnant un aspect bizarre de cacahuètes géantes. Il se balançait d'avant en arrière en répétant :

— Bonjour, hé ça va?

Je renonçai à établir le contact. Les murs de l'habitation étaient en pierre de taille, très épais. Les vaisseliers, canapés et commodes avaient, jadis, appartenu à la catégorie des meubles de haute qualité de style Nouvelle-Angleterre. Aujourd'hui ils étaient couverts de poussière et de cochonneries diverses. Des emballages de beignets, de chips, de tacos jonchaient le sol. Une pizza achevait de pourrir sous un piano de concert. Je déployai mille efforts savants pour m'asseoir. J'y réussis, mais ce fut pour me vomir sur les cuisses, ajoutant ainsi mon écot au foutoir ambiant.

Lawrence Brickstone se mit soudain à chanter l'hymne du Connecticut :

Yankee Doodle went to town
A-riding on a pony
Stuck a feather in his cap...

Je vis qu'on l'avait sanglé dans son fauteuil pour l'empêcher de tomber.

— Tais-toi, Lawrence, fit la voix grave que j'avais déjà entendue au téléphone. Tu nous casses les oreilles. Le *Doodle*[1], c'est toi aujourd'hui.

Shelly McFloyd venait d'entrer dans la pièce. Je retins ma respiration. Elle était vêtue de son éternelle combinaison de motard. Ses cheveux étaient ras et gris. Ils ne poussaient que sur la moitié droite de son crâne. Je serrai les dents en découvrant son visage. Je dirais qu'en dépit de son immense talent le docteur Olcroft n'avait pas accompli de miracle. Il était difficile de ne pas détourner les yeux pour fuir ce spectacle. Quand elle était de profil, m'offrant la partie intacte de ses traits, Shelly ressemblait à sa sœur, en plus jeune, en plus « jolie ». Ainsi, même dans la déchéance physique, elle surpassait encore Peggy.

Elle se mit à aller et venir à travers la salle, m'observant du coin de l'œil, marmonnant des mots inaudibles.

Soudain, elle brandit un couteau gluant de sang frais et s'agenouilla devant moi.

1. Crétin.

— Toi aussi, tu es défigurée, dit-elle de son étrange voix masculine. Tu sais ce que c'est d'être laide. Ton nez cassé… ça gâche tout. Tu aurais pu être jolie, mais c'est raté. On dirait… on dirait une cacahuète… Une patate écrasée. Ça te rend moche, moche, moche… Tu as dû en baver, hein? Je ne peux pas décemment tuer quelqu'un qui me ressemble, hein? Ça ne serait pas juste.

Elle se releva d'un coup de reins, continuant à agiter le couteau qui lui avait servi à égorger Samuel Langford.

Elle mima à trois reprises le geste de poignarder un adversaire invisible.

— Je vais aller m'occuper de ma sœur! clama-t-elle soudain. Je vais aller récupérer le visage qu'elle m'a volé. Je le découperai soigneusement, et puis je le collerai sur le mien, tu vois? Quand ça aura cicatrisé, je serai redevenue moi-même… Si tu veux, sur le chemin du retour, je découperai aussi le visage d'une fille, pour toi… Comme ça, on sera toutes neuves, toi et moi, on pourra recommencer à vivre normalement.

Elle me fixa avec intensité, comme si elle mémorisait mes mesures.

— Je tâcherai de trouver quelque chose qui te convienne… mais ce sera dur, à cette heure de la nuit il n'y a plus guère que des putes au long des trottoirs. Je suppose que ça ne te plairait pas trop, hein? un visage de pute? Enfin, on verra. Je te trouverai quelque chose, promis. Je ne veux pas que tu sois jalouse. La jalousie, j'en ai trop souffert, je ne veux pas que ça recommence. Si je redeviens jolie et que tu restes moche, tu pourrais être tentée de me voler mon visage, comme l'a fait ma sœur. Il ne faut pas que ça recommence. Je te rapporterai quelque chose, promis…

Elle délira sur ce thème pendant une dizaine de minutes, répétant les mêmes phrases en boucle. J'avais encore du mal à me persuader que je devais la vie à mon nez cassé, et je remerciai mentalement mon père, auteur de ce méfait.

Elle se décida enfin à ranger son couteau et dit :

— Ne t'inquiète pas si tu vois des flammes à l'horizon. Ce sera le foutu « domaine » qui brûlera. C'est convenu avec le chat aux yeux jaunes. Il me devait un service. Je lui ai sauvé la vie, jadis, je l'ai soigné. Ce soir, il s'enflammera pour me remercier. Il brûlera comme une boule d'étoupe, et se mettra à courir de pièce en pièce, de manière à mettre le feu aux rideaux, aux tapis... Il me doit bien ça, c'est à cause de lui que tout est arrivé. C'est lui qui leur a soufflé l'idée. À présent, il doit expier. Il le sait. Il ne se dérobera pas à ses obligations. Les chats n'ont qu'une parole. Grâce à lui, Esteranza sera purifié, et tous les complices de ma sœur s'envoleront en fumée.

Elle se pencha sur moi, m'embrassa sur la bouche, et quitta la pièce.

Un peu plus tard, j'entendis démarrer la Harley-Davidson Panhead 1955.

— Bonjour, hé ! ça va ? claironna Lawrence du fond de son fauteuil. Bienvenue à la Maison Blanche, je suis le président Flower-Hall ! Le chouchou des démocrates ! Désolé, la première dame a dû s'absenter, mais ne vous impatientez pas, elle reviendra bientôt. Si nous parlions de ces foutus missiles cubains, qu'en pensez-vous ? Vous voulez connaître mon avis ? La CIA s'est trompée, *ce ne sont que d'énormes cigares* ! Tout le monde sait bien qu'à part les cigares, les Cubains sont infoutus de fabriquer quoi que ce soit !

Je réalisai qu'il récitait l'une des répliques du président Flower-Hall dans *First Lady*. Il ne manquait que les rires enregistrés ponctuant les saillies des comédiens pour que l'illusion soit complète.

La soirée commençait très fort !

Vous avez sans doute noté comment, dans les films, les romans, le héros se débarrasse de ses liens avec une telle facilité qu'on se demande pourquoi les méchants perdent leur temps à attacher leurs victimes. L'endroit où elles sont retenues regorge chaque fois de couteaux oubliés, de morceaux de verre ou de ferraille plus tranchants que des lames de rasoir sur lesquels le héros n'a qu'à frotter ses entraves pour recouvrer la liberté.

Tout cela pour vous dire qu'il en va rarement de même dans la réalité.

J'entrepris tant bien que mal de me mettre debout, et je découvris à cette occasion qu'il est difficile de conserver son équilibre quand on a les mains et les chevilles liées. Il est tout aussi hasardeux d'avancer en sautillant ; cette erreur me valut de plonger la tête la première sur le piano et de m'assommer en heurtant l'un de ses pieds.

Je n'ai aucune idée du temps pendant lequel je restai inconsciente, mais il fut probablement assez long. Quand je revins à la vie, j'avais le visage barbouillé de sang et une coupure au sommet du crâne où se répercutaient les battements de mon cœur. Ma migraine atteignait 12 degrés sur l'échelle de Richter qui en compte 9, comme chacun sait.

Le sang coagulé avait soudé mes paupières et, l'espace d'une seconde, je me crus aveugle.

Néanmoins, je rassemblai mon courage pour procéder à une deuxième tentative. Cette fois je pris la précaution de m'adosser au piano pour conserver mon équilibre. Lawrence Brickstone s'était assoupi et dégageait une odeur d'urine encore plus forte qu'auparavant. Du regard, j'examinai la pièce. Nulle part je ne repérai un quelconque objet susceptible de sectionner mes liens. Les portes-fenêtres étaient en verre Securit, je n'avais donc aucune chance de ce côté-là.

En ce qui concernait mes liens, Shelly avait utilisé du ruban adhésif professionnel, à trame de nylon, hyper résistant. Le genre de bandes qu'utilisent les électriciens pour attacher les câbles. Les ronger avec mes dents était inenvisageable, à moins d'avoir la dentition d'un écureuil. J'avais besoin d'un bon couteau. Le plus simple, bien sûr, était d'essayer de sautiller jusqu'à la cuisine. Le temps pressait ; il était capital que je me libère avant le retour de Shelly car personne ne savait que j'étais ici.

Je me mis donc à sautiller en direction de la porte la plus proche. Elle donnait sur un couloir desservant quatre pièces dont les portes étaient toutes fermées. Je déchantai bien vite : chaque battant était équipé d'un gros cadenas fixé au chambranle. Ce dispositif avait été mis en place pour prévenir les fantaisies auxquelles aurait pu se livrer Brickstone en l'absence de Shelly. Dans son état, on pouvait légitimement s'inquiéter de ses initiatives. Une boîte d'allumettes et un réchaud à gaz ne font pas bon ménage avec un vieillard atteint de gâtisme. Cela n'arrangeait pas mes affaires. J'en aurais pleuré de rage. Si Shelly conservait les clefs dans sa poche, j'étais fichue.

Chaque cadenas était numéroté, afin qu'on puisse identifier la clef qui s'y rapportait. Il y avait donc, quelque part, un trousseau comportant quatre clefs qui donnaient accès à la cuisine ainsi qu'aux autres pièces de la maison. À la place de Shelly, je ne m'en serais pas encombrée. Brickstone ne pouvant quitter son fauteuil, j'aurais dissimulé le trousseau hors de sa portée, au sommet d'une armoire par exemple...

C'est dans cette direction que je devais chercher.

Au fond du couloir, se dressait un vaisselier décoratif chargé de très belles assiettes en Wedgwood. Hélas, dans mon état, il m'était impossible d'en atteindre le sommet sans grimper sur une chaise. Il me fallut donc retourner dans la salle pour y récupérer le siège adéquat. Cette opération me prit un temps fou. Les raclements produits par les pieds de la chaise que je tirais tant bien que mal, réveillèrent Lawrence qui fut pris d'une agitation subite. Il devina aussitôt mes intentions; sans doute parce qu'il avait souvent vu Shelly procéder à la même manœuvre.

— Pas le droit! cria-t-il. Faut pas toucher aux clefs! Shelly l'a interdit, tu seras punie. Je te dénoncerai.

Sans m'occuper de ses jérémiades, je poursuivis mon chemin, les mains crispées sur le dossier de la chaise. Brickstone, frénétique, se lança à ma poursuite en proférant des menaces. À coups de fauteuil roulant, il essayait de me faire tomber. J'essayais de le repousser sans grand succès car il revenait toujours à la charge. Le repose-pieds métallique du fauteuil me meurtrissait les chevilles et les mollets à chaque nouvel assaut, et j'éprouvais de plus de plus de difficultés à conserver mon équilibre.

Me hisser sur la chaise ne fut pas une mince affaire, mais je parvins tout de même à me redresser pour atteindre le sommet du vaisselier. Levant les mains liées au-dessus de ma tête, j'entrepris d'explorer le sommet poussiéreux du meuble pendant que Lawrence s'obstinait à tamponner la chaise dans l'espoir de me projeter sur le sol. Mes doigts engourdis rencontrèrent un anneau métallique. Je m'en emparai. Il s'agissait bien du trousseau dont dépendait ma liberté. De petites clefs numérotées s'y balançaient.

— Salope! Salope! caquetait Lawrence. Pas toucher! Interdit! Tu seras punie et ce sera bien fait!

Il me fallut descendre de mon perchoir sans me casser une fois de plus la figure, et sautiller au long du couloir à la recherche de la cuisine. Examinant l'état des portes, je choisis la plus sale, celle dont la poignée était entourée de taches de graisse.

Dès qu'il me vit glisser la clef dans le cadenas, Brickstone se calma, et une expression de convoitise sournoise plissa son visage.

— Gâteaux! lança-t-il en crachotant. Gâteaux dans le placard! Là... Là derrière...

Ses vieilles mains déformées par les rhumatismes décrivaient des arabesques fébriles dans les airs.

Le cadenas tomba sur le sol, le battant pivota de lui-même. C'était bien une cuisine, mais dans un état de saleté extraordinaire. Mon apparition mit en fuite un million d'insectes occupés à festoyer dans les assiettes empilées dans l'évier. Lawrence me bouscula pour entrer et se précipita sur le réfrigérateur, un antique Westinghouse gros comme une armoire.

J'en profitai pour m'emparer d'un couteau et sectionner les bandes adhésives, ce fut moins facile que je ne l'avais imaginé. Ayant recouvré ma liberté de mouvement, j'ouvris placards et tiroirs à la recherche d'un flacon d'aspirine. Ma gesticulation avait décuplé ma migraine au-delà du supportable et j'étais près de m'évanouir. Pendant que j'avalais quatre comprimés, Lawrence se goinfrait de pancakes poisseux tirés du réfrigérateur. J'eus le plus grand mal à le ramener dans le couloir. Je remis le cadenas en place car je ne tenais pas à ce qu'il flanque le feu à la baraque dès que j'aurais le dos tourné.

Je dus tâtonner pour localiser la porte menant à la cave. Mon exploration me conduisit dans un bureau, jadis très beau, aujourd'hui changé en capharnaüm. Dans un coffre-fort grand ouvert, des liasses de billets s'entassaient. Shelly y puisait à l'évidence de quoi régler les dépenses ménagères. Des billets de cent dollars traînaient sur le sol, en vrac. Nulle part je ne trouvai de râtelier d'armes. Si Brickstone possédait un fusil, Shelly l'avait emporté.

Je découvris enfin un escalier plongeant dans les entrailles de la maison, je m'y engageai en me cramponnant à la rambarde car je craignais de perdre connaissance. Je commençais à me demander si je ne souffrais pas d'un traumatisme crânien justiciable d'une hospitalisation en ICU.

Un étage plus bas s'ouvrait une salle bétonnée illuminée par des rampes au néon. Une dizaine de motos de collection s'y alignaient, ainsi que six voitures de légende aux carrosseries couvertes de poussière. Des bidons de carburant s'entassaient dans un coin. Un interminable établi supportait une profusion d'outils et de pièces de rechange. On avait même prévu une cabine de douche afin que le maître des lieux fût en mesure de se décrasser au terme de chaque séance de bricolage. Je m'examinai dans le miroir du lavabo. Mon visage était couvert d'un masque de sang coagulé, une vilaine entaille bâillait au sommet de mon front. Je tournai le robinet, mouillai une serviette et me nettoyai grossièrement.

Tournant le dos à la mini salle de bains, j'examinai les véhicules. Personne n'avait utilisé les voitures depuis longtemps, cela se devinait à la poussière qui les recouvrait. Il y avait fort à parier que leurs batteries étaient à plat. Les motos semblaient plus propres. Sans doute Shelly les utilisait-elle tour à tour, au gré de sa fantaisie. Je jaugeai rapidement les réservoirs, ils étaient pleins. Les clefs des différents véhicules étaient accrochées à un tableau surplombant l'établi. C'est en m'en approchant que je remarquai les bidons de poison et l'entonnoir.

Il s'agissait d'un liquide toxique à effet immédiat utilisé pour tuer les coyotes. Son pouvoir était tel que la Foods and Drugs Administration en avait interdit la commercialisation, ce qui n'empêchait pas les fermiers de l'acheter sous le manteau.

Je comprenais à présent pourquoi les abords du ranch étaient jonchés de dépouilles en putréfaction. Shelly se passait les nerfs sur les charognards des environs. Mais le plus inquiétant, c'étaient les boîtes de cartouches vides qui traînaient sur le sol. Des munitions pour Winchester .30-30. Shelly avait dû en remplir les sacoches de la Harley.

Je dénichai un casque intégral d'un modèle ancien ainsi qu'une combinaison de cuir, que des chutes répétées avaient râpée sur la moitié de sa surface. J'imaginai qu'elle avait servi à Shelly durant son apprentissage, lorsqu'elle s'était mis en tête de dompter les monstres d'acier collectionnés par Brickstone.

M'étant équipée, j'ouvris la porte du garage et poussai la plus légère des motos sur la rampe de sortie. Soucieuse d'éviter les planchettes à clous, je décidai de ne pas enfourcher la machine tant que je n'aurais pas franchi les limites de la propriété. Il aurait été stupide de crever un pneu si près du but, et j'étais trop épuisée pour envisager de changer de roue.

Mais la bécane pesait lourd, et j'étais trempée de sueur lorsque je contournai le Humvee où le cadavre de Samuel pendait de guingois, retenu par la ceinture de sécurité.

Je n'avais aucune idée de l'heure qu'il pouvait être. Shelly m'avait fait les poches, mon portable et mon porte-monnaie avaient disparu. J'étais seule, sans un dollar, dans le désert, en pleine nuit, perdue à deux cents kilomètres d'Esteranza.

Je revins sur mes pas dans l'espoir de dénicher un téléphone et un peu d'argent dans la voiture de Samuel, mais je fis chou blanc. Pourquoi m'en étonner? Primo, Langford détestait les portables; secundo, lorsque nous avions quitté son domicile il était trop perturbé par la perspective de sa confrontation avec Shelly pour songer à glisser des billets dans ses poches.

Stupidement, je scrutai l'horizon, m'attendant à y discerner les reflets de l'incendie annoncé par Shelly.

Enfin, j'enfourchai la moto et mis le contact. Je n'avais aucune idée de ce qui m'attendait au domaine.

15

Je roulais aussi vite que possible, tenaillée par la peur de bifurquer dans la mauvaise direction et de me perdre dans le désert. À trois reprises je faillis emboutir un coyote et évitai la catastrophe de justesse.

De temps à autre j'éteignais les phares pour me guider sur les lumières de la ville que je distinguais dans le lointain.

Quand je m'engageai sur le Mulholland Scenic Corridor, l'aube se levait. J'avais eu la chance qu'aucune patrouille de flics ne m'arrête.

Dès que la grille du domaine se dessina au bout de la route, je compris que tout allait mal. Le garde préposé au filtrage des visiteurs gisait dans la poussière, les mains crispées sur le ventre. Je calai la machine sur sa béquille et m'avançai prudemment vers le corps. L'homme n'avait pas été abattu d'une balle. Il était couvert de vomissures. Un plateau-repas en provenance du réfectoire trônait sur la table de la guérite de surveillance. Je me rappelai alors que le poison utilisé pour l'éviction des coyotes était réputé sans goût, et à effet instantané. Mais comment Shelly avait-elle fait pour le déverser dans les marmites de la cantine ? Il me semblait impossible qu'elle ait pu s'introduire dans le bâtiment sans éveiller l'attention. Ce n'était pas précisément quelqu'un qui passait inaperçu.

Je décidai d'abandonner la moto au seuil du domaine et de poursuivre à pied. Je n'avais aucun plan en tête, j'improvisais.

J'atteignis la barrière blanche, cette fameuse « frontière » que James Peeterson tenait tant à ce que nous respections. De l'autre côté des pelouses, les bâtiments étaient illuminés mais silencieux. Il me fallait profiter des dernières miettes d'obscurité pour m'y faufiler car d'ici peu le soleil se lèverait sur la colline.

Les battements de mon cœur m'emplissaient les oreilles, ravivant ma migraine. La sueur diluait le sang coagulé de l'entaille barrant mon front.

Après avoir zigzagué de boqueteaux en buissons, j'entrai dans le bâtiment. Le hall était jonché de cadavres et de flaques de vomissures. Les pensionnaires du domaine, en proie aux convulsions de l'empoisonnement, semblaient avoir tenté de gagner le secteur médical des installations.

Je dénombrai une vingtaine de corps. La puanteur des régurgitations était insoutenable. À tout hasard, je gagnai le réfectoire. J'eus l'impression de visiter le camp de la Guyana, au lendemain du suicide collectif ordonné par le révérend Jones.

Tous les pensionnaires qui s'étaient rassemblés là pour le dernier service avaient connu un sort identique. Alors que je battais en retraite, une détonation retentit et une balle me frôla en miaulant. Je me jetai en arrière ; la seconde d'après j'aperçus Peeterson, embusqué au coin d'un mur, et qui brandissait un shot-gun.

— Arrêtez, abruti ! hurlai-je. C'est moi, Mickie Katz !

Il baissa aussitôt son arme. Il était livide et tremblait.

— À cause du casque et de la combinaison de motard je vous ai prise pour Shelly... bredouilla-t-il. Elle est ici... quelque part... elle erre dans les couloirs

277

depuis des heures. Elle tue ceux qu'elle rencontre. Je crois qu'elle a massacré presque tout le monde.

Je lui ôtai l'arme des mains.

— Comment a-t-elle fait pour accéder aux cuisines? demandai-je.

— Elle n'en a pas eu besoin, balbutia Peeterson. Elle n'a eu qu'à verser le poison dans la citerne d'eau douce qui se trouve dans le parc. Tous ceux qui ont bu cette eau sont morts en quelques minutes. Vous ne pouvez pas savoir, c'était épouvantable…

— Il y a des survivants?

— Quelques-uns, ils se sont barricadés dans leurs chambres, mais Shelly les en déloge les uns après les autres. Ensuite elle les fusille à bout portant.

— Où est Peggy?

— Dans ses appartements. Je m'apprêtai à la rejoindre.

— Que fichez-vous au rez-de-chaussée?

— J'essayais de trouver un téléphone en état de marche. Shelly a coupé les fils, nous sommes complètement isolés de l'extérieur. J'espérais que l'un des postes de l'aile ouest fonctionnerait encore. Je voulais prévenir la police. Mais il n'y a rien à faire.

« Voilà ce qui arrive, pensai-je, quand on refuse d'utiliser un cellulaire! »

J'ôtai mon casque pour me donner de l'air. Peeterson claquait des dents.

— Vous avez un véhicule? souffla-t-il. Nous pourrions quitter la propriété pendant que Shelly est occupée…

— Vous abandonneriez vos copains? ricanai-je. Je croyais que Peggy était votre idole.

— Elle ne risque rien, grogna-t-il hargneusement. Elle dispose d'une *panic room*… une chambre aux parois doublées d'acier. Si les choses se gâtent, elle n'aura qu'à s'y enfermer. Shelly ne pourra jamais en forcer la porte.

Ayant jeté un coup d'œil par la fenêtre, je répondis :

— Trop tard, il fait jour. Shelly n'aurait aucun mal

à nous tirer dans le dos depuis le premier étage. Et puis, le temps que nous redescendions à L.A. prévenir les flics, elle aura tué tout le monde. Désolée, il faudra nous débrouiller seuls.

Je tendis la main, paume en haut, vers Peeterson pour qu'il me remette les cartouches du shot-gun. Il m'en donna quatre. Nous n'irions pas loin avec ça.

— Je suppose que Morton Clark est là-haut, avec elle? grognai-je.

— Oui... Nous nous apprêtions à souper quand la chose s'est produite. Heureusement, nous n'avions encore rien mangé. Il s'en est fallu d'un cheveu. Si Morton n'était pas arrivé en retard, nous aurions connu le même sort que ces pauvres bougres.

Je parcourus du regard le champ de bataille du réfectoire. Ainsi Shelly avait mis sa menace à exécution, elle avait supprimé tous ceux qui, de près ou de loin, avaient participé à l'aventure de *First Lady*, et qu'elle estimait complices de sa sœur.

— Notre seule chance, chuchota Peeterson, c'est de gagner l'ascenseur et de rejoindre Peggy. Une fois bouclés dans la *panic room* nous serons hors d'atteinte de cette folle!

— Vous déconnez, soupirai-je. Shelly va incendier le bâtiment, elle me l'a dit. Votre chambre aux murs d'acier ne vous protégera pas des flammes, vous y cuirez comme dans une marmite. De toute manière, quand le feu aura rongé les poutres, la maison s'effondrera. Vous croyez vraiment que votre boîte magique refusera de s'aplatir quand trente tonnes de charpente lui tomberont dessus?

Un vilain tic lui convulsa la face. Je rechargeai le fusil et m'embusquai à l'angle du mur. Un bruit de pas s'éleva au fond de la galerie. Shelly apparut soudain. Elle tenait une Winchester Cherokee 1894 dans la main droite. De la gauche, elle agitait un bidon d'essence dont elle répandait le contenu sur le sol.

— *Tuez-la!* haleta Peeterson, la bouche collée contre mon oreille. Bordel! qu'est-ce que vous attendez? Abattez cette chienne!

Je le repoussai du coude et épaulai mon arme. Shelly ne nous avait pas repérés. Elle poursuivait son chemin en chantonnant. J'identifiais la musique du générique de *First Lady*.

Elle passa devant moi, offrant une cible parfaite, mais je ne pus me résoudre à presser la détente. Je la laissai poursuivre son chemin et disparaître au détour d'un couloir.

— Mais qu'est-ce qui vous a pris, pauvre conne! hoqueta Peeterson en m'empoignant. Il fallait l'abattre! L'abattre! Morton a raison, vous n'êtes qu'une pauvre gourde!

Je lui expédiai la crosse du shot-gun en plein visage et lui cassai deux dents. Il devint tout de suite moins loquace.

Je ramassai une poignée de serviettes en papier sur l'une des tables de la cantine et la lui fourrai dans la main.

— Nettoyez-vous, ordonnai-je, vous dégueulassez vos beaux habits.

Quand il eut fini de gémir, je dis :

— Nous allons grimper chez Peggy, et essayer de la convaincre de sortir de ce piège. Je n'ai pas beaucoup d'estime pour elle, mais je ne me sens pas le droit de la condamner à griller vive. Si elle accepte de me suivre, nous essayerons de fuir en utilisant la Rolls-Royce qui dort au garage. D'accord?

— C'est idiot! protesta Peeterson. Il est beaucoup plus simple de s'enfermer dans la *panic room*. Les parois blindées sont à l'épreuve des balles...

Décidément, il ne voulait rien entendre. Je haussai les épaules et lui fis signe de m'emboîter le pas.

Rasant les murs, je remontai le couloir en direction

de la cabine d'ascenseur menant aux appartements de Peggy McFloyd.

Tout le bâtiment empestait l'essence. Manifestement, Shelly avait puisé dans les réserves du domaine. Le doute me gagna : si elle était entrée dans le garage, elle en avait profité pour saboter la Silver Ghost de sa sœur, ce qui contrariait mon plan d'évasion. Je pénétrai dans la cabine, suivie de Peeterson, et pressai le bouton. Dès que l'ascenseur s'immobilisa, l'insupportable bonhomme me bouscula pour sortir, comme si je risquais de lui voler sa place dans la chambre de survie.

— Peggy? cria-t-il. C'est moi... Je suis avec Mickie Katz.

Il s'exprimait sur un ton geignard, infantile. Devant l'absence de réponse, il se mit à courir. Je le suivis. Soudain, un morceau de verre craqua sous ma semelle. Levant les yeux, je réalisai que le chat empaillé n'était plus sur la cheminée. Les tessons du globe qui l'avait retenu si longtemps prisonnier jonchaient le tapis. Nous arrivions trop tard. Quand je franchis le seuil du salon, je butai sur un Peeterson statufié, la bouche tremblante, qui levait les mains à la hauteur des épaules, tel un prisonnier de guerre implorant la clémence de l'ennemi.

Shelly nous avait devancés. Elle était installée dans le fauteuil de sa sœur, telle une reine accordant audience à des gueux. De la main droite elle braquait le canon de la Winchester sur Peeterson, de la gauche, elle caressait la dépouille du chat pelé couché en travers de ses cuisses.

— Ah! tu es venue, dit-elle en m'apercevant. J'espère que tu as refermé tous les cadenas. Si on oublie celui de la cuisine, Lawrence se bourre de confiserie à en être malade.

— Où est Peggy? demandai-je sans élever la voix.

Du canon de la carabine, elle désigna une porte close dont les contours étaient dissimulés par les rayures du papier peint.

— Là-dedans, dit-elle. Elle s'y est enfermée avec Morton, son amant. C'est une espèce de coffre-fort... Tu sais, il y avait un truc comme ça dans *First Lady*. La chambre de sécurité du président où ses gorilles l'enfermaient à la moindre menace d'attentat...

— Et que comptes-tu faire ? m'enquis-je.

— Rien, dit-elle en haussant les épaules. J'attends. C'est stupide, leur truc, quand l'incendie léchera les parois métalliques, ils cuiront comme des grenouilles dans une marmite. Ce sera long et très douloureux, comme les opérations que j'ai subies par leur faute.

Tout à coup, elle pressa la détente, me faisant sursauter. Peeterson s'effondra, la poitrine trouée.

— Je t'ai vue, tout à l'heure, reprit Shelly. Quand tu étais embusquée à la cantine. Tu m'as mise en joue mais tu n'as pas tiré. Tu n'as pas pu, hein ?

— Non, fis-je en la fixant droit dans les yeux.

— Moi non plus, je ne peux pas te tuer, soupira-t-elle, parce que tu es laide, sans doute. Finalement, nous sommes un peu sœurs.

— Viens, suppliai-je. Ne reste pas là.

— Mieux vaut que tu t'en ailles, dit-elle d'une voix lasse. Le chat ne va plus tarder à s'enflammer maintenant. Je sens qu'il se réchauffe sous mes doigts. Il va tenir parole. Moi, je vais rester pour lui tenir compagnie, et aussi pour éviter que les voleurs de visage ne sortent de la chambre de fer. Je veux qu'ils cuisent. Finalement, ça ne m'intéresse plus de découper la figure de Peggy, je me suis rendu compte qu'elle était devenue vieille, ça n'aurait aucun intérêt.

Elle agita le canon de la Winchester en direction de l'ascenseur.

— Pars ! ordonna-t-elle. Le chat va prendre feu, regarde comme ses yeux sont jaunes ! C'est la lumière des flammes qui couvent dans son ventre. Pars vite... et occupe-toi de Lawrence. Il s'est montré gentil avec moi. Maintenant, ce n'est plus qu'un enfant, mais nous avons eu de bonnes années... Ne le laisse pas se gaver de pancakes, il ne les digère pas.

Je posai le shot-gun sur un siège et reculai lentement, jusqu'à l'ascenseur. Une fois la porte refermée, je pressai le bouton du rez-de-chaussée. Avant de quitter le bâtiment je m'assurai qu'il ne restait aucun survivant. Shelly n'avait épargné personne, pas même ceux qui avaient tenté de se réfugier dans leur chambre.

Tournant le dos à la maison, je traversai le parc en direction de la grille, là où j'avais abandonné la moto.

L'ayant enfourchée, je me retournai une dernière fois. De la fumée s'échappait des fenêtres. Je donnai un coup de talon sur le kick et emballai le moteur. Une minute plus tard, je dévalai la colline pour rejoindre L.A.

16

Les *breaking news* du journal du soir consacrèrent un long reportage à l'incendie d'Esteranza et à la disparition de la comédienne Peggy McFloyd, dont l'action caritative avait fait l'admiration de tous. Les pompiers, alertés par le panache de fumée s'élevant au-dessus des collines, étaient malheureusement arrivés trop tard et n'avaient pu sauver personne. Malgré cela, un randonneur, présent sur les lieux, affirmait avoir vu un homme et un chat sortir du bâtiment en flammes. L'homme, habillé de noir, fumait le cigare, quant à l'animal, on le distinguait mal car il paraissait enveloppé de fumée.

Les sauveteurs avaient fouillé les environs sans trouver trace de ces curieux survivants, ce qui jetait l'ombre du doute sur ce témoignage peut-être fantaisiste.

Cette anecdote me rappela la théorie quantique du chat de Schrödinger, sur les *états superposés*, apparemment paradoxaux. Peut-être Capitaine Spoutnik, à l'exemple du matou de l'équation, était-il lui aussi tout à la fois vivant ET mort ?

Dès le lendemain je contactai les services sociaux afin de leur signaler la présence de Lawrence Brickstone, désormais abandonné à lui-même et prisonnier d'un ranch assailli par les coyotes.

À la pensée de ce qu'il allait devenir, je fus gagnée par la déprime. Sans doute parce que j'imaginais mon père dans la même situation, vieux terroriste caché dans une quelconque bicoque, au fond d'un canyon perdu à la lisière du désert...

Comme j'évoquais cette idée devant Devereaux, j'eus la surprise de voir celui-ci pouffer d'un rire mauvais.

— Vous trouvez ça drôle? sifflai-je.

— Oui, fit-il en s'essuyant les yeux. Le côté « vieil ennemi public numéro un, cloué dans son fauteuil et trompant son ennui en comptant les épines des cactus »... Oui, ça m'amuse, je l'avoue. Pardonnez-moi, Mickie, mais vous êtes vraiment cruche! Votre père n'a jamais été terroriste, c'était un agent de la C.I.A. chargé d'infiltrer les milieux subversifs. Il travaillait sous couverture. Vraiment, vous ne vous en doutiez pas?

Imprimé en France par

à La Flèche
en octobre 2011

FLEUVE NOIR – 12, avenue d'Italie - 75627 Paris cedex 13

N° d'impression : 66270
Dépôt légal : novembre 2011